Marie-Hélène Morsel,
Claude Richou et Christiane Descotes-Genon

L'EXERCISIER

CORRIGÉS DES EXERCICES

Presses universitaires de Grenoble

1.

1. Tu es sûre qu'il a été prévenu du changement de logiciel ? – **2.** Philippe, Pierre et sa femme avaient pris une grande décision : ils allaient faire du sport, n'importe quel sport qui puisse être pratiqué dans la région. – **3.** Les ouvriers, qui étaient tous présents à la manifestation, ont décidé d'entamer la grève. – **4.** Il m'a demandé : « Pourquoi n'as-tu pas pris la parole ? » – **5.** Quelle idée d'avoir amené un chien ici ! – **6.** Il a voulu savoir pourquoi, moi, j'étais resté silencieux. – **7.** Le complément d'objet direct (COD) étant placé avant le verbe, le participe passé s'accorde. – **8.** Mon voisin m'a assuré – encore faudrait-il vérifier d'où il a tiré cette information – que le périphérique était fermé. – **9.** Une profusion de fruits, pêches, pommes, poires, abricots… était disposée sur la table. – **10.** Nous sommes arrivés à bon port ; mais quelle circulation !

2.

SAUTERA, SAUTERA PAS

Les amateurs de Benji (saut en élastique) vont pouvoir retrouver les sensations fortes qu'ils recherchent ! Une réglementation établie par le ministre de l'Intérieur, le ministre de la Jeunesse et des Sports et l'équipe grenobloise « Vertige Aventure » vient d'être définie, autorisant la reprise des sauts au pont de Ponsonnas, près de la Mure (103 mètres de vide !). Par ailleurs, ce site accueillera prochainement le premier centre permanent de Benji en Europe. Contact : Vertige Aventure : 04 76 47 42 80

3.

PLUIE D'ENFER

La petite ville de Huntingburg est inondée et évacuée. Jim et sa bande de malfaiteurs en profitent pour braquer un fourgon de transports de fonds. Mais Tom, le convoyeur, est décidé à mouiller sa chemise pour sauver le fric…

Que d'eau, que d'eau ! Le décor, vrai personnage, est assez impressionnant. Pensez : toute une bourgade les pieds dans la flotte, avec son cimetière, son église, son bureau de police. L'obscurité épaisse – l'action se déroule le temps d'une nuit – ajoute au climat d'angoisse.

L'intrigue est limitée, les surprises sont moins éclaboussantes qu'on le voudrait, mais bon, pour un spectateur bien au chaud, les pieds douillettement calés dans ses charentaises, il n'y a finalement rien de meilleur.

4.

1. Tous les enfants ont apporté des fleurs à l'institutrice. – **2.** En revenant, elle a posé son panier sur la table. – **3.** Il n'a pas voulu présenter ses excuses à sa collègue. – **4.** Elle se trouvait dans le car avec moi. – **5.** Je lui ai emprunté son parapluie et sa bicyclette. – **6.** Elle n'aime pas la couleur de mon imperméable. – **7.** Ces places sont réservées aux personnes âgées et aux handicapés. – **8.** Paul a été renvoyé de la classe par le directeur. – **9.** La secrétaire a remis le certificat à l'étudiante hollandaise hier./Hier, la secrétaire a remis… – **10.** Êtes-vous déjà allés voir ce film ?

5. Quelques propositions de réponses

Votre grand-mère n'a jamais porté de lunettes. – Le groupe de skieurs a été emporté par une avalanche. – François s'est heureusement aperçu de son erreur. – Les étudiants ont tous été reçus à l'examen. – Le facteur a apporté un paquet recommandé. – Elle est retournée dans son village natal. – Les policiers surveillent les gares. – Le boulanger a oublié de mettre le sel et le poivre. – Votre lettre n'est pas arrivée à temps.

6. Propositions de réponses

1. Le chien de mon voisin garde très efficacement le troupeau de moutons. – **2.** Hier, en raison d'un accident, le train pour Bruxelles est arrivé avec plus d'une heure de retard. – **3.** Après le déjeuner, mon cousin Sébastien fume toujours la pipe. – **4.** Cette fois je vais offrir une tablette à Mélie pour son anniversaire. – **5.** Le documentaire sur la civilisation Inca passe ce soir au Gaumont. – **6.** La semaine dernière, il a planté dans son potager des tomates cerises. – **7.** Cette dame, avec un manteau vert, assise sur le banc, c'est ma tante Odile. – **8.** Au garage Renault, un vendeur très compétent lui a montré une voiture hybride. – **9.** Il y a deux jours, son voisin du troisième, lui a apporté un livre illustré de magnifiques photos. – **10.** En 2010, nous habitions encore dans une villa au bord du lac d'Annecy.

7.

ESPAGNE : UN POLICIER TUÉ DANS UN ATTENTAT

Un inspecteur de police a été tué, lundi matin 18 décembre, dans un attentat commis à Prat-de-Llobregat, en Catalogne, a annoncé la police. Un jeune homme et une jeune femme ont ouvert le feu sur le policier, José Sucino Ibanez, trente et un ans, alors qu'il sortait de son domicile. Les deux individus ont ensuite pris la fuite sur une moto de forte cylindrée. Un attentat s'était produit dans des circonstances semblables, vendredi à Valence, contre un colonel de l'armée de terre.

Ordre : **3. 5. 4. 6. 2. 1.**

8.

Le 22 février 1987, un certain Bob Robert, cinquante-huit ans, mourait dans un hôpital de New York. En principe, l'opération de la vésicule biliaire qu'il venait de subir n'aurait pas dû entraîner de conséquences fatales. Mais l'infirmière de nuit, Mme Min Chou, au lieu de surveiller le patient, est restée toute la nuit dans sa chambre à lire la Bible. C'est du moins ce qu'elle dira aux enquêteurs. De très nombreuses négligences du personnel soignant sont alors constatées. Pas de preuves formelles, affaire classée. Bob Robert avait demandé, en entrant à l'hôpital, s'il y avait des gens plus célèbres que lui en traitement dans les différents services. Réponse : non. Il faut insister : rien d'extraordinaire, une simple opération de routine. Le patient n'avait pas non plus la maladie que vous savez. Bob Robert n'était autre qu'Andy Warhol.

Ordre : **4. 3. 6. 2. 1. 5.**

La construction des verbes 2

Activité de repérage 1

	Construction transitive directe	Construction transitive indirecte	Construction intransitive
1. Il parle plusieurs langues.	X		
2. Elle travaille à Radio France.			X
3. Il n'a jamais accepté ce changement.	X		
4. Avez-vous parlé au directeur ?		X	
5. Ils ont réussi leurs examens.	X		
6. Nous espérons vous revoir bientôt.	X		
7. Ils sont tous descendus de bonne heure.			X
8. Elle s'attend à être renvoyée.		X	
9. Il a réussi à se faire respecter.		X	
10. Elle est arrivée cette nuit.			X

9.

1. d. Il continue à pleuvoir. – **2. f.** Ils sont revenus plus tôt que prévu. – **3. a.** Rentrez les chaises, il pleut. – **4. j.** Cela dépendra de l'heure du départ. – **5. b.** Pour une nuit, ils se contenteront d'une chambre sans douche. – **6. c.** Depuis quelque temps, elle songeait à se remarier. – **7. i** Nous envisageons de passer notre retraite à Paris. – **8. e.** Avez-vous réussi à le convaincre ? – **9. h.** Ils ont convaincu leur ami de rester un jour de plus. – **10. g.** Elles attendent l'heure du départ.

10.

1. Il est revenu à Strasbourg. *(Phrase complète)*.
2. Elle a rencontré à Lille ma cousine Sylvie.
3. Nous apportons à notre amie un bouquet de fleurs des champs.
4. Ils pensent souvent à leurs enfants. *(Phrase complète)*.
5. Adressez-vous à cet employé. *(Phrase complète)*.
6. J'ai annoncé à ma tante la naissance de Vladimir.
7. Elle prête à son frère l'argent nécessaire à l'achat de son studio.
8. L'artisan fabrique un nouveau moule.
9. Il parle à tout le monde. *(Phrase complète)*.
10. J'ai proposé à ma collègue l'achat d'un nouveau dictionnaire.

11. Propositions de réponses

Je reste chez moi, je nettoie, je travaille, je sors, je marche, je cours, je me dépêche, je lis, j'écris, je rentre, je mange, je dors…

7

12.

La fleuriste : Elle dispose joliment les fleurs dans des vases. – Elle y verse de l'eau. – Elle sort les pots de fleurs. – Elle conseille les acheteurs. – Elle fait de beaux bouquets en ajoutant de la verdure. – Elle coupe les tiges trop longues. – Elle choisit soigneusement les papiers d'emballage. – Elle explique la quantité d'eau nécessaire aux plantes en pots. – Elle précise aussi le bon ensoleillement. – Elle livre des commandes…

L'agent de police : Il met son uniforme. – Il prend son pistolet. – Il règle la circulation. – Il renseigne les passants. – Il dresse des procès-verbaux. – Il donne des contraventions. – Il aide les étrangers. – Il protège les citoyens. – Il arrête le voleur. – Il respecte la loi…

La secrétaire : Elle utilise un ordinateur. – Elle classe les dossiers. – Elle corrige ses fautes. – Elle envoie des SMS. – Elle renseigne les clients. – Elle organise le planning de son directeur. – Elle rédige un compte rendu. – Elle achète les billets d'avion. – Elle range son bureau…

13.

Madame Dupont a écrit à son frère. – Elle a téléphoné à sa mère. – Elle a parlé à ses voisins. – Elle a commencé à travailler. – Elle a continué à discuter. – Elle a essayé de se taire. – Elle a renoncé à le faire. – Elle a cédé à la tentation. – Elle a pensé à ses enfants. – Elle a pardonné à son mari…

14.

1. Le malade est reçu par le médecin. – **2.** Le village était recouvert d'une épaisse couche de neige. – **3.** *(passif impossible)*. – **4.** *(passif impossible)*. – **5.** L'usine était occupée par les ouvriers. – **6.** Cet appartement a été habité par des étudiants. – **7.** *(passif impossible)*. – **8.** Le bail sera signé par le propriétaire et le locataire. – **9.** *(passif impossible)*. – **10.** L'assiette est décorée d'un joli motif.

15.

1. Elle aime beaucoup **les roses jaunes**. – **2.** Il pense à **sa nouvelle moto**. – **3.** Nous avons besoin de **vacances au bord de la mer**. – **4.** Maintenant nous **habitons un appartement plus tranquille**. – **5.** Êtes-vous prêts à **soutenir ce candidat** ? – **6.** La directrice s'oppose à **la mutation du chef de service**. – **7.** Ils ont profité de **l'absence des propriétaires pour rentrer dans l'appartement**. – **8.** Depuis une heure, ils attendent **la correspondance pour Lyon**. – **9.** Véronique a reçu **les félicitations du jury**. – **10.** Nous tenons vraiment à **un chauffage au gaz**.

16.

1. Pour aller à Paris, il vous faudra **changer de train à Lyon**. – **2.** Nous ne voulons pas partir, nous tenons **à rester ici**. – **3.** Ses cheveux roux, elle les tient **de sa grand-mère**. – **4.** Sur ce célèbre tableau de Vinci, la Sainte Vierge tient **l'Enfant Jésus sur ses genoux**. – **5.** Elle est arrivée cinq minutes en retard et a manqué **le début de la conférence**. – **6.** Vous êtes trop sévère avec lui et souvent vous manquez **d'indulgence**. – **7.** Après les hors-d'œuvre, le garçon a servi **le poisson**. – **8.** Calmez-vous, cela ne sert à rien **de vous énerver**. – **9.** Cet outil sert **à faire des trous**. – **10.** Pour transporter la terre, il se sert **d'une brouette**.

17.

Je vois = Quelqu'un qui retrouve la vue. / Je comprends ce que vous dites.
Non, il mange = Réponse à : il est disponible ?
J'ai compris = Inutile de répéter.
Tu entends ? = Tu comprends bien ce que je dis ? / Écoute bien.
Il a oublié = Excuse

L'EXERCISIER
CORRIGÉS DES EXERCICES

Conception graphique de la couverture : Corinne Tourrasse
Maquette intérieure : Catherine Revil
Mise en page : Soft Office
Coordination éditoriale : Rose Mognard

Achevé d'imprimer en février 2018
sur les presses de la Nouvelle Imprimerie Laballery – 58500 Clamecy
Dépôt légal : mars 2018 – N° d'impression : 712414
Imprimé en France
La Nouvelle imprimerie Laballery est titulaire de la marque Imprim'Vert®

© Presses universitaires de Grenoble, mars 2018
15, rue de l'Abbé-Vincent – 38600 Fontaine
Tél. +33 (0)4 76 29 43 09 – Fax +33 (0)4 76 44 64 31
pug@pug.fr / www.pug.fr

ISBN 978-2-7061-2983-4

Je n'ai pas percuté = Je n'ai pas réagi (familier).

J'adhère = Je partage votre point de vue.

Je prends = Dans certains jeux de carte, annoncer qu'on va gagner la partie.

Elle a reçu = Elle a eu beaucoup de problèmes

Il encaisse = Il subit, accepte la situation sans se plaindre.

À toi de couper = À la belote (jeu de cartes), par exemple, quand on n'a pas de la couleur deman-
dée, il faut utiliser de l'atout.

18.

Comme d'habitude, Madame Pomme **s'est réveillée** à sept heures. Elle **s'est rappelé** qu'elle
avait un rendez-vous important et qu'elle devait **se préparer** rapidement. Elle **s'est assise** sur
son lit pour enfiler ses mules puis **s'est dirigée** vers la salle de bains. Allait-elle prendre un
bain ou une douche ? Elle **s'est penchée** sur la baignoire pour faire couler le bain. Elle **ne s'est
pas enfermée** pour **se déshabiller** : elle était seule dans son appartement et **ne se méfiait pas**.
Elle est rentrée dans l'eau chaude et parfumée espérant **se détendre** avant d'aller travailler.
Elle ne **se doutait pas** de ce qui allait **se passer**...

Quelle n'a pas été sa stupéfaction quand elle a entendu du bruit dans la cabine de douche non
loin de la baignoire ; elle **s'est relevée** et **s'est aperçue** qu'un bras velu faisait couler l'eau chaude.
« Qui est là ? », **s'est-elle écriée** et elle **s'est évanouie** de frayeur.

19.

CONFÉRENCE-DÉBAT
« L'ADOLESCENCE HYPER-MODERNE À L'ÈRE DE LA PRODUCTION D'IMAGES »

Écrire un tweet, un post, faire un selfie ; pour de nombreux adolescents, ces pratiques sont
leur quotidien. Les usages des technologies numériques **se démocratisent** et **se diversifient**
rapidement. En **se photographiant**, **se filmant** et en **se mettant en scène** sur de nombreux
écrans, les jeunes intensifient l'expérience d'un nouveau rapport au monde, à autrui, au temps
et à l'espace ce qui n'est pas sans déboussoler nombre d'adultes... À l'heure où le numérique
est omniprésent, les questions fusent. Il est aujourd'hui nécessaire de **s'intéresser** à leurs
pratiques numériques qui, souvent, **s'avèrent** motivées par une recherche de reconnaissance.
Mais que disent les adolescents de ces pratiques ? Quelles sont leurs motivations ? Au cours de
notre intervention nous nous **efforcerons** d'explorer ce sujet en nous **appuyant** sur la parole
des jeunes.

L'article

⊕ Activité de repérage 2

À **la** menthe **la** fraîcheur, à **la** rose **le** capiteux et à **la** lavande... **la** propreté **du** linge et **des** carrelages. Originaire **du** bassin méditerranéen et à son aise dans **les** pays de l'Est, elle régnait dans **les** bains romains. Dérivant **du** latin « lavandaria », **la** lavande n'a plus guère de lien avec **le** parfum **des** produits d'entretien. Si vous n'avez pas encore goûté **aux** glaces **au** basilic, à **la** carotte ou **aux** petits pois, vous avez peut-être savouré **de la** glace à **la** lavande. Mais cette fleur a encore **du** mal à passer à **la** casserole. Pour éviter qu'**un** plat n'évoque **la** lessive, mieux vaut mêler à **de la** lavande quelques fleurs de thym sur **du** fromage de chèvre. Un chef cuisinier a eu l'idée de poser sur **une** mousse **au** chocolat, **une** tige de lavande flambée. De toute façon, l'huile essentielle **de** lavande sera toujours **de la** plus grande utilité dans **la** cuisine en cas **de** brûlures ou **de** coupures.

20.

1. Elle aime les fleurs artificielles. – **2.** Je veux du sucre avec les fraises. – **3.** Ils ont de la chance. – **4.** J'ai besoin de vacances. – **5.** Il reste du pain. – **6.** Vous ferez le ménage et la vaisselle. – **7.** Ils ont changé de train. – **8.** Elle avait ajouté des documents visuels à son devoir. – **9.** Il a fait les réservations pour sa famille et il aura des places. – **10.** Puisque vous avez besoin d'aide, je vous donnerai un coup de main.

21.

1. Elle n'a pas de grande voiture pour transporter son matériel. – **2.** Ils n'ont pas encore le haut débit. – **3.** Ils ne boivent pas d'eau ni de cidre. (Ils ne boivent ni eau ni cidre.) – **4.** N'ajoute pas de sel. – **5.** Nous ne lui avons pas encore emprunté d'argent. – **6.** Il ne travaille pas toujours/jamais à l'usine. – **7.** Il ne faisait pas d'efforts pour se faire comprendre. – **8.** Il ne prend jamais de taxi quand il va à la gare. – **9.** Ne mets pas de bonnet ni de gants. – **10.** N'enlevez pas la poubelle du trottoir.

22.

1. Il faudra rajouter **un peu de** cannelle à votre gâteau. – **2. La plupart des** gens s'abstiennent maintenant de voter. – **3.** Il te reste **assez de** temps pour finir ton devoir. – **4.** J'ai **encore des** dollars ; je peux t'en prêter pour ton voyage. – **5.** Il y a **suffisamment de** monde, la séance peut commencer. – **6. Beaucoup de** nuages sont arrivés et l'orage n'a pas tardé à éclater. – **7. Peu d'**élèves n'ont pas réussi au baccalauréat. – **8.** Le directeur a demandé **plus de** persévérance à ses employés pour venir à bout de ce travail. – **9. Trop d'**actes criminels restent impunis. – **10.** Il **n'a pas de** voiture pour aller travailler.

23.

1. Les passants ont remarqué **des** voitures dont **les** roues étaient crevées. – **2. Nous** avons besoin **des** dictionnaires pour faire **les** traductions. – **3.** Il y avait **des** places libres. – **4. Les** chants **des** oiseaux **nous** ont réveillés. – **5.** Pour **leur** anniversaire, **elles** ont envie de DVD et de plantes vertes. – **6. Ce sont les** petites filles qui veulent **de** belles poupées. – **7. Ils** sont arrivés à **la** gare en même temps que **nous**. – **8.** Garez-**vous aux** endroits qui **vous** sont réservés. – **9. Les** étudiants ont mal à **la** tête. – **10. Les** pattes **des** chevaux étaient couvertes **de** boue.

24.

Le déterminant change parce qu'on ne nomme pas les mêmes type d'élément :
– les équipements collectifs que tout le monde a (ou devrait avoir) : on a l'eau, l'électricité, le chauffage, la connexion télévisée, le téléphone (fixe), etc.
– des équipements spécifiques à un lieu ou personnels : il a un ordinateur, un balcon, un smartphone, etc.
– des éléments non quantitatifs ou difficilement quantifiables : du soleil, de la place, du marbre, etc.

ⓐ **1.** Vous avez **le** chauffage central ? Nous n'avons pas **le** chauffage central ; nous avons **un** gros poêle à mazout. – **2.** Vos voisins ont-ils **des** enfants ? Ils n'ont pas **d'**enfants, mais ils ont trois chiens. – **3.** Font-ils **du** bruit ? Non, ils ne font pas **de** bruit, mais ils sont sales. – **4.** Est-ce que vos fenêtres ont **des** volets ? Elles n'ont pas **de** volets. Nous avons installé **des** doubles rideaux. – **5.** Y a-t-il **de la** moquette sur le sol ou **du** plancher ? Il n'y a pas **de** moquette ni **de** plancher mais **du** carrelage. – **6.** Vous avez **la** connexion Internet ? Nous avons juste **la** radio. – **7.** Y a-t-il **des** commerçants dans la proximité ? Il n'y a pas **de** commerçants, il y a heureusement **un** supermarché pas trop loin. – **8.** Avez-vous **un** lave-vaisselle ? C'est mon mari qui fait **la** vaisselle. – **9.** Avez-vous déjà **la** fibre ? Nous n'avons pas encore **la** fibre ; on nous l'installe dans deux jours. – **10.** J'espère que vous avez **une** chambre pour chaque enfant ? Non, nous n'avons pas **une** chambre pour chacun, ils sont tous les trois ensemble.

ⓑ et **ⓒ** *Exercices de créativité*

25.

UN CRIME EN 1896, L'AFFAIRE DE LA RUE DE CRÉQUI

Dans **la** nuit du 28 au 29 décembre, **la** veuve Orcel, propriétaire d'**un** café rue Créqui à Grenoble, est assassinée. **Le** vol est apparemment **le** mobile **du** crime, car **la** chambre de **la** dame a été fouillée, et **une** importante somme d'argent a disparu. **Le** commissaire de police ouvre **une** enquête, et soupçonne **un** ouvrier tanneur, Auguste G. qui fréquentait **le** café. **Le** juge d'instruction pense qu'il s'agit plutôt d'**un** crime de **la** jalousie, que **le** nommé Sauvage aurait commis. On arrête **les** deux hommes, on les interroge et on procède à **une** perquisition à leur domicile. Chez tous **les** deux, on retrouve **une** chemise avec **des** taches de sang. **Les** voisins disent avoir entendu **le** bruit d'**une** bataille et **les** cris de **la** victime, mais ils n'ont vu aucun **des** suspects. Auguste G, comme Sauvage, clame qu'il n'est pas **le** coupable et tous deux fournissent **un** alibi pour **la** nuit **du** meurtre. Le juge, dans **l'**impossibilité de trouver **la** vérité, se décide à relâcher **les** suspects. Par **la** suite, ni **la** police, ni **le** juge ne seront capables de mener à bien leur enquête et de trouver **le** ou **les** coupables, et **le** crime restera impuni.

26.

ⓐ Léa est malade au lit et, pour se distraire, demande à sa mère de lui raconter ce qu'elle voit par la fenêtre.
– Raconte-moi ce que tu vois dans **la** rue, maman.
– Je vois **un** homme qui se promène avec **un / son** petit chien noir. Tu sais, c'est **le / ce** monsieur qui habite près de l'école **de** musique. Il va **à la** boucherie mais il laisse **le / son** chien dehors.
– Mais pourquoi ?
– Tu sais bien que **les** animaux ne sont pas acceptés dans **les** magasins d'alimentation et ce boucher est **un** commerçant très maniaque qui n'admet pas **la** moindre saleté dans sa boutique.
– Moi je trouve que c'est **un** sale type. Il ne faut plus aller chez lui.
– Allons, allons calme-toi. **Le** monsieur ressort **du** magasin et il donne à **son / au** chien **une** tranche de saucisson. Tu vois que **le / ce** boucher n'est pas si méchant que ça.

– Et qu'est-ce qu'il fait **le** type maintenant ?
– Rien, il semble attendre quelqu'un. Ah ! **Une** dame traverse **la** rue dans sa direction, elle l'embrasse, elle lui prend **le** bras. Ils s'en vont vers **le** parc.
– Et **le / leur** chien ?
– Il trotte derrière eux. C'est **un** très gentil chien !

27.

1. Va te laver **les** mains. – **2.** Tu te payes **ma** tête ! – **3.** Regarde-moi dans **les** yeux. – **4.** Un charmant jeune homme a offert **son** bras à la vieille dame pour l'aider à traverser. – **5.** Elle s'est cassé **la** jambe. – **6.** Le coiffeur lui a coupé **les** cheveux. – **7.** Elle tenait dans **les** bras un enfant tout blond. – **8.** Il a **la** jambe dans le plâtre. – **9.** Il a beaucoup maigri et **ses** jambes ne le portent plus. – **10.** Vous devez utiliser tous les soirs cette crème pour hydrater **votre** peau.

28.

1. Prenez 200 g de beurre et 3 œufs ; mélangez **le** beurre et **les** œufs jusqu'à ce que vous obteniez **un** mélange blanc et mousseux. – **2.** En gagnant **le** gros lot, il a eu **la** chance de sa vie. – **3.** En ce moment il fait **un** temps bizarre : **le** matin il y a **du** soleil et l'après-midi ça se couvre ; **le** vent se lève et il y a **des** orages. – **4.** Tu as vraiment **du** courage d'entreprendre de tels travaux ! Oh ! ce n'est pas **le** courage qui me manque, c'est l'argent ! – **5.** Il fait **du** ski et **de l'**escalade mais, par-dessus tout, il aime **les** randonnées. – **6.** Elle voulait qu'il fasse **du** violon mais il a préféré **le** piano. – **7.** Il a **de la** persévérance et **du** goût mais il manque d'ambition. – **8.** En première partie, elle jouera **du** Mozart et **du** Schubert. – **9.** Que boirez-vous avec **la** choucroute, **du** vin blanc ou **de la** bière ? – **10.** Pendant que nous ramassions **des** champignons, ils coupaient **du** bois.

29.

1. Il a envoyé son paquet par avion. – **2.** La porte était fermée par **un** verrou. – **3.** Par bonheur, ils n'ont pas été blessés. – **4.** C'est par **le** plus grand des hasards que nous l'avons rencontré. – **5.** L'été, elle se lève avec **le** jour. – **6.** Essayez de lui répondre avec courtoisie. – **7.** Cette douleur passera avec **le** temps. – **8.** C'est une maison sans confort. – **9.** Le loyer **du** studio s'élève à 450 euros sans **les** charges. – **10.** Je voudrais un livre pour enfants. – **11.** Pour **une** fois, je serai absent. – **12.** Ne partez pas sans **un** vêtement chaud. – **13.** Le magasin est fermé pour travaux. – **14.** Vous pouvez payer avec **la** carte bleue mais plus par chèque.

30. Exercice de créativité

Remarque : On utilise l'article défini quand on parle en général d'une matière ou d'une notion. On utilise l'article partitif quand on ne considère qu'une partie de cette matière ou de la notion. Si le nom est suivi d'un qualificatif, il sera alors plutôt précédé d'un article indéfini. Si le nom est suivi d'une expansion qui le caractérise ou le qualifie (subordonnées relative ou circonstancielle), il sera alors plutôt précédé d'un article défini.

31.

1. Il a été chargé **du** compte rendu de la séance. – **2.** Il s'est rendu **à la** gare pour prendre son billet. – **3.** Ils ont peur **du** froid et se sont habillés chaudement. – **4.** Vous souvenez-vous **des** années qui ont suivi la guerre ? – **5.** Elle a renoncé **aux** cigarettes devant les conseils de toute sa famille. – **6.** Elle joue **du** trombone. Comment, elle si menue, peut-elle jouer **d'un** instrument aussi gros ? – **7.** Il est inscrit **au** chômage depuis trois mois. – **8.** La maison était protégée **du** vent par une haie de cyprès. – **9.** Il lui parlait **d'une** voix douce. – **10.** Il est bien malade, il a **la** maladie **d'**Alzheimer.

32.

a Il te faut **des** pommes de terre ; **de la** crème fraîche ; **du** lait ; **du** beurre ; **de l'**ail ; **des** épices.

b Je voudrais **un** kilo et demi **de** pommes de terre ; **un** pot de 250 g **de** crème fraîche ; **un** demi-litre **de** lait ; **une** plaquette **de** beurre **de** 250 g ; **une** tête d'ail ; **du** sel fin, **du** poivre moulu et **de la** noix **de** muscade.

c Épluchez un kilo et demi de pommes de terre ; coupez-les en rondelles fines et faites les cuire dans le lait dix minutes. Beurrez un plat à gratin, versez les pommes de terre dedans, puis rajoutez deux gousses d'ail écrasées, la noix de muscade râpée, le reste du beurre et le pot de crème. Salez, poivrez. Faites cuire dans le four à thermostat 7 pendant 40 minutes.

> **REMARQUE :** Pour rédiger une recette, on peut utiliser l'impératif, l'infinitif ou le présent de l'indicatif.

33. Exercice de créativité : propositions

Activité	Sylvie	Éric
Musique	Elle adore la musique classique.	Lui n'aime que le jazz et le rap.
Couleurs	Elle déteste les couleurs vives.	Lui adore les teintes pastel...
Nourriture	Elle préfère manger vegane.	Lui a besoin de viande à chaque repas.

34. Exercice de créativité : propositions

a YOKO : – Je voudrais **des** crudités en entrée, puis **une** entrecôte avec **des** endives braisées et, pour le dessert, **une** tarte tatin.
LE GARÇON : – Quelle cuisson l'entrecôte ?
YOKO : – À point.
THOMAS : – Moi, je prendrai **la** terrine du chef, **une** escalope viennoise avec **des** frites et, en dessert, **des** fraises.
LE GARÇON : – Avec ou sans chantilly ?
THOMAS : – Juste **du** sucre.

b Dans ce dialogue, on utilise les articles définis car on parle de plats réels qu'on a mangés et qu'on peut donc désigner précisément.

L'AMI : – Alors, on mange comment dans ce restaurant ?
YOKO : – Je n'y remettrai plus les pieds. Il y avait **trop de** vinaigre dans la salade et ce n'était pas **de** l'huile d'olive (un restaurant qui se dit provençal !), l'entrecôte était crue et dure, **les** endives étaient mangeables, mais **la** tarte tatin était glacée alors qu'elle doit être tiède.
THOMAS : – Tu exagères, moi j'ai trouvé que ce n'était pas si mal. **La** terrine était très bonne, l'escalope tout à fait tendre ; bon, **les** fraises n'avaient pas beaucoup **de** goût, mais ce n'est pas encore l'été.
YOKO : – De toute façon, tu es toujours content, ce n'est même pas la peine de te demander ton avis.

35.

1. Vous connaissez **la** Finlande ? – **2. Le** Danemark n'est pas loin de **la** Belgique. – **3.** Elle revient **du** Portugal. – **4.** Nous retournons **au** Brésil. – **5.** Il parle **du** Mexique comme s'il y avait vécu toute sa vie. – **6.** Il ne connaît pas encore Israël. – **7. La** Corse et **les** Baléares sont des îles très fréquentées par les touristes. – **8.** Elle se souvient de **la** Chine d'avant Mao. – **9.** Ils partent pour **la** Thaïlande. – **10.** Cette sculpture provient **du** Congo.

36.

1. Je l'ai rencontrée par hasard, vraiment par **le** plus grand des hasards. – **2.** Si tu vas faire du **ski** sans doudoune, tu vas prendre froid ; tu vas attraper **un** rhume ou même **la** grippe. – **3.** Il l'avait prise par **la** main. – **4.** Il est venu en bateau, mais il repartira en avion pour gagner **du** temps. – **5.** Il s'est appuyé contre **le** mur pour ne pas perdre l'équilibre. – **6.** Sur **le** coup, je n'ai pas compris ce qu'il avait derrière **la** tête. – **7.** Tu ne dois pas perdre courage et te remettre **au** travail sans tarder. – **8.** En Auvergne, **de** nombreux lacs sont **les/des** cratères d'anciens volcans. – **9.** Il avait faim, **une** faim de loup. – **10.** Il a glissé et a descendu **la** pente sur **le** dos.

Les possessifs et les démonstratifs 4

⊕ Activité de repérage 3

Ton thé est indien, **ta** télévision est japonaise, **tes** pâtes sont italiennes, **ton** couscous est algérien. **Ta** démocratie est grecque. **Ton** café est équitable, **ta** montre est suisse, **ta** chemise est chinoise, **ta** radio est coréenne, **tes** vacances sont espagnoles, tunisiennes ou marocaines. **Tes** chiffres sont arabes, **ton** écriture est latine.

Et... tu reproches à **ton** voisin d'être un étranger !

37.

ⓐ Monsieur : – On m'a pris mes jumelles, mon blouson en cuir, ma moto, mon iPad, mes skis, ma carabine.

Madame : – Ils m'ont volé mes colliers de perles, mon manteau de vison, ma garde-robe, mon argenterie, ma vaisselle, ma bague.

Les enfants : – Ils nous ont pris nos bicyclettes, nos iPod, notre train électrique, notre console, notre poney, notre planche à voile.

ⓑ Monsieur : – On lui a volé ses colliers, son manteau, sa garde-robe, son argenterie, sa vaisselle, sa bague.

Monsieur : – On leur a pris leurs bicyclettes, leurs iPod, leur train électrique, leur console, leur poney, leur planche à voile.

ⓒ Le couple : On nous a volé notre tableau de maître, notre voiture, nos disques de collection, notre téléviseur, notre chaîne hi-fi, nos appareils ménagers.

38.

1. Papa et **sa** nouvelle épouse, **leurs** rhumatismes, **leur** cure à Balaruc, **leurs** conversations proches de zéro. – **2.** Maman, **sa** déprime chronique et **son** régime sans gluten, **son** nouveau compagnon et **leur** nouveau chien. – **3.** Ma sœur, **mon** cher beau-frère et **sa** Rolex, **leurs** trois gosses insupportables, **leur** Land-Rover et **leur** vulgarité. – **4. Moi**, mes kilos en trop, **mon** jean trop serré ; **mes** coups de gueule et **mon** maquillage qui coule. – **5. Toi, mon** fils chéri, **ta** coiffure rasta, **tes** blagues foireuses et **ta** mauvaise humeur systématique. – **6.** Nous, les Dupont, **nos** défauts, **nos** disputes, **notre** sale caractère, **nos** secrets de famille.

39.

ⓐ 1. Ah, la France ! **ses** 365 fromages, **sa** variété géographique, **sa** gastronomie, **son** patrimoine architectural, **sa** philosophie des Lumières, **ses** grands écrivains...

2. Ah, les Français, **leur** économie fatiguée, **leur** manque de pragmatisme, **leurs** idéologies, **leurs** grèves ...

ⓑ *Exercice de créativité*

40.

1. tes skis – **2.** vos vêtements – **3.** ta voiture – **4.** Vos enfants – **5.** Ton mari. – **6.** mes résultats – **7.** Votre appartement. – **8.** Les examens – **9.** mon petit déjeuner – **10.** ta voiture – **11.** mes parents – **12.** Mon rasoir.

41. **Propositions**

– C'est le livre du professeur.
– C'est la voiture du ministre.
– Les bijoux sont à la femme du directeur.
– La voiture appartient à la voisine.
– Le père de Bruno possède des skis et une planche à voile.
– Ce sont les outils du boulanger.
– Les clés USB appartiennent aux enfants.

42.

1. elle s'est fait couper les cheveux. – **2.** elle s'est cassé la jambe. – **3.** elle s'est fait refaire le nez. – **4.** elle s'est mis du vernis à ongles rouge. – **5.** elle s'est tordu la cheville. – **6.** elle s'est coupé le doigt. – **7.** elle s'est brossé les dents. – **8.** elle s'est épilé les jambes.

43.

1. – Je veux être libre ! C'est **ma** vie, c'est **mon** problème, pas le **vôtre** ! Je veux faire **mes** choix, pas imiter les **vôtres** ! Je suivrai **mon** cœur ; **mes** erreurs et **mes** réussites seront les **miennes**.

2. – **Notre** pays a besoin de trouver **ses** propres solutions. Nous devons respecter **nos** valeurs. Les autres pays ont **leurs** solutions, mais nous devons choisir **les nôtres**. C'est **notre** destin, pas le **leur** !

44.

1. Ce film... – **2.** Cette région... – **3.** Cette ville... – **4.** Ce vin... – **5.** Ces gâteaux... – **6.** Ces voitures... – **7.** Ce sport... – **8.** Ces chaussures ... – **9.** Ces fleurs... – **10.** Cet instrument...

45.

1. ce garçon... – **2.** cet oiseau... – **3.** Cette race... – **4.** ces bonbons... – **5.** ces gâteaux... – **6.** ce monsieur... – **7.** Ces voitures... – **8.** Cette espèce...

46.

1. cette marque-là – **2.** ces filles-là – **3.** ces voisins-là – **4.** cette variété-là – **5.** ce type-là – **6.** ce phénomène-là – **7.** ce genre d'homme-là. – **8.** cet appartement-là – **9.** ce temps-là.

47.

1. celle-là. – **2.** ceux-là – **3.** celui-ci – **4.** celui-ci... celui-là – **5.** celles-ci... celles-là – **6.** ceux-là – **7.** celui-ci... ceux-là.

48.

1. ceux de – **2.** celle de – **3.** celles des – **4.** celui de la – **5.** ceux du – **6.** celui du.

49.

1. ce – **2.** c' – **3.** cela *ou* ça – **4.** ce – **5.** cela *ou* ça – **6.** ça. – **7.** ce, Ce – **8.** ce *ou* ça. – **9.** Ça, C', ça – **10.** Ça.

50.

1. ce – **2.** ceux – **3.** ce – **4.** Ceux – **5.** ce – **6.** ceux – **7.** ce – **8.** ceux.

51.

ⓐ **1.** cette, ça, ces – **2.** ce, cette ; ces – **3.** ce, celui – **4.** ces, cette, ce, celles, ça – **5.** cette, cette, ça.

ⓑ *Exercice de créativité*

52.

ⓐ mon compagnon, notre amour, nos disputes, nos besoins, nos enfants, leurs problèmes, leurs mésententes, leurs amis, leurs études, nos ex, la sienne, ses exigences, son égoïsme, le mien, ses contraintes, son agressivité, nos parents, notre maison, nos voitures, notre chien, nos deux chats.

ⓑ *Exercice de créativité*

53.

1. ces, celles, Les tiennes, ma – **2.** Celles, les miennes – **3.** vos, les vôtres, celles, ceux – **4.** mon, le mien, le tien.

54.

1. celui qui – **2.** celle que – **3.** celle dont – **4.** Ce qui – **5.** ce à quoi – **6.** ceux qui – **7.** ce que – **8.** celle où. – **9.** celles que. – **10.** celui avec qui.

55.

des langoustines, **un** tracteur, sous **un** citronnier, **d'**huile de Toscane, à **la** bouteille, **ce** colosse, **une** tirade, **le** secret, **le** monstre sacré **du** cinéma, **un** délicieux, **son** dernier film, à **la** fête **du** rosé, **son** vignoble, **c'**était, **son** associé, **son** restaurant, **la** chance, **des** petits producteurs, **de** merveilleux

Les pronoms personnels

⊕ **Activité de repérage 4**

ⓑ **1.** L' = je m'achèterais bien le crocodile/la sculpture du crocodile – **3.** les = Tu aimes les dessins, toi ? – **6.** les = ces croûtes ; …je ne lui paierai pas ces croûtes le prix qu'il en demande. – **7.** Ah, les voilà ! = ; Voilà les Martin ! – **8.** l'= ce tableau-là ; …je voudrais bien que quelqu'un m'explique ce tableau. – **10.** le = l'artiste ; Je vous présenterai l'artiste – **12.** la = cette œuvre ; Je vous laisserai simplement regarder cette œuvre.

ⓒ Les verbes ne sont pas de même nature et ne se construisent donc pas de la même façon :
= l' (**8.**) je voudrais bien que quelqu'un m'explique ce tableau (COD).
= en (**12.**) je ne vous parlerai pas de cette œuvre (COI).
= la (**12.**) je vous laisserai simplement regarder cette œuvre (COD).
= en (**13.**) je n'ai pas encore vu de tableaux comme ça (COI).

ⓓ me (**1.**) et moi (**9.**) = « je », la personne qui parle.
vous (**12.**) = la personne à qui on parle.
lui (**2.**) lui (**6.**) = le peintre, la personne dont on parle.
leur (**5.**) = les critiques.
plaire **à** quelqu'un – acheter quelque chose **à** quelqu'un – faire confiance **à** quelqu'un – payer quelque chose **à** quelqu'un – expliquer quelque chose **à** quelqu'un – parler **à** quelqu'un.
« Expliquez-moi » : le verbe est à l'impératif, donc le pronom « moi » suit le verbe.

ⓔ avec eux ; à nous ; avec eux ; de vous.

ⓕ y = je ne comprends rien à ce tableau, à cette peinture.
y = je vous emmènerai à son atelier = un lieu

ⓖ Sa place est toujours devant le verbe dont le pronom est complément, sauf à l'impératif affirmatif.

ⓗ **1.** me l' – **2.** lui en – **8.** me l' **10.** vous le – **12.** vous en – **6.** les lui – **14.** vous y
On remarque qu'il y a plusieurs règles pour l'ordre des pronoms (*cf.* L'essentiel sur…, p. 46)

ⓘ On parle de « cette aquarelle ». Dans d'autres phrases, le pronom de reprise utilisé serait « la », mais ici nous avons : « Je vais **en** acheter une reproduction (= **une** reproduction de cette aquarelle) et je **la** mettrai en face de mon lit. » Ici, « la » reprend « **une** reproduction de cette aquarelle », déjà exprimé par « en » avant. Pourquoi ? Parce que maintenant, la reproduction est définie, on en a déjà parlé : ce n'est plus « une », mais « celle-ci ».

56.

1. moi, nous – **2.** toi, vous – **3.** nous nous, vous, moi – **4.** toi, lui, vous – **5.** vous, moi, nous – **6.** lui, elle, ils – **7.** ils, lui, eux – **8.** eux, ils – **9.** vous.

57.

1. Je l'ai fait pour toi. – **2.** Ils sont toujours assis à côté d'elles. – **3.** Oui, il l'a faite à cause d'eux. – **4.** Il l'a eu grâce à lui. – **5.** Oui, elle habite chez moi. – **6.** Oui, je veux m'asseoir près de lui. – **7.** Il est malheureux sans elle. – **8.** Je me sens heureux parmi eux. – **9.** Si, je suis triste, loin d'eux. – **10.** Oui, je veux bien y aller avec vous. – **11.** Oui, elle est partie camper avec elles.

58.

1. Vous avez besoin d'aide et vous appelez au secours. – **2.** Devant une porte en laissant passer poliment une personne. – **3.** Vous dites à quelqu'un de parler ou d'agir. – **4.** Vous êtes encore occupé pour un petit moment et vous demandez à la personne de patienter. – **5.** Vous êtes totalement disponible pour écouter la personne. – **6.** Expression de plaisir de se retrouver dans sa maison, quand on parle en général. – **7.** Vous demandez confirmation, le rendez-vous prévu est bien au domicile de l'autre. – **8.** Ils ne sont jamais à leur domicile. – **9.** Ils se comportent grossièrement, comme s'ils étaient dans leur propre maison. – **10.** Tu as toujours ce genre de comportement. – **11.** Vous dites à vos invités de faire comme s'ils étaient à leur domicile, de s'asseoir... – **12.** Il vient de vous arriver quelque chose de désagréable et vous trouvez que vous n'avez pas de chance. – **13.** Vous avez l'impression qu'ils ont un avis différent et vous voudriez connaître leur explication. – **14.** Ils ne veulent pas qu'il y ait des intrus.

59.

1. les – **2.** l' – **3.** la – **4.** la – **5.** le – **6.** la, le, les – **7.** la – **8.** le – **9.** les – **10.** l'.

60.

1. J'en ai mangé seulement une barre. – **2.** J'en ai bu seulement un bol. – **3.** J'en ai mangé seulement une. – **4.** J'en ai mangé seulement une cuisse. – **5.** J'en ai croqué seulement deux. – **6.** Je n'en ai sifflé qu'une douzaine. – **7.** Je n'en ai grignoté que quelques-uns. – **8.** Je n'en ai entamé que deux ou trois. – **9.** J'en ai mangé seulement un petit morceau. – **10.** Je n'en ai bu qu'une goutte.

61.

a **1.** n'en, les – **2.** j'en, j'en – **3.** la, j'en. – **4.** en, d'en, le.

b le, n'en, j'en, j'en.

62.

je m'y rendrai à 17 heures ; je m'y assiérai ; je n'en bougerai pas ; j'y resterai même s'il pleut ; j'en sortirai par la Grand-Rue ; j'en ferai trois fois le tour ; j'en partirai par le jardin de ville ; je m'y promènerai ; j'y reviendrai ; j'y entrerai ; j'y attendrai le signal.

Pour le résumé, attention à garder un sens au texte ! Vous ne pouvez pas utiliser autant de pronoms que dans le dialogue. Un pronom sert à répéter un élément déjà cité précédemment. N'oubliez pas de citer clairement dans le texte les éléments qui apparaissent pour la première fois. Il y a plusieurs agencements possibles.

63.

1. la, j'en, j'y – **2.** s'y, y, en, le – **3.** s'y, j'en, y, n'en, la , y, n'en, la, y, le, y.

64.

m'y intéresse ; je n'y ai jamais pensé ; j'y adhère ; m'y joindre ; y travailler ; y amuserons ensemble ; vous y inscrire ; y renoncer, y.

65.

Ils vont vraiment faire ce qu'ils ont promis/le revenu universel.
Ils ont promis cette mesure.

De là à tenir cette promesse.
Je doute de leur promesse.
Je ne crois pas à cette promesse de revenu universel.

66.

ⓐ *Avec les verbes qui se construisent avec la préposition « à », il faut utiliser le pronom indirect « lui » (singulier masculin ou féminin) ou « leur » (pluriel masculin ou féminin) ; mais ce sont les mêmes pronoms pour la première et deuxième personne.*

ⓑ Dans cet exercice, ces verbes sont : raconter à, faire confiance à, envoyer des fleurs à... *Avec les autres verbes, il faut utiliser le pronom direct (masculin : le, l' ; féminin pluriel : les).*

ⓒ Quelques autres verbes : offrir à, conseiller à, ordonner à... voir dans le livre p. 58 les verbes de type 1.

67.

1. je lui en offre souvent. – **2.** je ne leur ai pas parlé. – **3.** je lui en envoie matin, midi et soir. – **4.** il me l'a racontée. – **5.** je vous fais confiance. – **6.** Il m'a (nous a) conseillé de... – **7.** on nous a interdit d'entrer. – **8.** je te l'envoie.

68.

ⓑ Le choix dépend :
– de la construction du verbe avec « à » ou « de ».
– du complément représenté par le pronom : personnes ou objets et idées.

Compléments avec « à »	Compléments avec « de »
objets ou idées : à + pronom y	objets ou idées : de + pronom en
Personne : (toniques) : à lui, à eux, à nous...	(Toniques) : d'elle, de moi, de vous...

69.

1. J'en pense beaucoup de bien. – **2.** Oui, j'en dirai du bien. – **3.** Oui, je dirai du bien de lui. – **4.** J'en rêverai souvent. – **5.** Je ne rêverai pas de lui. – **6.** J'en avais entendu parler par un catalogue. – **7.** J'avais entendu parler de lui par la télévision. – **8.** Nous en parlions souvent. – **9.** Nous avons parlé d'elles une fois. – **10.** Nous ne nous sommes pas moqués d'eux. – **11.** Je m'en suis occupé quelquefois. – **12.** Je me suis bien occupé d'eux. – **13.** Il ne s'est jamais moqué de nous. – **14.** Je me souviens très bien de lui. Je ne m'en souviens plus du tout. – **15.** Nous nous en sommes servis une fois. – **16.** Ils ne se sont jamais plaints d'eux. – **17.** Il a eu besoin de lui plusieurs fois. – **18.** Je n'en ai jamais eu besoin.

70.

1. j'y ai songé. – **2.** je ne m'associe pas à eux. – **3.** je n'y suis pas opposé. – **4.** j'y réfléchis intensément. – **5.** j'y suis ouvert. – **6.** je lui en ai parlé. – **7.** lui faire confiance. – **8.** ils s'intéressent à nous. – **9.** ils nous font confiance. – **10.** je n'y renoncerais pas. – **11.** à elle ? – **12.** d'y faire attention. – **13.** de penser à lui – **14.**. d'y penser.

71.

1. je ne me souviens pas de lui. – **2.** j'en ai parlé – **3.** elle s'y est inscrite – **4.** je ferai bien attention à lui. – **5.** il y tient beaucoup. – **6.** Rêver de moi ? – **7.** y pense – **8.** qu'il y sera favorable – **9.** tu n'en as pas besoin... y arriver tout seul. – **10.** je m'occuperai d'eux – **11.** n'y part pas... en revient – **12.** il s'est habitué à eux.

72.

1. Achète-toi une glace. – **2.** Racontez-moi vos aventures. – **3.** Apporte-leur une bonne bouteille. – **4.** Retournes-y en vitesse. – **5.** Change-le de place. – **6.** Demande-lui de partir. – **7.** Nettoyez-la à fond. – **8.** Rangez-les dans le placard. – **9.** Joignez-vous. – **10.** Adressez-vous à moi. – **11.** Faites attention à elles. – **12.** Réfléchis-y. – **13.** Préoccupe-toi de lui.

73.

1. Ne lui téléphone pas. – **2.** N'en emporte pas. – **3.** Ne les lave pas. – **4.** Ne la repasse pas. – **5.** Ne fais pas attention à eux. – **6.** Ne leur demande pas conseil. – **7.** Ne nous (m') offre pas de Porsche. – **8.** Ne t'achète pas de voiture. – **9.** N'y va pas. – **10.** N'en emprunte pas. – **11.** Ne t'habitue pas à lui. – **12.** Ne t'y intéresse pas.

74.

1. Finissez-les. / Ne les finissez pas. – **2.** Donnez-nous vos dessins. / Ne nous donnez pas vos dessins. – **3.** Téléphonez-lui. / Ne lui téléphonez pas. – **4.** Prenez-en. / N'en prenez pas. – **5.** Buvez-en un verre. / N'en buvez pas. – **6.** Allez-y. / N'y allez pas. – **7.** Faites-leur confiance. / Ne leur faites pas confiance. – **8.** Joignez-vous à nous. / Ne vous joignez pas à nous. – **9.** Montrez-nous vos devoirs. / Ne nous montrez pas vos devoirs.

75.

1. Il saura lui expliquer le problème. – **2.** Il rêve d'en posséder une. – **3.** Elle peut le faire / l'envoyer. – **4.** Elle a voulu y aller. – **5.** Ils ont eu envie de nous rejoindre. – **6.** Ils rêvent d'y passer quelques jours. – **7.** Il aime leur faire peur. – **8.** Il désire y participer. – **9.** Ils ont envie d'en acheter.

76.

1. les soutenir, leur rendre honneur, les intégrer, leur faire confiance, leur confier, les aider à créer, construire avec eux et pour eux.

2. les stimuler, sans les malmener, de façon à les motiver, les connaître, s'intéresser à eux, les recadrer, leur donner, s'appuyer sur eux, leur expliquer, leur annoncer, sans les stresser, à les complimenter, les remercier, du temps avec eux.

77.

1. Il a décidé de ne pas y aller. – **2.** Elle a décidé de ne pas lui parler. – **3.** Ils redoutaient de ne pas leur plaire. – **4.** Nous avons craint de ne pas la reconnaître. – **5.** Elle a décidé de ne plus en manger. – **6.** Il a juré de ne plus en parler. – **7.** Ils ont promis de ne plus en reparler. – **8.** Il a juré de ne plus en boire. – **9.** Il a décidé de ne pas y rester.

78. Exercice de créativité • Proposition

1. Je veux **le** placer dans une chaussure...

2. Je peux **leur** donner à manger ; les cacher...

79.

1. Je les ai écoutés chanter. – **2.** Je te regarde dormir. – **3.** Ils nous laissent regarder la télé. – **4.** Nous les verrons arriver. – **5.** Nous l'avons vu se produire. – **6.** Ils l'ont senti trembler. – **7.** Elles m'ont vu sortir. – **8.** Vous m'avez vu passer. – **9.** Il t'a entendu partir. – **10.** Il m'a écoutée dire le texte. – **11.** Nous vous avons laissés voir ce navet. – **12.** Nous l'avons fait travailler. – **13.** Il en a entendu parler. – **14.** Il l'emmène déjeuner.

80.

1. Marc l'a encouragé à le demander. – **2.** Jacques lui a suggéré d'en parler à un conseiller. – **3.** Sophie lui a déconseillé de le faire. – **4.** Manuel lui a conseillé d'y réfléchir encore. – **5.** Muriel lui a dit de ne pas le demander. – **6.** Violette l'a supplié de ne plus y penser. – **7.** Carla lui a ordonné de ne plus en parler. – **8.** Martin lui a demandé de ne pas les abandonner. – **9.** Patrick lui a conseillé de ne pas le quitter. – **10.** Claudine lui a suggéré d'y rester. – **11.** Philippe l'a poussé à parler avec elle. – **12.** Michel l'a convaincu de ne pas la mettre à la porte.

81.

1. Je le regrette. – **2.** Je le pense. – **3.** On me l'a dit. – **4.** Je le veux. – **5.** Je le fais souvent / quelquefois. – **6.** Je ne le raconte jamais. – **7.** Je l'ai bien compris.

82.

ⓐ 1. Elle pensait qu'il était stupide. – **2.** Il croyait qu'ils étaient mieux informés. – **3.** Elle est sûre de lui avoir parlé de cette affaire. – **4.** Elle croyait qu'il était à son travail. – **5.** Il lui aurait parlé de l'arrivée de Pierre. – **6.** Il lui a confirmé que la réunion aurait bien lieu le 17. – **7.** Ils doivent faire attention de payer tout le monde de la même façon. – **8.** Il fera savoir qu'il refuse de faire ce travail. – **9.** Il l'estime capable de tuer sa femme. – **10.** Ils tiennent à garder leur situation. – **11.** Il a pensé à venir l'aider.

ⓑ « le » remplace des verbes construits avec « que » ou un COD ;
« y » remplace des verbes construits avec « à » + infinitif ;
« en » remplace des verbes avec « de » et aussi des verbes avec « que » (J'ai envie que tu viennes : j'**en** ai envie ; cf. j'ai envie **de** pain).

83.

1. Il en est satisfait. – **2.** Elle n'en est pas mécontente. – **3.** Ils en sont ravis. – **4.** Il en est assez fier. – **5.** Elle en est enchantée. – **6.** J'en suis content. – **7.** J'en suis satisfait.

84.

1. Je vais y penser. – **2.** Il y tient. – **3.** Je m'y habitue. – **4.** Il va s'y mettre. – **5.** Il y consent. – **6.** Il y a réfléchi. – **7.** Il y est arrivé.

85.

1. J'en suis sûr. – **2.** Il en rêve. – **3.** Elle en a besoin. – **4.** Elle en souffre. – **5.** Je m'en inquiète. – **6.** Je ne m'en moque pas. – **7.** Il en est très fier.

86.

b **1.** Il en a besoin (x 2) – **2.** Je le crains (x 2) – **3.** Elle s'en passe (x 2) – **4.** Je le regrette (x 2) – **5.** Ils en ont envie (x 2) – **6.** Ils l'apprécient (x 2) – **7.** Il en est capable (x 2) – **8.** Je le lui ai conseillé (x 2) – **9.** Je m'en souviens (x 2).

La construction du verbe avec un nom détermine celle du verbe avec l'infinitif introduite par « de ».

87.

JÉRÔME : – Dis, Audrey où est-ce que tu as mis mes chaussures ?

AUDREY : – Je sais pas moi, je ne **les** ai pas vues. Cherche-**les**. Elles ne sont pas dans le placard ?

JÉRÔME : – Mais, j'ai déjà regardé dans le placard, elles n'**y** sont pas ! Je suis sûr que c'est **toi** qui **les** as mises quelque part, et tu ne te **le** rappelles plus.

AUDREY : – Comment ! mais, si je **les** avais rangées, je me **le** rappellerais. Traite-**moi** donc d'imbécile pendant que tu **y** es.

JÉRÔME : – Mais non, je ne **te** traite pas d'imbécile ! Tu **te** mets tout le temps en colère pour rien !

AUDREY : – Moi ! Je **me** mets en colère ! Tu exagères ! C'est toujours la même chose ! Tu ne sais jamais où tu ranges tes affaires et c'est toujours moi qui dois **le** savoir. Tu ne fais jamais attention à rien. C'est comme ma robe ! Tu **te** souviens de ma robe rouge ! Tu t'**en** es servi pour essuyer tes chaussures !

JÉRÔME : – Ah ! Fais attention à ce que tu dis ! Ta robe, je ne **l'**aurais pas prise, si elle n'avait pas été au fond du placard comme un chiffon.

AUDREY : – Un chiffon ! Ma robe rouge ! Je **l'**aimais beaucoup, et puis c'est ma mère qui me **l'**avait offerte et je **la** portais pour le mariage de ta sœur.

JÉRÔME : – Qu'est-ce que ma sœur vient faire là-dedans ? Elle n'a rien à **y** faire ! Il faut toujours que tu mêles la famille à tout !

AUDREY : D'abord ce n'est pas ma famille, c'est ta famille, et puis ta sœur, je **la** déteste. Elle **nous (me)** téléphone toutes les semaines pour qu'on **lui** dise de venir déjeuner le dimanche. Elle **nous** apporte toujours des gâteaux et je ne **les** aime pas du tout, ces gâteaux. J'**en** ai assez. Snif !

JÉRÔME : – Allons, allons, ma chérie ne **te** mets pas dans des états pareils, les enfants dorment et nous allons **les** réveiller et il ne faut pas **leur** faire peur avec tous ces cris.

AUDREY : – Oui, tu as raison, je suis un peu énervée en ce moment, excuse-**moi**.

JÉRÔME : – Oui je comprends, je vais téléphoner à ma sœur et à son mari pour **leur** dire de ne pas venir dimanche prochain et nous irons **nous** promener tous les deux. On pourra laisser les enfants à ta mère, je crois qu'elle **en** sera ravie.

AUDREY : – Oui d'accord, c'est une bonne idée.

 Activité de repérage 5

Consultez les tableaux au début du chapitre.

88.

1. le lui – **2.** la leur – **3.** la lui – **4.** les leur – **5.** le leur – **6.** les lui. – **7.** le lui. – **8.** la leur.

89.

1. te la – **2.** nous les – **3.** vous la. – **4.** te les. – **5.** te le – **6.** vous le. – **7.** vous le.

90.

– Alors, Matthieu se marie, oui ou non ?

– Il ne **me l'**a pas dit.

– Tu **le lui** as demandé ?

– Je n'oserais pas **le lui** demander, c'est indiscret.

– Tu connais sa copine ?

– Non, il ne **me l'**a pas présentée. Et toi ?

– Moi, il doit **me la** présenter ce soir.

– Alors tu sauras s'ils se marient ou non. Ils **te le** diront sûrement.

– Mais s'ils ne **me le** disent pas d'eux-mêmes, que faire ?

– Eh bien, à ce moment-là tu **le leur** demanderas.

– Bof, il finira bien par **nous le** dire, à nous ses deux meilleurs amis ! Tu ne sais pas s'il a présenté sa copine à ses parents ?

– Oui, si c'est fait ! Il **la leur** a présentée dimanche dernier. Tiens justement, le voilà.*

– Salut ! J'ai une grande nouvelle à vous annoncer : je me marie dans un mois… Surprise, hein ? Je **vous l'**avais bien caché !

– Pourquoi est-ce que tu ne **nous l'**as pas dit plus tôt ?

– Je vous connais ! Vous auriez essayé de me faire changer d'avis !

* Oui c'est fait = il la leur a présentée / si, c'est fait = je le sais.

91.

Un juré

– Quoi ! Il ne **lui en** a jamais offert !

– Et il n'a fait qu'une fois des cadeaux de Noël à ses enfants !

– Non ! Il ne **leur en** a fait qu'une fois !

– Et il n'a jamais donné d'argent à son vieux père dans la misère !

– Sans blague ! Il ne **lui en** a jamais donné !

Le président à la femme de l'accusé :

– Est-il vrai, madame, que votre mari vous a rarement donné de l'argent pour les courses ?

– C'est tout à fait exact, il **m'en** a rarement donné ; il préférait le dépenser au bistrot !

– Est-il vrai qu'il vous a dit un jour qu'il ne vous donnerait jamais un centime ?

– Oh oui, un jour il m'a dit exactement : « De l'argent, Simone, je ne **t'en** donnerai jamais ! »

Le président aux enfants de l'accusé :

– Est-il exact que votre père vous a donné des coups de pied toute votre enfance ?

– Hélas oui, il **nous en** a donné !

L'avocat de la défense

– Monsieur le président, l'accusé vous a-t-il déjà parlé de son enfance malheureuse ?

– Oui, il **m'en** a déjà parlé.

– Accordez-vous à l'accusé quelques minutes pour s'excuser devant tous ?

– Eh bien oui, je **lui en** a accordé quelques-unes.

– Monsieur Dupont, vous voulez bien nous parler de vos problèmes d'enfance ?

– Oui, je veux bien **vous en** parler.

92.

– Pouvez-vous me photocopier cette lettre ?

– Je **vous la** photocopie immédiatement, Monsieur.

– Vous **me l'**apporterez dans mon bureau.

– Très bien, je **vous l'**apporterai dans une minute.

– Donnez-moi le dossier États-Unis, s'il vous plaît.

– Je **vous le** donne tout de suite, Monsieur.

– Martin l'a déjà lu ?

– Oui, je **le lui** ai passé hier et il voudrait **vous en** parler aujourd'hui.

– Parfait. Je peux le voir à dix heures, je compte sur vous pour **le lui** dire.

– Bien sûr, Monsieur. Monsieur, les syndicats réclament les chiffres.

– Je **les leur** communiquerai la semaine prochaine. Ah, je vois que vous avez un paquet de cigarettes. Donnez-**le moi**.

– Mais, Monsieur, vous savez qu'il est interdit de fumer dans les espaces publics !

– Je vous ai dit de **m'en** donner une ! Qui est le patron ici ?

– Vous, Monsieur. Monsieur, l'agence de Londres demande si elle doit nous envoyer des stagiaires.

– Bien sûr, elle doit **nous en** envoyer, c'est prévu depuis longtemps. Convoquez les chefs de service, je veux **leur en** parler.

– Tout de suite, Monsieur ?

– Non, à 14 h, dans la grande salle, je préfère **le leur** dire à tous en réunion générale.

– Dois-je leur parler du thème de la réunion ?

– Oui, oui, parlez-**leur en**, ça leur donnera le temps d'y réfléchir.

93.

– J'aimerais bien être seule de temps en temps mais c'est impossible avec ma famille nombreuse !

– Impossible n'est pas français, on va te trouver des moments libres. Les courses par exemple ?

– Je les fais avec mon mari.

– Tu **les** fais avec **lui** ?! Ça alors ! Bon et le ménage, il **le** fait avec **toi** ?

– Eh oui, il **le** fait avec **moi**. Nous faisons tout ensemble à la maison.

– Le cours de gym alors ?

– Impossible. Les enfants **y** participent avec **moi**.

– Mais pourquoi est-ce que tu **y** vas avec **eux** ? C'est idiot.

– Il n'y a personne qui peut **les** garder pour **moi**.

– Je **le** ferai avec plaisir pour **toi**, une fois de temps en temps. Tu fais du jogging ?

– Oui, avec ma mère.

– Tu pourrais **en** faire sans **elle**.

– Elle se fâcherait, elle n'aime pas être seule.

– Ton mari pourrait **en** faire avec **elle** quelquefois.

– Il n'aimerait pas **la** voir près de **lui**. Il déteste le rouge et maman porte toujours du rouge...

– Oh là là, la solution à tes problèmes, tu **la** trouveras sans **moi** !

94.

1. Donnez-**le leur**. Ne **le leur** donnez pas. – **2.** Téléphonez-**la lui**. Ne **la lui** téléphonez pas. – **3.** Préparez m'**en** un. Ne m'**en** préparez pas. – **4.** Rappelez-**les moi**. Ne **me les** rappelez pas. – **5.** Accordez-**vous en** une. Ne **vous en** accordez pas. – **6.** Emmenez l'**y**. Ne l'**y** emmenez pas. – **7.** Confiez-**les lui**. Ne **les lui** confiez pas. – **8.** Accompagnez-**nous y**. Ne **nous y** accompagnez pas. – **9.** Expliquez-**la leur**. Ne **la leur** expliquez pas. – **10.** Parlez-**lui en**. Ne **lui en** parlez pas. – **11.** Prenez-**en un** avec eux. N'**en** prenez pas avec **eux**. – **12.** Parlez-**lui de lui**. Ne **lui** parlez pas **de lui**.

95.

1. prenez-**en un**, si vous voulez – **2.** Vendez-**la**. Achetez **en une autre**. – **3.** ouvrez-**la** un peu – **4.** prête-**le moi** – **5.** apporte-**les moi** – **6.** achete-**le lui** – **7.** Téléphone-**leur**. – **8.** parle-**lui en** – **9.** n'**y** va pas – **10.** n'**en** loue pas – **11.** ne **me les** prends pas – **12.** ne **te les** achète pas – **13.** ne

nous en apportez pas – **14.** ne **m'y** emmène surtout pas – **15.** ne **le** bois pas – **16.** Amène-**les.** – **17.** n'**en** mangez pas trop – **18.** ne **leur en** parle pas – **19.** Ne **l'y** oublie pas. – **20.** emmène **les-y.**

96.

1. Il a décidé de **les y** emmener. – **2.** Ils ne peuvent pas **la leur** dire. – **3.** Aide-moi à **la lui** expliquer. – **4.** Il saura **me la** réparer. – **5.** Il refuse de **les leur** donner. – **6.** Elle veut bien **lui en** offrir. – **7.** Il a décidé de **la lui** cacher. – **8.** Il va **la leur** apprendre. – **9.** Elle n'a pas voulu **lui en** dire. – **10.** Ils ont décidé de **lui en** envoyer un. – **11.** Ils n'ont pas pu **nous la** confirmer.

97.

– Jérémie ! Où as-tu encore mis mes clés ?

– Je **les** ai laissées sur la table, comme d'habitude.

– Elles n'**y** sont pas.

– Zut… Est-ce que je **les** aurais laissées dans ma poche ? Je ne sais pas… Attends, c'est **toi** qui **t'en** es servie la dernière !

– Mais non, ce n'est pas **moi** ! C'est **toi**, pour aller au bureau de tabac. Tu ne **les y** aurais pas laissées, par hasard ?

– Et comment est-ce que je serais rentré, alors ?

– Plus distrait, tu meurs ! Je **t'**ai ouvert, tu ne **t'en** souviens pas ?

– Ah, c'est vrai… Voyons… Le buraliste **m'**a parlé du match de foot, je **lui** ai donné mon opinion, d'autres clients ont donné **la leur**, on **leur** a répondu, on a essayé de **les** convaincre qu'ils avaient tort, ils **nous** ont presque insultés et…

– Oh, **toi** et les matchs !

– Bon, bon… J'**y** vais. Je vais voir si le buraliste ne **les** a pas trouvées.

– Téléphone-**lui** d'abord.

– Tu as raison, je n'**y** avais pas pensé.

– Alors, il **les** a ?

– Ouf, oui… Et tu sais, il **en** a aussi d'autres. Je ne suis pas le seul distrait !

– Ah, tais-**toi** et file les chercher. J'**en** ai besoin, **moi**, de ces clés !

– Je **te les** rapporte tout de suite, mon amour.

– C'est ça, rapporte-**les moi**, et plus vite que ça. Je suis très pressée. Mais enfin, cette fois j'ai compris, je ne **te les** prêterai plus jamais.

98.

– Grande nouvelle ! Nous déménageons à Genève !

– Vous allez **vous y** installer quand ?

– Cet été. Nous **y** déménageons en août dans une belle villa… Je suis content.

– Vous vendez l'appartement de Paris ?

– Non, nous **le** gardons pour **le** louer. Nous serons heureux de pouvoir **le** récupérer dans trois ans. Un appartement à Paris, c'est trop difficile à trouver, il ne faut surtout pas **s'en** débarrasser.

– Qu'**en** pense ta femme ?

– Elle sera contente d'**y** aller, pour les gosses… et peut-être d'**y** revenir, pour **elle**. Elle aime beaucoup Paris, tu sais.

– Et les gosses ?

– Oh, **eux**, on ne **leur en** a pas encore parlé. Il va falloir **les** mettre dans une école privée. Je n'ose pas **le leur** dire…

– C'est vrai qu'ils n'**en** ont pas trop le style !

– Il faudra bien qu'ils **s'y** adaptent ! Normalement nous allons **le leur** annoncer ce week-end.

– Bon courage ! J'espère qu'ils n'**en** feront pas une maladie !

– Et qu'ils ne **nous le** feront pas payer en étant insupportables...

– Si tu veux un coup de main pour le déménagement...

– Je **t'en** demanderai peut-être un pour emballer.

– N'hésite pas à **me le** demander, si tu **en** as besoin, surtout.

– Entendu ! Tu es un ange.

99.

ALADIN : – Dis-**moi**, Génie, s'il te plaît, j'aimerais beaucoup **te** demander quelque chose...

LE GÉNIE : – Quoi encore Aladin ? Tous les trucs que tu **m'**as demandés, je **te les** ai apportés. Tu ne sais plus où **les** mettre ! Tu **en** as tellement que tu marches dessus. Stop !

ALADIN : – Tu exagères. Je **t'en** ai beaucoup moins demandé ces derniers temps.

LE GÉNIE : – Ah ! parce que tu ne **m'**as pas demandé d'écran plasma récemment ?

ALADIN : – Si, et tu **m'en** as apporté **un**, c'est vrai. L'autre était démodé.

LE GÉNIE : – Démodé ! Je **te l'**avais fourni il y a six mois ! Et le cabriolet, tu **l'**as oublié, le cabriolet décapotable ? Tu **en** avais déjà un rouge et tu **en** as exigé **un** autre jaune canari.

ALADIN : – C'était pour ma nouvelle copine.

LE GÉNIE : – Tu parles d'une copine ; tu es resté avec **elle** trois jours et le cabriolet elle **te l'**a laissé parce que la couleur ne **lui** plaisait pas. Et **toi**, tu ne **l'**as jamais conduit. Tu ne **t'y** es même pas assis une seule fois.

ALADIN : – On dirait que tu **m'en** veux. Tu n'aimes plus ton boulot ?

LE GÉNIE : – Si, justement, j'**en** ai une très haute idée, de mon travail. Et toi, tu **me la** gâches avec tes demandes idiotes.

ALADIN : – Bon, ça va, là. Tes reproches, tu **me les** feras plus tard. On ne va pas **y** passer la soirée, quand même ! N'oublie pas que c'est m**oi** le patron.

LE GÉNIE : – C'est ce que tu crois. Tu vas **te la** faire voler, la lampe ! Un de tes soit-disant copains va **s'en** charger et tu ne **nous** retrouveras jamais, ni **elle** ni moi. Personnellement, je ne **m'en** plaindrai pas. Tu **me** supplieras en vain de revenir mais je ne pourrai pas **le** faire, car je serai au service d'un autre crétin.

ALADIN : – Je vois. Tu as plein de bons conseils pour **moi**. Vas-**y**, donne-**les moi**, je t' écoute.

LE GÉNIE : – C'est simple : si tu as un cerveau, sers-**t'en** avant de **m'**appeler. Les derniers gadgets, demande-**toi** si tu **en** as vraiment l'usage. Utilise-**moi** pour des choses qui **en** valent vraiment la peine.

ALADIN : – Comme quoi par exemple ?

LE GÉNIE : – Pense aux autres ! Que pourrais-tu **leur** apporter, faire pour **eux** ? Je peux **te (leur)** construire un hôpital en une nuit et **toi** tu réclames des tickets de cinéma ! Achète-**les toi** tout seul, tes tickets, je vaux mieux que ça !

Les pronoms relatifs

⊕ **Activité de repérage 6**

ⓐ **1.** C'est une fleur **qui** est blanche, que l'on cueille au printemps et **avec laquelle** on peut savoir si on aime quelqu'un. – **2.** Ce sont des gens **dont** la vie finit derrière les barreaux, **sur qui** (**sur lesquels**) on préfère ne pas tomber dans une rue déserte et **dont** la presse parle. – **3.** Ce sont des personnes **pour qui** (**pour lesquelles**) certains hommes font des folies et **que** les femmes n'adorent pas. – **4.** C'est un appareil **qui** ne coûte pas cher et **avec lequel** on peut allumer du feu. – **5.** C'est un objet **qui** a été inventé au XXe siècle et **grâce auquel** on peut voyager très loin et très vite. – **6.** Les femmes **à qui** (**auxquelles**) on a donné ce titre sont normalement les plus belles du monde. – **7.** Les objets **auxquels** on a donné ce nom sont inconnus de la science et peuvent quelquefois se voir dans le ciel. – **8.** La peinture **à laquelle** on a donné ce nom et **que** des millions de touristes viennent admirer se trouve au Louvre et représente une belle femme au sourire mystérieux. – **9.** La tour **près de laquelle** coule la Seine est célèbre et tout en métal. – **10.** Le château royal **au centre duquel** se trouve la galerie des Glaces est le plus célèbre de France. – **11.** Ce sont des beautés en pierre **que** l'on trouve dans les jardins ou les musées et **autour desquelles** on tourne avec admiration. – **12.** C'est un lieu **où** l'on rencontre beaucoup de mères et d'enfants, **où** il y a des oiseaux, **où** l'on pique-nique. – **13.** C'est la maison **dans laquelle** Louis XIV a passé sa vie.

Réponses aux devinettes : **1.** une marguerite – **2.** des criminels – **3.** des femmes fatales – **4.** un briquet – **5.** l'avion – **6.** Miss monde – **7.** OVNI, objets volants non identifiés – **8.** la Joconde – **9.** la tour Eiffel – **10.** Versailles – **11.** des statues – **12.** un jardin public, un parc. – **13.** Versailles.

ⓑ Réponses du tableau corpus :

1.	*C'est une fleur*	*qui*	*est blanche*
4.	C'est un objet	**qui**	ne coûte pas cher
5.	C'est un objet	**qui**	a été inventé au XXe siècle
3.	Ce sont des personnes	**que**	les femmes n'adorent pas.
11.	Ce sont des beautés en pierre	**que**	l'on trouve dans les jardins
2.	Ce sont des gens ... et	**dont** **dont**	la vie finit derrière les barreaux... la presse parle
12.	C'est un lieu	**où** l' **où** **où** l'	on rencontre beaucoup de mères il y a des oiseaux, on pique-nique.
6.	Les femmes	à **qui** **auxquelles**	on a donné ce titre
7.	Les objets	**auxquels**	on a donné ce nom
8.	La peinture	à **laquelle**	on a donné ce nom
5.	C'est un objet qui a été inventé au XXe siècle et	grâce **auquel**	on peut voyager très loin et très vite.
2.	Des gens dont la vie finit derrière les barreaux	sur **lesquels**	on préfère ne pas tomber la nuit

3.	Ce sont des personnes	pour **lesquelles**	certains hommes font beaucoup de folies…
4.	C'est un objet qui ne coûte pas cher et	avec **lequel**	on peut allumer des cigarettes.
13.	C'est la maison	dans **laquelle**	Louis XIV a passé sa vie.
10.	Le château royal	au centre **duquel**	se trouve la galerie des Glaces.
9.	La tour	près de **laquelle**	coule la Seine
11.	Des beautés en pierre que l'on trouve dans les jardins ou les musées et	autour **desquelles**	on tourne avec admiration.

c Les pronoms relatifs simples remplacent le plus souvent des personnes et les pronoms relatifs composés remplacent des objets ou des idées précédés d'une préposition.

Voir tableau p. 81-83 dans le livre.

100. Propositions de réponses

J'adore… ou je déteste les… qui se prennent pour des génies ; qui parlent de manière affectée ; qui se comportent comme des machos ; qui portent du parfum ; qui se rongent les ongles ; qui utilisent la séduction en affaires ; qui jouent les victimes ; qui se prennent pour le nombril du monde ; qui savent parler seulement d'argent ; qui sont incapables d'écouter les autres ; qui utilisent tous les moyens pour réussir ; qui accordent trop d'importance aux apparences.

101.

1. La femme que Grégory a épousée vient du Togo. – **2.** Le bel Espagnol que Barbara a suivi à Madrid est chef d'entreprise. – **3.** La jeune Suédoise que Justin a conquise est championne de ski de fond – **4.** Le diplomate anglais qu'Ida a connu au Club Méditerranée vient pour quelques jours. – **5.** Ce musicien africain que Rachida a rencontré au Mali cet été veut la rejoindre à Paris. – **6.** Le peintre hongrois que Heidi veut épouser est spécialiste de l'art naïf. – **7.** L'informaticienne algérienne que John veut présenter à sa mère a fini ses études très jeune. – **8.** L'Italien que Lisbeth veut accompagner autour du monde navigue d'habitude en solitaire.

102. Propositions

1. … où tous les plus grands peintres sont exposés. – **2.** … où il fait bon vivre. – **3.** … où les arbres poussent à l'envers. – **4.** … où on entend marcher la nuit – **5.** … où il a une maison… – **6.** … où il est né. – **7.** … où la nature est exceptionnellement spectaculaire. – **8.** … où on a trouvé de nombreux ossements… – **9.** … où le châtelain enfermait ses épouses. – **10.** … où Chateaubriand a fait ses études.

103.

1. Le téléphone a sonné à l'instant où je fermais la porte. – **2.** Luc dormait devant sa télévision à l'heure où les astronautes sont redescendus sur terre. – **3.** L'enfant s'est réveillé en sursaut dans son lit à la seconde où un avion s'écrasait pas très loin de là. – **4.** Le cargo a heurté un récif à la minute où le capitaine donnait l'ordre de jeter l'ancre – **5.** Il a redressé le volant à la seconde où il allait percuter le camion. – **6.** L'inspecteur a désarmé le malfaiteur à l'instant où il était sur le point de tirer. – **7.** Nous avons réussi à ouvrir la porte juste au moment où il commençait à brûler les documents dans la cheminée. – **8.** Certains ne vivent que la nuit, à l'heure où les autres dorment. – **9.** J'arriverai avec le gâteau et les bougies juste au moment où tu éteindras la lumière.

104.

1. Ils se sont embrassés pour la première fois le soir où il est tombé en dansant au bal de l'université. – **2.** Elle l'a présenté à ses parents le jour où son frère a eu un accident de voiture. – **3.** Ils se sont fiancés un après-midi d'automne où il neigeait déjà. – **4.** Ils se sont mariés un matin de juillet où il y a eu le seul orage de la saison. – **5.** Ils sont allés en voyage de noces à Venise une semaine où il a plu sans arrêt. – **6.** Leur premier bébé est arrivé un soir où il y avait une tempête de neige et où le médecin était malade. – **7.** Leur deuxième enfant est né la nuit où il a été élu maire de leur village. – **8.** Ils ont eu leurs premières disputes l'année où elle a voulu recommencer à travailler.

105.

1. Charlie a acheté à sa femme un diamant dont le prix est incroyable ! – **2.** Il n'accepte d'aller qu'à l'hôtel Carlton dont la piscine est immense. – **3.** Il vient d'épouser une jeune actrice dont la beauté est vraiment exceptionnelle. – **4.** Nous allons acheter à Deauville une propriété dont le jardin est magnifique. – **5.** Si vous voulez manger du caviar vraiment bon, achetez du caviar de la mer Noire dont le goût est inimitable. – **6.** Les Dumont ont un appartement de trois cents mètres carrés dont les fenêtres donnent sur la tour Eiffel. – **7.** Delphine vient de se marier avec un présentateur de télévision dont le salaire est de 30 000 euros par mois. – **8.** Je vais partir quelques mois en mer avec un milliardaire grec dont le yacht vaut une fortune. – **9.** Ils ont loué une superbe villa dont la piscine est chauffée par un système solaire.

106.

1. Il aimerait bien visiter ces pays exotiques **dont il a seulement entendu parler**. – **2.** Nous devons attendre encore un peu pour acheter ces vélos **dont les enfants ont envie**. – **3.** Elle va souvent regarder dans la vitrine ce très beau manteau **dont elle rêve depuis un mois**. – **4.** Elle a des tas de problèmes financiers **dont elle ne parle presque jamais**. – **5.** Son fils a finalement trouvé un petit boulot à mi-temps **dont il est très content**. – **6.** Il a refusé de leur donner l'argent **dont ils avaient besoin**. – **7.** Il va bientôt nous montrer sa petite maison dont il est très fier. – **8.** Excusez-moi de vous faire asseoir sur ce mauvais fauteuil **dont je me débarrasserai bientôt**.

107.

1. J'aimerais beaucoup rencontrer cet écrivain célèbre dont on m'a tellement parlé. – **2.** J'ai enfin obtenu un rendez-vous avec cette actrice dont tout le monde parle en ce moment. – **3.** Je cherche un moyen de connaître ce grand patron dont tu as sûrement entendu parler. – **4.** Je suis curieux de voir ces chanteurs dont tout le monde dit du bien. – **5.** Je suis invité à une réception chez ces danseuses américaines dont tous les hommes sont fous. – **6.** Antoine va finalement nous présenter cette mystérieuse poétesse russe dont il est si fier. – **7.** Peux-tu me faire rencontrer cet homme d'affaires dont les journaux spécialisés disent du bien ? – **8.** Marjorie garde pour elle ce séduisant danseur argentin dont elle est amoureuse.

108.

1. ... mon frère qui est professeur. – **2.** ... qui est un petit village où il y a chaque année une grande fête. – **3.** ... réparé la machine dont j'ai besoin. – **4.** ... taper la lettre que j'ai laissée sur votre bureau ? – **5.** ... me rappeler le nom du jeune homme dont vous m'avez parlé. – **6.** ... ma serviette qui contenait des papiers importants. – **7.** ... la ravissante jeune Asiatique qui était habillée tout en rouge mardi 10 octobre à 18 heures dans le métro. – **8.** ... obtenir l'amour de Cyril dont je suis amoureuse et qui aime quelqu'un d'autre ?

109.

1. Ce jeune homme que j'ai vu avec vous hier soir est très sympathique. – **2.** Il a longtemps travaillé au Brésil où il a rencontré sa femme. – **3.** Pierre avait besoin de mes livres que je n'ai pas pu lui prêter. – **4.** Il connaît bien ce petit village où il a passé ses vacances l'année dernière. – **5.** Bruce et Mourad sont des amis que j'emmène faire de l'escalade. – **6.** Marie, dont la voiture a percuté un arbre, est à l'hôpital. – **7.** Il cherche un papier dont il a besoin. – **8.** Je suis allé souvent en Suède que je connais bien. – **9.** Nous sommes partis un dimanche matin où il pleuvait beaucoup. – **10.** Je reviens d'un long voyage dont je suis très contente. – **11.** Vous m'avez conseillé de lire ce livre que je n'ai pas pu acheter, car il n'y en avait plus. – **12.** J'ai ramené chez elle une jeune fille qui avait manqué l'autobus. – **13.** Est-ce que vous avez tapé les lettres que je vous ai données hier ? – **14.** J'ai perdu le bracelet en or dont ma mère m'avait fait cadeau. – **15.** Franck a acheté un très beau tableau dont la couleur dominante est rouge. – **16.** Il a eu un grave accident le jour où il venait d'acheter sa voiture.

110. Propositions

1. Les spécialités alimentaires que vend ce magasin asiatique sont excellentes. – **2.** Les pains complets que propose cette boulangerie allemande viennent d'une usine pas loin d'ici. – **3.** Les vêtements bon marché qui remplissent les rayons de ce grand magasin anglais sont fabriqués à Hongkong. – **4.** La boutique grecque où il y a souvent des soldes ferme la semaine prochaine. – **5.** Les prix étonnants qu'annonce ce marchand de meubles suédois sont uniques dans la région. – **6.** L'hypermarché français dans lequel nous faisons nos courses en famille est vraiment formidable. – **7.** L'épicerie italienne qui a d'excellents produits se trouve près de la gare. – **8.** Le vin espagnol dont j'ai besoin pour ma sangria est en vente dans une petite coopérative du centre-ville. – **9.** La fromagerie suisse d'où vient cet excellent gruyère est peu connue, mais vaut le déplacement. – **10.** Les commerces algériens dont on m'a beaucoup parlé sont ouverts tous les jours et même la nuit.

111.

1. Cette maladie, qui est due à un virus, est mortelle. – **2.** Cette maladie, qui n'a pas encore de vaccin, se soigne assez bien. – **3.** Cette maladie, dont le monde a très peur, n'est pas contagieuse. – **4.** Les pays africains, où les conditions économiques sont difficiles, sont très touchés par cette épidémie. – **5.** Cette épidémie, qui a déjà tué des dizaines de millions de personnes, progresse rapidement. – **6.** Cette maladie que les médecins connaissent mal, se répand surtout chez les jeunes.

112.

a **1.** Le restaurant **où** vous avez vos habitudes ? – **2.** La musique **que** vous écoutez en boucle ? – **3.** L'actrice **qui** vous fait rêver ? – **4.** La qualité **dont** vous êtes le plus fier ?

b *Suggestions indicatives*

La boutique où vous dépensez le plus, que vous conseillez toujours, dont vous ne pouvez pas vous passer, qui vous ressemble le plus ?
L'ami qui vous soutient, que vous admirez, dont vous enviez les talents ?
L'objet qui vous est le plus cher, que vous avez toujours avec vous, dont le prix est astronomique ?

La langue que vous préférez parler ? Le régime dont vous êtes satisfait ? Le héros qui vous remplit d'admiration ? La star dont vous collectionnez les photos ? Le secret dont vous ne voulez pas parler ? Le club où vous êtes inscrit ? L'erreur impardonnable que vous avez commise ? Le défaut dont vous êtes le moins fer ?

113.

a *Observation*

b **1.** ce qu' – **2.** ce qu' – **3.** ce qui – **4.** ce qui – **5.** ce dont – **6.** ce dont – **7.** ce à quoi – **8.** à quoi.

114.

a **1.** ce qui – **2.** ce que – **3.** ce qui – **4.** ce qui – **5.** ce qui – **6.** ce que – **7.** ce qu' – **8.** ce que – **9.** ce qui – **10.** ce que, ce que – **11.** ce qu' – **12.** ce qui – **13.** ce que – **14.** ce à quoi *ou* ce que – **15.** ce que – **16.** ce qui.

b *Exercice de créativité*

115.

a *Observation*

b *Elle est jalouse de toutes les autres femmes et surtout de celles qui sont belles riches et célèbres. Celles que, celles dont, celles à qui, celles pour qui.*

c **1.** Celui qui, celui qui – **2.** celui que – **3.** celle qui – **4.** Celle que – **5.** ceux dont – **6.** celui dont – **7.** ceux qui – **8.** celle pour qui – **9.** ceux avec qui – **10.** ceux qui, ceux qui – **11.** ceux que – **12.** celle que – **13.** celles qu', celles qu'– **14.** celle dont – **15.** ceux sur qui – **16.** celle que – **17.** ceux qui – **18.** celles qui.

116.

1. à laquelle – **2.** auxquelles – **3.** auquel – **4.** à laquelle – **5.** auquel – **6.** auxquels – **7.** à laquelle – **8.** auxquels.

117.

a **1.** d. – **2.** e. – **3.** f. – **4.** a. – **5.** c. – **6.** b.

b *Propositions*
1. avec lesquels il est tombé à l'eau hier. – **2. dans laquelle** il lui avait donné sa bague de fiançailles. – **3. sur lesquelles** on voit des clochers. – **4. sous lequel** notre chat adore se cacher. – **5. pour lesquels** j'ai tant travaillé. – **6. dans laquelle** le héros est un enfant. – **7. dans lesquels** il a rangé tous ses cours d'université.

118.

1. La colline sur le flanc de laquelle le trésor est caché est élevée. – **2.** L'île au centre de laquelle se trouve la colline est minuscule. – **3.** Le rocher bleu à côté duquel se dresse l'arbre ressemble à une chèvre. – **4.** Les arbres en direction desquels il faut marcher depuis la plage ont de grandes feuilles jaunes. – **5.** Les sources d'eau chaude à proximité desquelles poussent les arbres sont dangereuses. – **6.** Le caillou à partir duquel vous devrez compter trois pas avant de creuser est vert. – **7.** Les îles à côté desquelles se situe notre île sont inconnues.

119.

dont, duquel, desquels, dont, desquelles, dont, de qui, duquel, desquelles, de qui *ou* duquel.

120.

a où *ou* dans lequel, où *ou* dans lequel, lequel, duquel, duquel, laquelle, laquelle, où *ou* dans lequel.

b **1.** C'est un village **près duquel** il y a une ville antique très bien conservée. – **2.** Ce sont des maisons **autour desquelles** la forêt exotique s'étend. – **3.** Ce sont des maisons **à l'intérieur desquelles** il y a l'équipement le plus ultramoderne – **4.** C'est un village **pas loin duquel** se trouve un lagon aux eaux merveilleuses. – **5.** C'est un lagon **où** nagent [**dans** les eaux **duquel** nagent] des poissons aux couleurs fantastiques – **6.** Ce sont des poissons familiers **au milieu desquels** on peut nager sans crainte. – **7.** C'est une plage **au bord de laquelle** il y a de beaux voiliers. – **8.** Ce sont des voiliers **au-dessus desquels** flotte le drapeau français. – **9.** Ce sont des voiliers **dans lesquels** [où] on peut inviter douze personnes. – **10.** C'est une place **au centre de laquelle** se dresse une statue magnifique.

121.

a **1.** *Propositions*

C'est un garçon qui sait ce qu'il veut ; que je vois tous les jours ; dont j'aime les oreilles ; à qui on peut tout dire ; chez qui il y a toujours des fleurs ; avec qui j'aime aller me promener ; en qui j'ai entièrement confiance ; pour qui je n'ai pas de secret ; près de qui je me sens bien

2. *Propositions*

C'est le canapé où papa fait la sieste ; sur lequel le chat fait ses griffes ; sous lequel je cache ma réserve de whisky ; près duquel il y a un petit guéridon ; que j'ai acheté dans une brocante ; qui vient de ma mère ; dont je ne me séparerai jamais.

3. *Propositions*

C'est une entreprise ultramoderne qui emploie une centaine d'ouvriers ; que le maire et le conseil général ont visitée la semaine dernière ; dont le patron veut développer l'informatique ; où la cantine propose une nourriture variée ; à l'intérieur de laquelle le bruit des machines est supportable ; derrière laquelle on a planté des arbres ; sur le toit de laquelle on va installer un potager écologique ; dans laquelle les ouvrières portent des blouses bleues ; au centre de laquelle un puits de lumière apporte une belle clarté.

122.

a **1. a.** qui – **b.** que – **c.** dont – **d.** sur qui – **e.** avec qui *ou* pour qui.

2. a. qui – **b.** que – **c.** avec qui – **d.** en qui – **e.** dont – **f.** que –**g.** chez qui

3. a. que – **b.** dont – **c.** dans lequel – **e.** dans lequel – **f.** sans lequel

a et **b** *Exercices de créativité*

123.

1. dont – **2.** que – **3.** où – **4.** lequel – **5.** auquel – **6.** laquelle – **7.** qui – **8.** que – **9.** lequel – **10.** auxquelles – **11.** duquel – **12.** à qui *ou* auquel – **13.** auquel – **14.** laquelle – **15.** desquelles – **16.** que – **17.** dont – **18.** lesquelles – **19.** où/dans lequel – **20.** que – **21.** lesquelles – **22.** desquels – **23.** dont – **24.** qui *ou* laquelle – **25.** de laquelle – **26.** auxquels, qui – **27.** de laquelle – **28.** lesquels.

124.

1. Les livres anciens **à l'achat desquels** il consacre beaucoup d'argent prennent de la valeur. –
2. La sculpture à **la vente de laquelle** j'ai assisté est partie pour une somme astronomique. –
3. Les criques à **l'exploration desquelles** tu m'as emmenée sont magnifiques. – **4.** Le ballet à
la répétition duquel j'ai pu aller sera bientôt présenté au public. – **5.** La banque **au braquage
de laquelle** il a participé était déjà en faillite. – **6.** La ville à **la découverte de laquelle** ils m'ont
pilotée m'a vraiment séduite. – **7.** L'avion privé à **l'arrivée duquel** se pressait une centaine
de journalistes ne transportait pas le chef de l'État. – **8.** Les huîtres crues à **la dégustation
desquelles** les Français m'ont invitée sont devenues mon plat préféré.

125.

1. L'autre solution **à laquelle** nous pensons plairait à tout le monde. / Nous pensons à une autre
solution **qui** plairait à tout le monde. – **2.** Je vais régulièrement dans ce petit village alpin **qui** est
un lieu de vacances idéal pour une famille nombreuse et **dont** je vous ai souvent parlé. / Ce petit
village alpin, **où** je vais régulièrement et **dont** je vous ai souvent parlé, est un lieu de vacances
idéal pour une famille nombreuse. – **3.** Le gros chien à poils blancs **sans lequel** il ne va jamais
se promener est un labrador. / Il ne va jamais se promener sans ce gros chien à poils blancs
qui est un labrador. – **4.** Il avait fait beaucoup de sacrifices pour ses enfants **qui** se sont montrés
bien ingrats. / Ses enfants, **pour qui** il avait fait beaucoup de sacrifices, se sont montrés bien
ingrats. – **5.** Le mur, **qui** datait du XVIᵉ siècle et **contre lequel** l'église était adossée, s'est écroulé.
/ L'église était adossée contre un mur **qui** datait du XVIᵉ et **qui** s'est écroulé. – **6.** Le candidat **en
faveur duquel** elle a voté et **qui** a été réélu était écologiste. / Elle a voté en faveur du candidat
qui était écologiste et **qui** a été réélu. – **7.** Les actrices sélectionnées **parmi lesquelles** il devait
faire le choix de son héroïne étaient très jeunes. / Il devait faire le choix de son héroïne parmi les
actrices sélectionnées **qui** étaient très jeunes. – **8.** Ce produit **grâce auquel** j'ai réussi à décaper
ma table est totalement inoffensif. / J'ai réussi à décaper ma table grâce à ce produit **qui** est
totalement inoffensif. – **9.** La police a retrouvé dans le jardin une échelle **au moyen de laquelle**
le cambrioleur a réussi à pénétrer dans la villa. / Le cambrioleur a réussi à pénétrer dans la
villa au moyen d'une échelle **que** la police a retrouvée dans le jardin. – **10.** Une statue de Victor
Hugo se dresse au milieu de ce jardin **qui** est le plus fréquenté du village. / Ce jardin, **au milieu
duquel** se dresse une statue de Victor Hugo, est le plus fréquenté du village.

126.

Les débuts de phrase proposés sont impératifs, les conclusions indicatives.

1. Le président de l'ONU **grâce à qui** la paix a été signée est un homme remarquable. – **2.** L'aide
économique **dont** cette jeune nation a besoin doit lui être accordée d'urgence. – **3.** L'autre solution
que les négociateurs nous ont proposée paraît acceptable. – **4.** La nouvelle **à l'annonce de
laquelle** la délégation chinoise est sortie de la salle a provoqué des applaudissements parmi
les autres nations. – **5.** La planète **sur laquelle** nous habitons a besoin de tous nos soins. – **6.** Le
représentant **en qui** le Président a confiance vient de partir en mission spéciale. – **7.** La réponse
du conseil, **à laquelle** les pays endettés ne s'attendaient pas, est le premier pas d'une nouvelle
politique. – **8.** Le pays européen **où** se trouve le siège des Nations Unies est très petit. – **9.** Les
positions **sur lesquelles** les deux camps sont restés ne sont pas définitives. – **10.** L'amusement
avec lequel les auditeurs regardaient l'orateur a troublé celui-ci.

127.

a Ce voyage **qui** était dangereux et **que** j'ai fait par inconscience, m'a fait comprendre la valeur
de la vie. J'ai connu des moments très durs **qui** m'ont déstabilisé et **que** je ne souhaite à personne,

mais grâce **auxquels** j'ai mûri très vite ! Depuis cette expérience, je connais exactement les limites au-delà **desquelles** je ne veux plus aller !

1. Là-bas, les petites routes **qui** ne sont pas répertoriées sur le GPS peuvent vous rendre fou. Prenez plutôt une bonne carte routière **avec laquelle** repérer votre direction et suivez votre instinct. Le pays n'est pas dangereux, vous découvrirez des sources **dans lesquelles** vous baigner, des arbres **sous lesquels** faire la sieste et des villages **dans lesquels** on vous offrira le thé.

2. C'était un voyage miraculeux **dans lequel / au cours duquel** tout s'enchaîne parfaitement bien, **pendant lequel** il n'y a que de bonnes surprises ; bref, le truc **qui** n'arrive qu'une fois dans une vie. J'ai rencontré, par hasard dans un sentier désert, la célébrité locale **avec laquelle** tout le monde voulait être vu. Évidemment je ne le connaissais pas, **ce qu'**il a trouvé reposant. Il m'a donc invité à une soirée **à laquelle** toute la ville rêvait de participer. J'avais un seul jean et j'ai donc gardé sur moi **celui avec lequel** je circulais, depuis le début en vrai pro du voyage ! Amusant. Et je n'oublierai jamais le moment le plus magique, **celui où** le soleil de l'aube a émergé derrière le volcan.

3. J'ai fait une fois un voyage **qui** était très dur mais c'est aussi **celui pendant lequel** j'ai rencontré ma femme ! Ce voyage a présenté de nombreuses difficultés **sans lesquelles** je n'aurais pas découvert ma capacité à résoudre les problèmes. Il y a eu un trajet en train **pendant lequel** on m'a tout volé, mais la gentillesse **avec laquelle** les gens m'ont aidé était merveilleuse ; ça m'a fait réfléchir. Après ces dix semaines **au cours desquelles** j'étais vraiment libre, j'ai quitté l'entreprise **où** je travaillais pour monter ma boîte de tourisme éthique dans le pays de mon épouse.

128. **Exercice de créativité**

Les indéfinis

Activité de repérage 7

chacun = une personne parmi d'autres, prise individuellement
quelqu'un = une personne non identifiée
personne... ne = aucun être humain
tout le monde = l'ensemble des personnes concernées dans la situation dont on parle
Le travail n'a pas été fait parce que chacun pensait qu'une autre personne le ferait.

Activité de repérage 8

1. personne – **2.** aucun – **3.** quelqu'un – **4.** quelques – **5.** certaines – **6.** rien de rien – **7.** l'Autre – **8.** tout, toutes –**9.** quelconque – **10.** n'importe où, n'importe quelle, n'importe qui, n'importe quoi – **11.** maintes, nul – **12.** la plupart, chaque

129.

1. Personne ne m'a pris mon crayon. – **2.** Je n'ai rien contre la toux. – **3.** Je n'ai rien entendu. – **4.** Il n'a choisi personne. – **5.** Personne n'était absent. – **6.** Elle n'y est allée avec personne. – **7.** Rien ne me gêne. – **8.** Je n'ai besoin de rien. – **9.** Personne ne m'a fait de peine. – **10.** Je ne t'ai rien rapporté.

130.

1. Je n'ai vu **personne**. – **2. Quelqu'un** est venu en mon absence ? – **3.** Il y a **quelque chose** de bizarre que je n'arrive pas à expliquer. – **4.** Nous n'avons **rien** à ajouter à ce que nous venons de dire. – **5. Rien** ne pouvait me faire plus plaisir que ce livre. – **6.** Est-ce que **quelqu'un** pourrait m'expliquer ce qui se passe ? – **7.** J'ai **quelque chose** de drôle à vous raconter. – **8.** « Avez-vous **quelque chose** à déclarer ? », a demandé le douanier. – **9.** Je n'ai raconté cette histoire à **personne**.

131.

1. Je n'ai rencontré **personne**. – **2.** Nous avons vu **quelques choses** qui t'auraient plu. – **3.** Il y a une **personne** qui a oublié son portable. – **4.** J'ai observé **quelque chose** d'important. – **5. Une personne** est venue apporter un paquet pour vous. – **6.** Avez-vous remarqué **quelques choses** intéressantes à acheter à cette brocante ? – **7. Personne** n'était encore arrivé. – **8.** J'ai **quelque chose** de grave à t'avouer. – **9.** Il y avait **une personne** dans la salle. – **10. Personne** ne s'est rendu à son invitation.

132. Exercice de créativité

133.

1. Il y a **d'autres problèmes**. – **2.** J'ai repeint **les autres portes**. – **3.** Nous pouvons chercher **d'autres solutions**. – **4.** Avez-vous les clés **des autres appartements** ? – **5.** J'ai répondu **aux autres annonces**. – **6.** Il a **d'autres frères**. – **7.** Les roues **des autres voitures** sont en bon état. – **8.** C'est **aux autres secrétaires** que j'ai remis mon dossier. – **9. D'autres étudiants** ont répondu à sa place. – **10.** J'aurais préféré **d'autres couleurs**.

134. **Exercice de créativité**

135.

1. Il a plu **toute** la journée. = entière. – **2. Tout** est de ma faute. = la totalité des événements. – **3.** Les feuilles sont **toutes** tombées. = dans leur totalité. – **4.** Les Français aiment **tous** le fromage. = l'ensemble des... – **5. Tous** les ans nous allons à la mer. = chaque année. – **6. Toutes** les fois qu'il sera absent, je vous préviendrai. = chaque fois – **7.** Les enfants avaient **tous** leur sac à dos. = chacun. – **8.** Elle était **toute** malheureuse à l'idée de partir. = très / bien. – **9.** Dans ces circonstances, il faut s'attendre à **tout**. = n'importe quoi. – **10.** C'est **tout** l'effet que ça te fait ? = le seul, l'unique. – **11.** Les téléviseurs sont **tous** en promotion. = dans leur totalité. – **12.** Je lui ai dit ce que je pensais en **toute** bonne foi. = complète, entière. – **13.** Il a acheté un cheval de **toute** beauté. = d'une beauté parfaite. – **14. Tout** son art réside dans le choix des couleurs. = seul / unique. – **15.** Le **tout** Paris était présent à cette inauguration. = dans sa totalité. – **16.** Elle fait une cure **tous** les deux ans. = un an sur deux.

136.

1. Il a repeint l'appartement **complet *ou* dans sa totalité**. – **2.** Elles manifestaient leur violence **entière *ou* totale** par des cris. – **3. Chacune d'entre elles** manifestait sa violence. – **4.** Les insectes sont **extrêmement** petits. – **5.** On peut faire du sport à **n'importe quel** âge. – **6.** Votre travail nous a donné **entière *ou* totale *ou* complète satisfaction**. – **7.** Il doit se faire une piqûre **chaque** jour. – **8.** Elle a eu un sourire pour **seule *ou* unique** récompense.

137.

1. Paris, Londres ou Berlin ? C'est bien, oui, j'y suis déjà allé **plusieurs** fois. **Chaque** capitale a ses charmes et si j'avais le budget je les visiterais **les unes** après **les autres**. Mais à mes yeux, **pas une / aucune** ne vaut celle de mon pays !

2. On a essayé **différents / plusieurs** restaurants le long de la plage ; **la plupart / certains** sont corrects, mais **aucun / pas un** n'est vraiment remarquable.

3. On ne peut pas visiter **tous** les châteaux de France, mais **plus d'un** méritent le détour. **Certains** sont absolument exceptionnels.

4. Plusieurs / certaines agences proposent un tour d'Europe, mais **toutes / quelques-unes** ne proposent pas les 28 pays. Attention à ne pas choisir **n'importe laquelle**.

5. On aura **quelques** heures seulement pour dormir entre deux trains ; un **quelconque** hôtel à proximité de la gare fera l'affaire.

6. Nous avons voyagé complètement au hasard. Bien sûr, on a eu **quelques** mauvaises surprises en dormant **n'importe où**, mais **rien** de tragique.

7. Tu n'as que 16 ans et je refuse de te laisser partir en vacances **je ne sais où** avec **je ne sais qui** pour faire **je ne sais quoi**. Tu viendras au camping avec nous !

138.

a – Adjectifs pouvant être utilisés avec « gens » : quelque(s), tous, le(s) même(s)

– Adjectifs pouvant être utilisés avec « personne » : certain(e), plusieurs, diverses, quelque(s), tout(e), différent(es), chaque, n'importe quel(le), l(a) même

– Adjectifs pouvant être utilisés avec « peuple » : certain(s), plusieurs, divers, quelque(s), tout/ tous, différent(s), chaque, n'importe quel(s), le(s) même(s)

b **1.** J'ai rencontré **quelques** personnes très sympathiques à cette soirée. – **2. Plusieurs** personnes ont été témoin de l'incident. – **3. Certaines** personnes se désintéressent complètement de leurs voisins. – **4. Tous** les gens présents étaient satisfaits. – **5.** Elle n'était pas heureuse ici, **tous** les gens vous le diront. – **6.** Ce sont **les mêmes** gens qui m'ont indiqué ce docteur. – **7. Diverses** personnes ont déjà réagi de cette façon. – **8.** Nous ne sommes pas exigeants, **n'importe quelle** personne fera l'affaire. – **9.** Le traité de paix de 1919 accorda à **chaque** peuple le droit de disposer de lui-même. – **10. Chaque** personne devra se procurer un visa. – **11. Toute** personne remarquant un événement insolite devra le prendre en photo et le signaler à la police. – **12.** Il a fait une étude très complète des **différents** peuples slaves.

[!] **REMARQUE :** *Pour certaines phrases, une autre solution est possible.*

139.

1. Tu dis **n'importe quoi**. – **2.** Ne répète pas ce secret à **n'importe qui**. – **3.** Je suis libre **n'importe quel** jour. – **4.** Quel gâteau veux-tu ? **N'importe lequel**. – **5.** Tu peux me téléphoner à **n'importe quelle** heure. – **6. N'importe qui** vous indiquera où se trouve la gare. – **7.** Josette et Valérie sont secrétaires bilingues et **n'importe laquelle** des deux est capable de vous traduire cette lettre. – **8. N'importe quoi** lui sert de prétexte pour ne pas aller au travail. – **9. N'importe quel** agriculteur sait la différence entre du blé et de l'orge. – **10.** Tu ne dois pas donner ton numéro de téléphone à **n'importe qui**. – **11. Partir en stop toute seule ? C'est franchement n'importe quoi**. – **12.** Ce type n'est pas **n'importe qui**. Dans sa jeunesse, il était champion de natation.

140. Exercice de créativité

141.

1. Connaissez-vous Zigzazou ? Ce gros orchestre de rue joue de **tout**, avec **tout**. Il utilise des instruments qui n'ont **rien** à voir avec les instruments classiques. Ils bricolent des objets sonores à partir de presque **rien**, car **n'importe quel** objet (ou fruit ou légume) produit un son utilisable dans un ensemble. **Certains** évoquent Bach, **d'autres** Morricone.

2. Cependant, l'orchestre ne fait pas **n'importe quoi** ; **la plupart** des musiciens ont une solide formation musicale. Polyvalents, ils sont **tous** capables de jouer de **plusieurs** « instruments ». **Certains** les plus doués, sont aussi d'excellents compositeurs. L'ambiance est festive, **personne** ne se prend pour le chef et **tout le monde** est le bienvenu pourvu qu'il coopère avec **les autres.**

3. Il n'y a **aucune** différence entre les jeunes et les vieux car ni **les uns** ni **les autres** n'accordent d'importance à l'âge. **N'importe lequel** des participants peut être la vedette de la performance du jour, qui ne sera pas **la même** le lendemain. **Nul** ne se plaint dans la ville car **rares** sont les spectateurs qui n'apprécient pas leurs sorties.

Les prépositions 8

⊕ Activité de repérage 9

Comment se décider **pour** « ognon » ou « oignon » ? Choisir « nénufar » **au lieu de** « nénuphar » ? **En** février 2016, les réseaux sociaux sont **en** émoi. On se bat **à coup d'**o(i)gnons et **de** nénuf(ph)ars et **de** « hashtags circonflexes »... Une réformette élaborée (**en 1990**) **afin de** supprimer les bizarreries et **dans le but de** faciliter l'apprentissage **de** la langue, déclenche une guéguerre **entre** la ministre **de** l'Éducation nationale et la secrétaire générale **de** l'Académie française. L'Académie a été très novatrice **au cours des** siècles passés, mais **depuis** la socialisation **de** l'orthographe, **à la fin du** XIXe siècle, elle se montre hyper-prudente... **Dans** les dictionnaires, la coexistence **entre** les deux orthographies est la norme **jusqu'à** la disparition naturelle **de** l'ancienne. La nouvelle est placée **en** première position si elle est déjà passée **dans** les mœurs et **à** la deuxième place si elle est très récente. Sauf **dans** les cas les plus « chauds », susceptibles **de** créer une polémique.

Le débat se déchaîne surtout **autour de** l'accent circonflexe, plus obligatoire **sur le** i et le u, excepté **en cas d'**homographie possible (sur et sûr, mur et mûr, jeune et jeûne...) Ah, l'accent circonflexe, éternel symbole **de** la lutte des modernes **contre** les classiques, et réciproquement... Chacun sait pourtant que l'oignon (pardon, l'union) fait la force... sacrebleu.

⊕ Activité de repérage 10

Destinations	Masculin	Féminin	Pluriel
Pays	au Brésil, au Cameroun, en Israël, au Mali, au Niger, au Sénégal	en Australie, en Hongrie, en Bulgarie, en Corée, en Côte d'Ivoire, en Écosse, en Égypte, en Indonésie, en Chine, en Syrie, en Thaïlande, en Birmanie, en Tunisie, en Turquie, en Italie	
Régions	dans le Péloponnèse, au Kenya, dans le sud marocain, au Népal, au Québec	en Andalousie, en Catalogne, en Bavière, en Forêt Noire, en Californie, en Floride, en Cappadoce, en Castille	
Villes	à Berlin, à Gand, à Budapest, à Hong Kong, à Macao, à Singapour, à Istanbul, à Marrakech, à Saint-Pétersbourg, à New York, à Paris, à Madrid, à Pékin, à Brno et Bratislava, à Tokyo et à Kyoto	à Amsterdam, à Athènes, à Barcelone, à Bruges, à Florence, à Londres, à Moscou, à Prague, à Rome, à Venise	
Îles	à Tahiti	à Ceylan, à Chypre, en Crète, à Rhodes, en Guadeloupe, à Madagascar, à Malte, en Martinique, en Nouvelle Calédonie, à la Réunion, à l'île Maurice, en Sicile	aux Baléares, aux Canaries, aux Maldives, aux îles anglo-normandes, aux îles grecques, aux Seychelles

> **REMARQUE :** *Moscou et Jérusalem sont féminins.* Les noms de pays masculins sont précédés de « au ». Les noms de pays et de régions féminins sont précédés de « en ». Les noms de villes sont précédés de « à ». Les noms d'îles sont introduits par « à », « en » ou « aux » selon que le nom de l'île est au singulier ou au pluriel.

142.

1. du *ou* au – **2.** pour – **3.** à, dans la – **4.** au – **5.** à la – **6.** en, à – **7.** aux *ou* des – **8.** en *(régionalisme)* – **9.** de, en – **10.** du – **11.** au *ou* à *(ville)* – **12.** à, en – **13.** aux, à – **14.** au – **15.** à la / en – **16.** en – **17.** en, au – **18.** du, de la, des – **19.** en – **20.** à – **21.** du – **22.** en, au – **23.** dans les – **24.** dans l', en, dans, aux.

143.

Ordre des phrases :

144. Exercice de créativité

145.

Ⓐ *1ᵉʳ jour*

Nous partirons **au** plus près de **chez** vous **dans** un autocar **de** grand tourisme équipé **de** toilettes **pour** voyager **par** la Vallée du Rhône **vers** la Côte d'Azur, déjeuner libre **en** cours de route. L'après-midi, continuation **en** direction de Cannes et Nice. Nous nous arrêterons **à** Biot **pour** visiter une verrerie et **pour** admirer le travail des souffleurs de verre.

Nous arriverons **à** Gilette **au** « Domaine de l'Olivaie » **en** fin d'après-midi. Nous nous installerons **avant** le dîner et la soirée d'accueil.

2ᵉ jour

Petit-déjeuner et départ **pour** Saint-Paul-de-Vence, la cité des artistes. Vous apprécierez les charmes de ce bourg médiéval, fortifié, vigie **au-dessus** des orangers et des cyprès du paisible pays de Vence où vécurent, **dans** les années 1920, les célèbres peintres Signac, Modigliani, Bonnard et Soutine. **Après** le repas, après-midi libre ou, en option, excursion **à** Vallauris et Cannes. **En début d**'après-midi : départ **pour** Vallauris, le village des potiers, visite **d**'un atelier. Continuation **vers** Cannes et sa Croisette, au pays des pierres précieuses, essences rares, palmiers et grands hôtels. Dîner et logement **au** village.

3ᵉ jour

Petit-déjeuner et journée libre **en** pension complète **au** village, ou, **en** option, excursion d'une journée **à** Monaco : le matin, vous visiterez le musée océanographique, puis vous assisterez **à** la relève de la garde du palais Princier. Déjeuner et temps libre **pour** compléter votre visite **du** Rocher. **En milieu** d'après-midi, retour **par** Eze et **par** les Corniches. Arrêt et visite d'une parfumerie. Dîner et logement au village.

4ᵉ jour

Petit-déjeuner et départ **pour** Nice. Promenade **dans** la vieille ville **pour** admirer le marché **aux** fleurs et flâner selon votre gré. Déjeuner **au** village et **après** le repas, départ **pour** la région lyonnaise **par** l'autoroute.

Ⓑ *Exercice de créativité*

146.

Prépositions en caractères gras

Ⓐ **1. À bord du** *Ponant*, 132 cabines, vous commencerez votre croisière **par** trois jours **à** Hawaï, **dans** des conditions **de** confort exceptionnelles. Ensuite vous mettrez le cap **sur** les îles Marquises, **sur** les pas **de** Jacques Brel et **de** Paul Gauguin. **En** particulier **sur** l'île **de** Hiva Oa, un éden aux yeux **de** ces deux grands artistes. Le surlendemain vous explorerez l'atoll **de** Fakarava, **en plein cœur du** Pacifique. Son lagon **de** 1000 km² réserve **de** biosphère **de** l'Unesco, exerça sa fascination **sur** le peintre Matisse. Vous tomberez **sous** le charme. **À** Rangirora, l'un des plus beaux sites **de** plongée **au** monde **pour** le commandant Cousteau, vous serez ébloui aussi **en raison de** la splendeur **de** la faune sous-marine. **Tout au long de** ce périple vous pourrez goûter **à** l'incomparable douceur **de** vivre **de** ces îles. Comme le disait Brel : « Le temps s'immobilise aux Marquises. »

2. D'abord, il y a le décor, celui du Cirque **de** Gavarnie, un site **à** la beauté étourdissante inscrit au Patrimoine mondial **par** l'Unesco. Cette prodigieuse muraille **de** 1700 mètres **de** hauteur et **de** 14 kilomètres **de** circonférence, **au centre du** parc national **des** Pyrénées, est encadrée **par** un cortège **de** 16 sommets **de** plus de 3000 mètres. Vous serez sidéré. Ensuite il y a le spectacle **de** théâtre installé chaque année **au pied de** ce colosse **de** la nature. Les scénographies spécialement conçues **pour** le lieu sont amplifiées **par** la magie du relief. **Après** une demi-heure **de** marche, le spectateur se retrouve plongé **au cœur de** la nature, **sur** une scène **à** ciel ouvert, **sous** les étoiles. Le retour **au** village se fait **à** la lueur des flambeaux, **à** pied ou **à** dos d'âne... Souvenirs garantis **pour** la vie.

b *Exercice de créativité*

c *Exercice de créativité*

147.

1. arriver	au cœur d'	a. un golfe protégé des vents
2. s'installer	au bord d'	g. une plage de sable blanc
3. marcher	le long d'	m. une lagune tranquille
4. plonger	au sein d'	e. eau turquoise
5. s'endormir	au-dessous de	b. pins centenaires
6. déjeuner	à la terrasse de	k. restaurants de la plage
7. se promener	à l'intérieur de	f. la vieille ville
8. se désaltérer	à l'ombre des	d. parasols
9. explorer le marché	à la découverte des	h. produits locaux
10. faire la fête	dans le circuit des	l. bars à tapas
11. danser en plein air	à l'occasion de	c. la nuit des étoiles
12. se coucher	au lever du	i. soleil
13. s'endormir à l'aube	dans les bras de	j. Morphée

b Il faut bien sûr que la phrase ait un sens mais sont impossibles :
– d' + nom commençant par une consonne ou un article défini
– de/du + nom commençant par une voyelle

c *Exercice de créativité*

148.

a de, au-dessus de, au sommet de, dans, en, au milieu du, loin de, vers, derrière, sur, à, à la surface de, à proximité de, au fond de, autour de, chez, à l'abri de, sous, à la sortie de, en direction de, le long de, au bord du, devant, à côté de

b *Exercice de créativité*

149. Exercice de créativité

150. Exercice de créativité

151.

près de, auprès de, aux environs de, loin des, à proximité de, pas très loin de, près des, près de, loin de, pas loin de, près de, à proximité d' *ou* aux environs d', pas loin de, loin, aux alentours du, à proximité de *ou* aux environs de.

152.

Un piano, c'est lourd / dur à porter. – Un livre c'est long à écrire. – Une exposition, c'est intéressant à voir. – Un enfant, c'est long / dur / intéressant à élever. – L'amour, c'est impossible à expliquer. – Un fruit, c'est bon à manger. – Une escalade de nuit, c'est dur / dangereux à faire / intéressant à voir.

153.

de / **en** soie, **pour** seulement 80 euros, **de** 100 euros, **à** ne pas manquer, **d'**été, **de** bal, **de** soirée, **à** pois roses, **À** la fête, **en** jean, **à** la main, **de** chez Dior, **à** regarder, **de** / **en** coton, **du** décolleté, **à** crédit, **à** dire qu'**à** faire, **à** me prêter, **de** désespoir, **en** beauté, **à** faire tourner la tête **de** tous les garçons **de** la terre.

154.

... **à** acheter un tableau **de** maître ou **à** investir... **de** passer un moment **à** étudier le marché **de** l'art... parler **à** de nombreux... les plus **à** la mode... appréciées **des** véritables... **à** Paris, **à** New York... **de**s galeristes... **à** vous guider... **à** des mésaventures... **à** leur aide... **de** connaître suffisamment le milieu... **de** savoir faire preuve **de** discernement... stupide **d'**acheter une toile de peu **de** valeur **à** un prix prohibitif... prêt **à** acheter... **d'**un bon... **à** investir mais **à** apprécier... coup **de** foudre... plus **de** bien **à** l'âme... **à** cause **de** sa cote... **à** devenir sensible **à** l'art... le plus cher **de** la meilleure galerie... interdisez **à** quiconque **de** le voir !

155.

1. en, en – **2.** dans – **3.** en – **4.** dans – **5.** en – **6.** dans – **7.** dans – **8.** en – **9.** en – **10.** dans – **11.** en – **12.** dans – **13.** dans – **14.** en – **15.** en, en, dans – **16.** en, dans.

156.

1. de, à – **2.** À, de – **3.** à – **4.** à – **5.** de, à, à, à – **6.** pour – **7.** Pour, à, par – **8.** en – **9.** Dans – **10.** De, à – **11.** au... chez – **12.** dans – **13.** chez, pour, à – **14.** de, en – **15.** à, avec – **16.** en – **17.** avec, en, sous – **18.** d', de – **19.** en, en, aux, au, au – **20.** de, de – **21.** de – **22.** de, à – **23.** Pour, à – **24.** à – **25.** de – **26.** en, après – **27.** de – **28.** En, de, dans.

157. Exercice de créativité

158.

Marcher : **1.** d. – **2.** g. – **3.** e. – **4.** b. – **5.** f. – **6.** a. – **7.** c.
S'habiller : **1.** b. – **2.** c. – **3.** e. – **4.** f. – **5.** a. – **6.** d.
Parler : **1.** e. – **2.** d. – **3.** a. – **4.** f. – **5.** b. – **6.** c.

159.

Demander : **1.** à – **2.** sans – **3.** en – **4.** avec – **5.** de – **6.** de, en.
Pousser : **1.** contre – **2.** en – **3.** par – **4.** vers – **5.** à – **6.** à – **7.** avec

160.

ⓐ « Sachez apprécier la plénitude **de** la vie **en** vous et **autour de** vous : la chaleur **du** soleil **sur** votre peau, le fruit succulent **dans** votre bouche, la lumière qui filtre **à travers** les nuages, la pluie qui ruisselle **le long de** votre nuque, la beauté du chiot qui court **vers** vous... Appréciez la dignité **de** la vieille dame qui marche **avec** lenteur et la vitalité du chaton qui joue **jusqu'à** l'épuisement. »

ⓑ *Lecture*

ⓒ *Exercice de créativité*

161.

dans, avec, d', sur, vers, sur, au bout du, sous, à, entre, de, dans, à, en, chez, dans, au, en, sur, dans, par pour, en, de, avec, en, sur, sous *ou* à.

162. Exercice de créativité

ⓐ Dans, au, dans, aux, dans, à, sous, chez, dans, en, avant, dans, à, en, en, au, sur

ⓑ *Exercice de créativité*

163.

Je voulais vraiment rester **dans** mon pays, mais j'étais **en** danger. Je vivais **dans** la peur d'être arrêté, car j'étais surveillé. Mon crime ? Parler **aux** étrangers que je rencontrais **en** leur vendant des chewing-gums...

Un jour, la police est passée c**hez** ma mère **pour** me chercher et j'ai décidé **de** partir. C'était impossible d'obtenir un visa Schengen, alors, j'ai choisi l'Ouganda, un pays où nous pouvons aller **sans** visa. Marc, un Français, m'a aidé **à** acheter le passeport et le billet **pour** Kampala, **via** Le Caire. Là-bas, j'ai cherché **pendant** huit mois une façon d'aller **en** France. J'ai réussi **à** rejoindre la Grèce **en** passant **par** la Turquie, mais non **sans** mal. J'ai été arrêté deux fois **du** côté grec et renvoyé **à** Istanbul. Finalement, **avec** d'autres réfugiés, on a passé la frontière albanaise. Nous sommes restés bloqués **durant** trois mois **dans** des conditions terribles, **après** quoi, j'ai rencontré une Syrienne qui partait **pour** le Monténégro **avec** des passeurs soudanais. J'ai porté ses valises **à travers** les montagnes. **Après** trois jours **au** Monténégro, nous sommes montés **à** trente **à l'intérieur d'**une camionnette **en** direction **de** l'Italie. J'étais si malade **à** l'arrivée qu'on m'a transporté **aux** urgences. Marc est venu me chercher **en** voiture et, **après** un an **de** périple, je suis enfin arrivé **à** Marseille. Tout cela a coûté 18000 euros, financés **par** Marc. **Sans** lui, je n'aurais jamais réussi **à** arriver **jusqu'au** bout. Aujourd'hui, je suis **en** attente du statut **de** réfugié, **sans** garantie **de** l'avoir.

L'interrogation

⊕ Activité de repérage 11

a Questions **1.** à **4.** = questions d'enfants
Questions **5.** à **8.** = registre oral courant
Questions **9.** à **12.** = oral soigné
Questions **13.** à **16.** = oral décontracté
Question **17.** = langage SMS (téléphone portable)
Questions **18.** à **29.** = questions de réflexion soignées ; écrit médiatique et/ou oral professionnel

b Le principal outil de la forme interrogative est le point d'interrogation, la présence de « est-ce que » ou l'inversion du verbe par rapport au sujet.
Les autres structures de la forme interrogative sont la présence (le plus souvent en tête de phrase) d'un adverbe ou d'un pronom interrogatif.

164.

– Première forme : il suffit d'ajouter un point d'interrogation à la fin de la phrase.
– Deuxième forme : il suffit d'ajouter : « Est-ce que… » ou « Est-ce qu'… » au début de la phrase et de mettre un point d'interrogation à la fin de cette dernière.
– Troisième forme :

1. Est-il venu avec ses parents ? – **2.** Les étudiants sont-ils arrivés en retard ? – **3.** Ces voitures sont-elles très chères ? – **4.** Les enfants ont-ils regardé un dessin animé ? – **5.** Ces livres sont-ils très intéressants ? – **6.** Avez-vous pris l'autobus ? – **7.** Les ont-elles tous vus ? – **8.** La cathédrale a-t-elle été restaurée ? – **9.** Votre mari est-il allé à la pêche ? – **10.** Les jeunes aiment-ils faire de la bicyclette ? – **11.** La maison est-elle située en dehors de la ville ? – **12.** Y en a-t-il beaucoup ?

165.

1. Vous avez combien de filles ? Combien de filles avez-vous ? – **2.** Est-ce que tu viendras ? Est-ce que vous viendrez ? Pourras-tu venir ? Pourrez-vous venir ? Viendrez-vous ? Viendras-tu ? – **3.** Quand est-ce qu'ils arriveront ? Ils arriveront quand ? Quand arriveront-ils ? – **4.** Vous viendrez comment ? Comment est-ce que vous viendrez ? Comment viendrez-vous ? – **5.** Pourquoi est-ce qu'ils n'ont pas pu venir ? Pourquoi n'ont-ils pas pu venir ? – **6.** Avec qui est-ce qu'elle est allée à la Zumba ? Avec qui est-elle allée à la Zumba ? – **7.** Avec quoi est-ce qu'elle a fait ce tableau ? Avec quoi a-t-elle fait ce tableau ? – **8.** Quelle robe est-ce que vous allez prendre ? Quelle robe allez-vous prendre ?

166.

1. Qui est-ce qui a fait ce programme ? – **2.** Qui est-ce que tu as rencontré hier soir ? – **3.** Qui est-ce qui a oublié ses lunettes ? – **4.** Qui est-ce qui a peint ce tableau ? – **5.** Qui est-ce que vous avez emmené ? – **6.** Qui est-ce qu'elles ont invité ?

167.

1. Qu'est-ce qu'il a eu ? – **2.** Qu'est-ce que tu as visité ? – **3.** Qu'est-ce qui s'est passé ? – **4.** Qu'est-ce qu'il a répondu ? – **5.** Qu'est-ce qui a cassé les branches ? – **6.** Qu'est-ce qui a provoqué cet accident ?

168.

1. qui *ou* qui est-ce qui – **2.** Qu'est-ce que – **3.** Ce que – **4.** Qui *ou* Qui est-ce qui – **5.** que – **6.** qui – **7.** Qui est-ce que *ou* Qui – **8.** Qu'est-ce qui – **9.** que – **10.** Qui

169.

1. quel – **2.** Laquelle – **3.** Quels – **4.** Lequel – **5.** laquelle / lesquelles – **6.** Lesquels – **7.** Quelles – **8.** Quelle – **9.** quelles

170.

1.	2.	3.	4.	5.	6.	7.	8.	9.	10.	11.	12.	13.	14.	15.	16.	17.	18.	19.	20.	21.	22.	23.	24.
h.	s.	n.	t.	d.	u.	f.	p.	q.	x.	w.	i.	l.	b.	r.	a.	k.	o.	g.	m.	c.	e.	v.	j.

171.

ⓐ **1.** Quel est votre nom ? Comment vous appelez-vous ? – **2.** Quel est votre prénom ? Par quel prénom vous appelle-t-on ? – **3.** Quelle est votre situation de famille ? Vous êtes marié ou célibataire ? – **4.** Quel est votre âge ? Quel âge avez-vous ? Vous avez quel âge ? – **5.** Quel est votre lieu de naissance ? Où êtes-vous né ? – **6.** Quelle est votre adresse ? Où habitez-vous ? Où est-ce que vous habitez ? – **7.** Quelle est votre taille ? Combien mesurez-vous ? – **8.** Quel est votre poids ? Combien pesez-vous ? – **9.** Quelles langues parlez-vous ? Combien de langues parlez-vous ? – **10.** Travaillez-vous ? Quelle est votre profession ? Que faites-vous dans la vie ?

ⓑ **1)** **1.** Comment – **2.** Que – **3.** Est-il, a-t-il / y a-t-il – **4.** Où, Qui – **5.** Quels – **6.** Qui – **7.** Comment

2) *Propositions de réponses*

D'où vient-il ? / Est-il étranger ? / Où a-t-il grandi ? / Est-ce-qu'il a un boulot ? / Lequel ? / Gagne-t-il bien sa vie ? / Est-il chômeur ou milliardaire ? / À quoi passe-t-il son temps libre ? / Qu'est-ce qui le passionne ? / Que déteste-t-il ? / À quoi croit-il ? etc.

3) *Exercice de créativité*

172. Propositions de réponses

1. Pourquoi aimez-vous gagner ? Combien de fois vous êtes-vous dopé ? Que faites-vous de votre argent ? Combien gagnez-vous ? Ça n'est pas un peu trop ?
2. Pourquoi avez-vous le trac ? Pourquoi n'avez-vous pas joué pendant dix ans ? Ça ne vous ennuie pas de toujours jouer des rôles de mari trompé ?
3. Comment le monde a-t-il été créé ? Quel sens a ma vie ? Pourquoi la guerre existe-t-elle ?
4. Depuis quand m'aimes-tu ? Pourquoi m'aimes-tu ? Est-ce que tu m'as déjà été infidèle ?

173.

ⓐ verbe pouvoir + inversion
Verbe devoir + inversion
Qu'est-ce que + verbe être
verbe falloir + inversion – avoir + inversion

ⓑ Doit-on ou faut-il interdire les OGM ?
Faut-il ou doit-on laisser faire ou sévir ?
Faut-il ou doit-on arrêter les régimes ?
Peut-on ou doit-on tout dire à l'autre ?

Sommes-nous prêts à réduire notre consommation d'énergie ?
Y a-t-il un lien entre pollution et cancer ?

c *Exercice de créativité*

d *Exercice de créativité*

174.

a **1.** Qu'est-ce qu' – **2.** Quel – **3.** Où – **4.** Qui – **5.** Cette université – **6.** Y a-t-il – **7.** Combien – **8.** Quels – **9.** Ai-je

b *Exercice de créativité*

c *Exercice de créativité - Quelques propositions :*
L'entreprise est-elle saine ? Quelles sont ses valeurs ? Comment traitent-ils leurs employés ? L'ambiance est-elle bonne ? Y a-t-il la possibilité de progresser ? Le salaire est-il suffisant ?

Pourrai-je payer les études de mes enfants ? Devrai-je faire de nombreux déplacements ? Aurai-je le temps de m'occuper des gosses ? Pourrai-je prendre de vraies vacances ?

Ma femme trouvera-t-elle un emploi à proximité ? Acceptera-t-elle de partir si loin ? Quelles sont les conditions d'emploi pour les femmes là-bas ?

Mes enfants auront-ils un bon collège ? S'adapteront-ils facilement ? Pourront-ils faire leurs études dans cette région ? etc.

d *Exercice de créativité*

175.

a **1.** *Qui ? = la tempête Jonas / A fait quoi ? = a balayé les États-Unis / Avec quelles conséquences ? = a paralysé plusieurs villes, a fait au moins 25 morts / Où ? = aux États-Unis, New York, Central Park, Washington / Quand ?* = le 23 et 24 janvier (2016), pendant 36 heures / À remarquer : chutes de neige record.

2. Il y a deux moment décrits dans ce texte : les événements de 2013 et le procès de 2016.

2013. Qui ? = quatre individus / Quoi ? = ont fait un braquage / Où ? = Au Quick de Coignières / Comment ? = armés de couteaux et de pistolets en plastique / But ? = Pour financer un voyage

2016. Qui ? = les quatre individus / A subi quoi ? = ont été condamnés / Quand ? = à leur procès, en 2016 (vu la date du journal) / Où ? = on ne sait pas

3. Les auteurs du crime et leurs motivations étant encore inconnus au moment de la rédaction, le journaliste utilise la forme passive qui met l'école et la mairie en sujets.

Qui ? = la mairie et l'école / A subi quoi ? = un incendie / Avec quelles conséquences ? = elles ont été dévastées / Où ? = en Corse du sud dans le village de montagne de Tavera / Quand ? = Dans la nuit du jeudi 4 au vendredi 5 février (2016 vu la date du journal / Qui n°2 = La brigade de gendarmerie fait quoi ? = enquête, pense à une origine criminelle.

b *Exercice de créativité*

c *Exercice de créativité*

176. Exercice de créativité

177.

a 1. d. – 2. c. – 3. f. – 4. e. – 5. g. – 6. a. – 7. h. – 7. b.

b *Exercice de créativité*

c *Exercice de créativité*

178. Exercice de créativité

La négation

 Activité de repérage 12

ⓐ Formes de négation employées :

1. que non ; n' pas – **2.** ne que ; ne que ; ne que – **3.** ne pas encore ; ne jamais ; ne plus – **4.** ne... pas ; ne...pas – **5.** ni... ni... ni... – **6.** ne jamais ; pas de ; n'... plus ; plus de ; n'...aucune ; pas de – **7.** pas de ; n'...aucun ; personne n'... rien ; n...' rien ; un déni – **8.** nul ; nul ; personne ne ; ne rien à rien ; n'... aucun ; ni rien ni personne ; ne... jamais ; pas plus ; n'... .rien ni personne ; négatif – **9.** on ne trouve plus rien ; je ne supporte plus ; ça ne peut plus durer ; ne t'énerve pas ; ça n'est pas ; j'y crois pas ; tu ne ranges jamais rien ; sans rien dire

ⓑ Place de la négation :

– temps simple : ne + verbe conjugué + pas *ou* plus
– temps composé : ne + auxiliaire + pas *ou* que + participe passé
– infinitif : ne pas + infinitif
– impératif : ne + verbe + pas

 Activité de repérage 13

pessimistes ; avoir tout faux ; nier aucune ; ne s'en sort pas plus mal ; non négligeables ; négative ; nettement reculé ; n'y a aucune ; n'est peut-être pas ; n'y a aucune ; n'a tiré aucun ; ne nous porterons pas ; ne plus être ; ne font plus parler ; n'empêche pas

179.

1. Non, je ne veux plus de gâteau au chocolat. Non, je n'en veux plus. – **2.** Non, elle ne fait plus de judo. Non, elle n'en fait plus. – **3.** Non, il ne fume plus. – **4.** Non, je ne prends plus ma voiture. Non, je ne la prends plus. – **5.** Non je n'ai pas encore pris mon médicament. Non, je ne l'ai pas encore pris. – **6.** Non, je ne pars pas encore. – **7.** Non, il n'est pas encore sorti. – **8.** Non, je n'ai pas encore acheté cette marque de biscuit. Non, je ne l'ai pas encore achetée. / Non, je n'ai jamais acheté cette marque de biscuits. – **9.** Non, je ne bois pas souvent de cognac. Non, je n'en bois jamais. – **10.** Non, je n'en prends jamais. Non, je n'en prends pas souvent. – **11.** Non, nous n'allons pas souvent au théâtre. Non, nous n'y allons presque jamais. – **12.** Non, ils ne boivent jamais de vin rouge. Non, ils n'en boivent jamais.

180.

1. Non, personne n'est venu. – **2.** Non, je n'ai rencontré personne (que je connaissais). – **3.** Non, il n'a rencontré personne d'intéressant. – **4.** Non, il n'a écrit à personne. – **5.** Non, personne n'a vu ce qui s'est passé. – **6.** Non, je n'y connais personne. – **7.** Non, rien ne me ferait plaisir. – **8.** Non, je ne veux rien boire. – **9.** Non, rien ne m'a choqué dans son discours. – **10.** Non, nous n'avons rien pris contre le froid. – **11.** Non, il ne m'est rien arrivé. – **12.** Non, nous n'avons pensé à rien.

181.

1. Je ne vais ni à la mer, ni à la montagne. – **2.** Je ne prendrai ni le train ni l'avion, je prends toujours ma voiture. – **3.** Je ne porterai ni une jupe longue ni une jupe courte, je mettrai un pantalon. – **4.** Je ne prends ni le bus ni mon vélo, j'y vais toujours à pied. – **5.** Je n'ai ni chaud ni froid, je suis bien. – **6.** Je n'aime ni le camping ni le caravaning, je préfère aller à l'hôtel ou louer une maison.

182.

1. L'étudiant est entré **sans fermer la porte**. – **2.** L'homme s'est assis **sans dire un seul mot**. – **3.** Il marchait, perdu dans ses pensées, **sans voir personne**. – **4.** Il a fabriqué cette machine tout seul, **sans aucune formation**. – **5.** Elle était malade. Elle a guéri très vite, **sans prendre de médicaments**. – **6.** Il est parti **sans faire de bruit**. – **7.** Ce sportif a fait toute la compétition **sans avoir pu s'entraîner** suffisamment. – **8.** J'ai réussi tous mes examens **sans avoir jamais beaucoup travaillé**. – **9.** Il a un bon travail **sans avoir fait de longues études**. – **10.** Nous avons fait le trajet Lille Montpellier **sans nous être arrêtés** plus d'une heure pour manger.

183.

1. Je ne comprends pas pourquoi vous n'avez jamais fait ce voyage. – **2.** On ne m'a rien proposé d'intéressant dans cette entreprise. – **3.** Fermez la porte, je ne veux plus voir personne. – **4.** Pourquoi n'irions-nous pas visiter ce petit village de Provence ? Aucun d'entre nous n'y est jamais allé.

184.

ⓐ Ne vous penchez pas hors du train. / Ne pas se pencher hors du train. – Ne faites pas d'équilibre sur la fenêtre / Ne pas faire d'équilibre sur la fenêtre. – Ne posez pas à côté d'animaux dangereux. / Ne pas poser à côté d'animaux dangereux. – N'explorez pas des lieux interdits. / Ne pas explorer des lieux interdits. – Ne reculez pas sans vérifier vos arrières. / Ne pas reculer sans vérifier ses arrières.

ⓑ *Exercice de créativité*

185.

1. Il regrette de ne plus pouvoir faire de ski. – **2.** Le médecin lui a ordonné de ne plus fumer. – **3.** Le professeur a demandé aux étudiants de ne pas arriver en retard. – **4.** Le directeur a ordonné aux écoliers de ne pas jouer avec le matériel du laboratoire. – **5.** On nous a priés de ne pas mettre trop de désordre dans ce bureau. – **6.** M. et Mme Duparc sont vraiment désolés de n'avoir pas pu acheter la maison de leurs rêves. – **7.** Ils sont furieux de ne pas être partis à l'heure prévue. – **8.** Mes amies regrettent beaucoup de ne pas être venues me voir à l'hôpital. – **9.** Ils sont très mécontents de ne pouvoir rien dire. – **10.** Je suis bien triste de n'avoir rencontré personne à la soirée. – **11.** Nous avons demandé à nos voisins de ne plus faire de bruit après 22 heures.

186.

1. Non, je ne veux répondre à aucune question. – **2.** Non, je n'ai jamais été accusé de rien. – **3.** Non, je n'étais pas chez moi. – **4.** Non, je n'étais avec personne. – **5.** Non, personne ne m'a vu. – **6.** Non, je ne suis pas allé au café. – **7.** Non, je ne faisais pas de courses. – **8.** Non, je n'étais nulle part. – **9.** Non, je ne faisais rien. – **10.** Non, elle n'est jamais chez elle le samedi. – **11.** Non, elle n'était ni chez l'un, ni chez l'autre. – **12.** Non, elle ne fait jamais rien le samedi. – **13.** Non, il n'y a jamais personne chez nous le samedi. – **14.** Non, je n'ai vu personne nulle part. – **15.** Non, je n'ai plus rien à vous dire.

187. **Propositions de réponses**

1. Ça vous est déjà arrivé de rester enfermé dans un ascenseur ? – **2.** Pensez-vous que M. Dubreuil sera élu ? – **3.** Où êtes-vous allé pendant le dernier week-end ? – **4.** Je n'ai pas encore pris mon billet d'avion. Et toi ? – **5.** Il y avait du monde à la conférence ? – **6.** Qui est-ce qui a sonné ? – **7.** Tu as vu Joël ou Michel ? – **8.** Qu'est-ce que tu fais ce soir ? – **9.** Tu veux parler à quelqu'un. – **10.** Vous referez un voyage aussi difficile ? – **11.** Vous avez lu des romans de Marguerite Duras ? – **12.** Tu veux encore quelque chose ?

188.

		Sens négatif	Sens positif
Préfixes privatifs	a	*apolitique*	*politique*
		amoral	moral
	an	anormal	**normal**
	dé	défaire	**faire**
		déboucher	boucher
		découdre	**coudre**
		déblocage	**blocage**
		déposséder	posséder
		dévalorisation	valorisation
	des	déshydratation	**hydratation**
		désintéresser	intéresser
	in	infaillible	**faillible**
		incontrôlable	contrôlable
		intraduisible	traduisible
		inefficace	**efficace**
		intolérant	**tolérant**
	im	immangeable	**mangeable**
		improbable	probable
		imbuvable	buvable
		immobile	mobile
	il	illégal	**légal**
		illégitime	**légitime**
	ir	irréalisable	**réalisable**
		irresponsable	responsable
		irrationnel	rationnel
	mé	mécontent	**content**
		méconnaître	connaître
		mésentente	entente
	mes	mésaventure	**aventure**
		mésestimer	**estimer**
	mal	*Exemple : malveillant*	*bienveillant*
		malhabile	habile
		malchance	chance
	non	non-voyant	**voyant**
		non-conforme	conforme
		non-violent	violent
Adverbes de négation (devant les participes passés)	mal non	*Exemple : mal dit*	*dit*
		non compris	**compris**
		non fini	fini

189.

1. Franck a acheté un magnifique tableau d'un peintre **inconnu**. – **2.** N'écoutez pas les discours de ce philosophe réputé pour son **immoralité**. – **3.** Vous n'allez pas bien, a dit le docteur, votre pouls bat **irrégulièrement**. – **4.** Il est **illégitime** de prétendre à ce droit. – **5.** Sa réaction était tout à fait **anormale**. – **6.** Il a décidé de se **désabonner** de cette revue qui ne lui plaît plus du tout. – **7.** Ne confiez pas la restauration de ce tableau à M. Tricot, je le connais, il est **malhonnête**. – **8.** Alors, racontez-moi vos **mésaventures** en Turquie. – **9.** Il n'imite jamais ce que font les autres, il est **non conformiste**. – **10.** Il a commis une faute **impardonnable**.

190. Exercice de créativité

191.

ⓐ Pas d'écarts !
Pas de sucre, plus de gras, zéro beurre ; aucun gâteau ; que des légumes, et pas trop encore ! et sans sauce ! Ça ne traînera pas : tu n'auras que la peau sur les os et aucun plaisir à manger.

ⓑ J'en peux plus
C'est pas une vie ! On fait que regarder la télé ! On ne fait jamais rien d'intéressant ! On ne va nulle part. On n'invite personne ! Ça ne peut plus durer ! J'en peux plus !

192.

ⓐ Dans ce texte, « ils » peut représenter la milice ou la gestapo nazie.

ⓑ Exercice de créativité

193. Exercice de créativité

194. Exercice de créativité

11 Le passif

195.

1. De nombreux manifestants **avaient déjà été arrêtés** par la police. – **2.** La piscine **va être fermée** par la municipalité. – **3.** Les accusés **sont** toujours lourdement **condamnés** par ce tribunal. – **4.** L'enfant **a été abandonné** au bord de la route par les ravisseurs. – **5.** Cette maison **a été construite** par mon aïeul en 1875. – **6.** Les ouvrières licenciées il y a un mois **seront réembauchées** par l'entreprise. – **7.** Le blocage des prix vient d'**être annoncé** par le ministre. – **8.** Je **suis très tenté** par cette nouvelle proposition de travail. – **9.** Je croyais que l'arrivée de l'avion **serait retardée** par le mauvais temps. – **10.** Je ne savais pas que le Premier ministre **avait été photographié** au domicile de sa maîtresse. – **11.** Nous vous avertirons quand l'accord **aura été donné** par le gouvernement. – **12.** Il est inadmissible que la jeune fille n'**ait été secourue** par aucun des passagers.

196.

1. Chaque année, de grandes affiches **annoncent** la fête. – **2.** La peur **paralysait** les otages. – **3.** La grand-mère des enfants les **comble** de cadeaux. – **4.** Tous leurs professeurs **accompagneront** les élèves. – **5.** Des apprentis maçons **ont construit** cette maison. – **6.** Le médecin a **vacciné** les enfants. – **7.** Un jeune écrivain inconnu, Dominique Even, **a écrit** ce roman. – **8.** La directrice devra **rédiger** le règlement intérieur. – **9.** Le maire de la ville **invite** les étudiants à une réception. – **10.** La municipalité **prendra** en charge les réfugiés. – **11.** La préfecture leur **a accordé** l'autorisation de résidence. – **12.** Les agriculteurs en colère **ont jeté** plusieurs tonnes de fruits sur l'autoroute. – **13.** Des agriculteurs **auraient aperçu** en Normandie un objet volant non identifié. – **14.** Le vent violent de la nuit dernière **a déraciné** le gros chêne. – **15.** Le président **recevra** les anciens combattants de la seconde guerre mondiale à l'Élysée.

197.

Construction	Phrases
1- Construction passive complète sujet passif + être + participe passé du verbe + **par** + complément d'agent	**1.** Les enfants ont été punis par leur mère. **8.** Le député a été applaudi par tous les participants.
2- Construction passive complète sujet passif + être + participe passé du verbe + **de** + complément d'agent	**11.** Le professeur de littérature est respecté de tous les étudiants.
3- Construction passive incomplète sujet passif + être + participe passé	**14.** Tous les responsables de l'attentat ont été arrêtés hier soir. **16.** Tous les examens radiologiques devront être faits rapidement.
4- Construction avec un verbe pronominal de sens passif	**9.** Ce tableau de Picasso s'est vendu cinq millions d'euros.
5- Construction passive incomplète participe passé du verbe passif	**12.** La petite fille, enlevée dimanche dernier dans un jardin public, a été retrouvée saine et sauve.

Construction	Phrases
6- Construction passive incomplète participe passé du verbe + par ou de	**7.** Aidée par ses amis, elle a pu sortir de cette situation difficile. **15.** La maison, protégée par une haie d'arbres touffus, était agréable. **13.** Elle est venue à la soirée accompagnée du maire de la ville.

198.

a Phrases actives : 1, 4, 8, 9, 10, 11, 12, 13, 17, 19, 20.
Phrases passives : 2, 3, 5, 6, 7, 14, 15, 16, 18.

b Transformation en phrases passives :
1. Impossible (verbe intransitif). – **4.** Impossible (verbe intransitif). – **8.** Un interphone **a été installé** dans notre immeuble. – **9.** Mes cadeaux de mariage **me seront bientôt envoyés** par mes amis. – **10.** Le cycliste **a été renversé** par la voiture. – **11.** Le sapin de Noël **a été décoré** par les enfants. – **12.** Les voleurs qui étaient entrés chez moi **ont été poursuivis** par mes voisins. – **13.** Le témoin **a été interrogé** par le juge. – **17.** Après l'accident, le blessé **était entouré** par les badauds. – **19.** Elle **a été chaudement félicitée** par le maire pour son attitude courageuse. – **20.** Impossible (verbe intransitif).

Transformation en phrases actives :
2. Tous les Français **élisent** le président pour sept ans. – **3.** De nombreux dossiers **encombraient** le bureau du directeur. – **5.** La municipalité **va aménager** ce terrain en terrain de sport. – **6.** On **a découvert** des milliers d'exoplanètes. – **7.** On **fait** les vendanges au mois d'octobre. – **14.** Des virus ont infecté mon ordinateur. – **15.** On **évitera** le conflit au Moyen-Orient. – **16.** Alain Plessis **a réalisé** les effets spéciaux. – **18.** La cave **a été inondée** par la pluie.

199. Propositions de réponses

Journal *Ceux-ci*	Journal *Ceux-là*
Charles Juliet se remarie ! Notre célèbre et toujours vert acteur est amoureux comme un jeune homme. À 70 ans, il a décidé de refaire sa vie avec une jeune femme de 40 ans sa cadette.	Délaissée à 70 ans ! Vanessa, l'épouse fidèle de Charles Juliet depuis leur jeunesse, vient d'être abandonnée pour une jeune femme de 30 ans. Peut-être devrait-on dire répudiée par son volage époux qui veut refaire sa vie avec une jeunesse.
Caroline Valentin gagne en justice ! Caroline Valentin, l'ex-femme et collaboratrice de l'écrivain à succès Luc Lévy, a obtenu réparation après son divorce. Ayant prouvé sa participation très active à l'œuvre de celui-ci, elle pourra garder la maison et bénéficiera d'une confortable pension alimentaire.	Luc Lévy ruiné par son ex-épouse ! Luc Lévy vient d'être condamné par le juge des divorces à verser une importante pension alimentaire à son ex-épouse, Caroline Valentin. L'écrivain estime être injustement dépouillé et compte faire appel.

Journal *Ceux-ci*	Journal *Ceux-là*
Bertrand Pietri ne s'embête pas dans la vie ! Le chanteur de charme qui a toujours adoré papillonner vient de s'offrir une petite aventure avec une charmante jeune fan. En voilà un qui sait profiter de la vie !	Marie Pietri humiliée ! La charmante épouse du chanteur corse a été très déçue d'apprendre qu'elle avait encore été trompée par son mari volage. Quand on est amoureuse d'un papillon...
Jonathan gagne haut la main ! Comme on pouvait s'en douter, c'est Jonathan qui a remporté une écrasante victoire hier au vote final de Star-Academy : le jeune chanteur a réuni 70 % des voix des téléspectateurs !	Bruno éliminé ! Le pauvre Bruno a été littéralement écrasé. En effet, il n'a été choisi que par 30 % des téléspectateurs contre 70 % à son adversaire. Star-Ac, ton univers impitoyable !

200.

Jacques et Sophie habitent une grande maison qui leur **a été léguée par** la grand-mère de Jacques. Elle **est entourée d'**un magnifique jardin avec des pelouses **couvertes de** gazon et **parsemées de** fleurs de toutes les couleurs. Au centre du jardin s'étend une pièce d'eau **bordée de** massifs de rosiers nains d'un rouge éclatant. Ce jardin **avait été dessiné par** le grand-père de Jacques qui était paysagiste et qui l'entretenait avec passion, **aidé par** sa femme qui, elle, s'occupait surtout des fleurs. L'intérieur de la maison est très sobre ; tous les murs blancs **sont décorés de** tableaux qui **ont été peints par** Jacques lui-même. [...] Il est **aimé et respecté de** tous ses élèves Sophie et Jacques aiment bien préparer de bons petits plats et leur cuisine **est équipée de** tous les appareils modernes. Ils utilisent beaucoup leur four à micro-ondes qui leur **a été offert par** les parents de Sophie pour leur anniversaire de mariage. Le couple **est très apprécié des** voisins pour leur gentillesse et leur serviabilité.

201.

– La daube **se prépare / se fait** avec de la viande de bœuf.
– La fondue savoyarde **se prépare / se fait** avec trois sortes de gruyère et du vin blanc.
– Le gratin dauphinois **se fait / se prépare** avec des pommes de terre et de la crème.
– Les huîtres **se mangent / se servent** avec du pain beurré.
– Le vin rouge **se boit / se sert** chambré.
– Le champagne **se boit / se sert** très frais.
– Le couteau **se met** à droite de l'assiette.
– Le café **se boit / se sert / se prend** après le repas.
– L'apéritif **se boit / se sert / se prend** avant le repas.
– Le cognac **se boit / se sert** dans des verres ballons.
– La fourchette **se met** à gauche de l'assiette.
– Les livres **s'achètent / se trouvent / se vendent** dans une librairie.
– Les alcools **s'achètent / se trouvent / se vendent** dans une épicerie ou au supermarché.
– L'eau **s'évapore** sous l'action de la chaleur.
– Les maisons **se construisent** avec du béton ou de la pierre.
– Les cheminées **s'entretiennent** régulièrement.
– Les voitures **se révisent** tous les 15000 km / **s'entretiennent** régulièrement.

202. Propositions de réponses

Le grincheux **se voit délaissé** de tous. – La gourmande **se laisse tenter** assez fréquemment. – Le timide **se laisse écraser** facilement. – Le parasite **se fait entretenir** par ses amis. – La paresseuse **se voit débordée** très rapidement. – Le masochiste **se fait battre** avec plaisir. – Le généreux **se laisse attendrir** facilement. – Le comique **se voit inviter** à toutes les fêtes. – La vénale **se fait offrir** des bijoux. – Le faible **se laisse convaincre** très facilement. – La bavarde **se fait interrompre** fréquemment. – Le crédule **se fait rouler** à tous les coups. – Le fauché **se laisse offrir** de l'argent très souvent. – La coquette **se laisse séduire** facilement. – Le blessé **s'est vu hospitaliser** par son médecin. – Le romantique **s'est laissé émouvoir** par un beau poème. – L'amoureuse **s'est fait embrasser** par son fiancé...

203.

1. L'aide apportée aux migrants par la municipalité est approuvée par de nombreux citoyens mais contestée par certains hommes politiques. – **2.** Les congés payés accordés par le Front populaire en 1936, augmentés progressivement jusqu'à cinq semaines par an, ont été copiés dans de nombreux pays et sont toujours enviés par les pays moins riches. – **3.** Renversé par une voiture et transporté immédiatement à l'hôpital en ambulance, M. Martin a été sauvé, malgré ses très graves blessures, par des médecins qualifiés. – **4.** Annoncée par des / certains réseaux sociaux, déformée par d'autres et publiée un peu trop rapidement par la presse, cette mauvaise nouvelle a été finalement démentie par le gouvernement. – **5.** Accueillie à l'aéroport par les conseillers municipaux puis emmenée en autocar à la mairie, la délégation allemande sera conviée par le maire à un grand dîner. – **6.** Les fantastiques animaux préhistoriques de la grotte Chauvet classés au patrimoine mondial de l'Unesco et reproduits grandeur nature dans une réplique, éblouissent les visiteurs. – **7.** Critiqué par ses employés, pressé par ses collègues d'expliquer ses agissements et poursuivi par ses créanciers, le directeur a finalement démissionné. – **8.** La Sainte-Chapelle, édifiée au XIIᵉ siècle, entièrement rénovée et protégée des intempéries par un double vitrage, a attiré en 2016 plus d'un million de visiteurs fascinés par ses vitraux.

204. Exercice de créativité

205.

a **Repérage des verbes passif. Ces passifs peuvent figurer sous la forme d'un participe passé (auxiliaire « être » sous-entendu) ou d'un temps passif complet.**

Le Mémorial ACTe (2015) de Pointe-à-Pitre met fin aux non-dits d'une histoire encore douloureuse car trop longtemps **réprimée, oubliée ou alors évoquée** seulement par bribes, à voix basse.

Le projet **a été porté** par les Indépendantistes et **lancé** véritablement en 2001 quand l'esclavage **a été reconnu** comme un crime contre l'humanité par la loi Taubira.

Ce centre caribéen d'expression et de mémoire de la traite et de l'esclavage **a été érigé** sur le terrain d'une ancienne sucrière **fermée** puis **rasée**. Son architecture moderne spectaculaire (240 mètres de long) **est conçue** comme « des racines d'argent sur une boîte noire qui évoque les millions d'âmes disparues ». L'histoire universelle de l'esclavage depuis le néolithique **est retracée** par le parcours de l'exposition. La colonisation des Amériques et la traite transatlantique d'êtres humains **sont détaillées**.

Rappelons que l'esclavage a été aboli par la Révolution en 1794, malheureusement **rétabli** par Napoléon en 1802 et définitivement **aboli** en 1840. L'incroyable lutte en justice **menée** par l'esclave Finsi contre ses maîtres et **soutenue** par les abolitionnistes de la métropole a été un épisode marquant de cette évolution. Après 25 ans de procès et de prison, il **a été déclaré** libre en 1843, a pu fonder une famille, monter une entreprise et faire fortune. Le Mémorial ACTe **est déjà considéré** par les Guadeloupéens comme leur grand symbole emblématique, leur tour Eiffel.

b *Exercice de créativité*

Nominalisations

⊕ Activité de repérage 14

a et **b** Noms qui décrivent les qualités nécessaires pour exercer le métier de mannequin, et adjectifs dont ils sont dérivés :
disponibilité / disponible
patience / patient
résistance / résistant
équilibre / équilibré
folie / fou
incertitude / incertain

→ Ce métier demande d'être disponible, patient, résistant. Il exige d'être bien équilibré. Le milieu est fou, les lendemains sont incertains.

⊕ Activité de repérage 15

a Les adjectifs du texte :
belle ; élégante ; féminine ; douce ; drôle ; intelligente ; ponctuelle ; efficace ; compétente ; dure

b Elle assure à cause de sa beauté, de son élégance, de sa féminité, de sa douceur, de sa drôlerie, de son intelligence, de sa ponctualité, de son efficacité, de sa compétence et de sa dureté.

c Changements opérés pour reformuler :

Adjectif du texte	Suffixe utilisé	Nominalisation
belle	-té	beauté
élégante	-ance	élégance
féminine	-té	féminité
douce	-eur	douceur
drôle	-rie	drôlerie
intelligente	-ence	intelligence
ponctuelle	-té	ponctualité
efficace	-té	efficacité
compétente	-ence	compétence
dure	-té	dureté

206.

a 1. J'apprécie beaucoup **sa ponctualité**. – 2. La **maniabilité** de cet outil me permet de travailler facilement. – 3. La **curiosité** de Franck le pousse à lire énormément. – 4. L'**émotivité** d'Alain lui pose quelquefois des problèmes. – 5. La **brièveté** de la conférence m'a déçu. – 6. Je ne comprends pas la **méchanceté** de cet homme. – 7. L'**étrangeté** de ce film me plaît beaucoup.

b 1. La **violence** de ces orages nous a beaucoup surpris. – **2.** L'**insistance** de ce vendeur est vraiment très désagréable. – **3.** L'**élégance** de cette secrétaire provoque de grandes jalousies… – **4.** Sa **maladresse** m'étonne toujours. – **5.** Elle apprécie beaucoup la **délicatesse** de son fiancé. – **6.** Le patron pense que la **politesse** des employés est nécessaire…

c 1. Elle déteste la **jalousie** de son mari. – **2.** Je n'écoute pas ses **inepties**. – **3.** J'aime beaucoup la **franchise** de cet homme. – **4.** Sa **folie** lui permet de dire n'importe quoi. – **5.** Sa **gourmandise** lui a fait prendre plusieurs kilos. – **6.** Son **étourderie** le perturbe dans son travail. – **7.** Stéphane est invité partout à cause de sa **drôlerie**.

d 1. Je suis absolument sûre de l'**exactitude** des réponses. – **2.** J'aime beaucoup la **douceur** de ce tissu. – **3.** La **lourdeur** de l'administration reste un gros problème. – **4.** Je déteste le **réalisme** de ce roman. – **5.** La **certitude** de mon départ me remplit de joie. – **6.** Sa **solitude** est difficile à supporter. – **7.** Le **nationalisme** des Corses n'est plus à démontrer.

e 1. Le **calme** du directeur m'étonne toujours. – **2.** Son **charme** lui attire beaucoup de succès féminins. – **3.** Je supporte difficilement le **désespoir** de Valérie. – **4.** Fabienne est souvent remarquée à cause de son **éclat**.

207.

a 1. Je déteste l'**inutilité** de la publicité. – **2.** Je n'aime pas la **violence** des tempêtes. – **3.** J'aime la **difficulté** de ces escalades. – **4.** J'adore l'**exotisme** des pays lointains. – **5.** J'apprécie la **fraîcheur** de ces forêts. – **6.** J'aime la **limpidité** des torrents. – **7.** J'apprécie la **politesse** de ces enfants. – **8.** J'aime la **rapidité** du TGV.

b 1. Mon collègue m'a beaucoup aidé **grâce à la clarté** de ses explications. – **2.** Elle est sortie de cette sombre histoire **grâce à son réalisme**. – **3.** Sophie plaît à tout le monde **grâce à sa douceur**. – **4.** Il a toujours des problèmes en bricolant **à cause de sa maladresse**. – **5.** Sa femme l'a quitté **à cause de sa jalousie**. – **6.** Il ne peut pas être jockey **à cause de son obésité**. – **7.** Il obtient tout ce qu'il veut **grâce à sa sympathie**. – **8.** Elle n'a pas pu faire son exposé **à cause de son émotivité**.

208.

1. Elle l'a aimé malgré son **excentricité**. – **2.** Elle le comprenait malgré son **incohérence**. – **3.** Ils se sont bien entendus malgré leurs **différences**. – **4.** Elle l'a épousé malgré sa **pauvreté**. – **5.** Elle l'a quitté malgré sa **fidélité**. – **6.** Elle a demandé le divorce malgré son **désespoir**. – **7.** Il est revenu malgré sa **méchanceté**. – **8.** Ils se sont disputés malgré leur **courtoisie** habituelle.

209.

a *Vous pouvez utiliser les nominalisations suivantes :*
la sottise, l'impolitesse, l'agressivité, la violence, la méchanceté, l'ignorance, le racisme, la saleté. la curiosité, la drôlerie, le dynamisme, l'optimisme, la sincérité, la courtoisie, la clairvoyance, la subtilité, la sagesse

b *Exercice de créativité*

Activité de repérage 16

1 Éducation

réussite	réussir	-ite	féminin
apprentissage	apprendre	-issage	masculin
expression	exprimer	-ssion	féminin
épanouissement	épanouir	-issement	masculin
respect	respecter	*Pas de suffixe*	masculin
enseignement	enseigner	-ment	masculin
coopération	coopérer	-tion	masculin

 REMARQUE : -tion et ses variantes (féminin) et -ment et ses variantes (masculin) sont les suffixes les plus fréquents. De nombreux noms dérivés n'utilisent pas de suffixes. Ils sont soit masculin soit féminins.

« Compétition » n'a pas de verbe correspondant ; dans ce cas on choisit un synonyme dans une autre famille de mots.

« Performance » provient de l'adjectif « performant »

 Activité de repérage 17

a Un être humain a besoin de nourriture, de soins, de vêtements (plus utilisé que habits ou habillements), de respect, de reconnaissance, d'amour, d'écoute, d'éducation.

 REMARQUE : – Il n'est pas rare d'utiliser un nom issu d'une autre base, l'usage des mots évoluant sans cesse.

– Calinothérapie est un néologisme récent = soigner par des câlins

b • soins / habits / respects / amour / écoute : pas de suffixe
• reconnaiss**ance** : suffixe « ance »
• éduca**tion** : suffixe « tion »

210.

a **1.** acquittement → a été acquitté *(verbe au passif)* – **2.** fermeture → sera fermée *(verbe au passif)* – **3.** destructions → a détruit *(verbe à l'actif)* – **4.** rachat → racheté *(passé composé)* – **5.** noyades → se sont noyés *(passé composé actif)* – **6.** arrosage → arroser *(verbe actif)* – **7.** hausse → augmentent (verbe actif) / élévation *(reprise par une nominalisation synonyme)* – **8.** laxisme → lever partiellement l'interdiction *(= nominalisation interprétative)* / mesure *(reprise par un nom de sens plus large)*

b manifestation – réouverture – organisation – accusation – harcèlement – machisme – sécheresse

211.

a **1.** La **destruction** de cette vieille maison m'a fait de la peine. – **2.** Notre **installation** dans cette ville a été difficile. – **3.** La **location** de vélos/la **possibilité** de location de vélos n'existe pas dans cette ville. – **4.** On lui a refusé la **permission** de sortir qu'il a demandée/sa **demande** de permission de sortir lui a été refusée. – **5.** L'**évasion** de ce prisonnier reste mystérieuse. – **6.** On ne comprend pas la **disparition** de Monsieur André.

b 1. Le **chargement** du camion a été long. – **2.** Le **détournement** des avions n'étonne plus personne. – **3.** Le **développement** des échanges commerciaux avec ce pays est nécessaire. – **4.** L'**enrichissement** des uns ne profite pas aux autres. – **5.** L'**appauvrissement** des campagnes est mauvais pour l'économie. – **6.** Le **grossissement** des événements par la presse est inadmissible.

c 1. L'**atterrissage** de l'avion s'est bien passé. – **2.** L'**arrosage** régulier des plantes les rend belles. – **3.** L'**essayage** d'un nouveau vêtement dure en général très longtemps. – **4.** Le **démarrage** d'un conducteur débutant est toujours difficile. – **5.** L'**emballage** des appareils se fait automatiquement. – **6.** Son long **chômage** le déprime.

d 1. La **montée** rapide des eaux a inondé tout le village. – **2.** L'**arrivée** tardive d'un groupe de jeunes a dérangé tout le monde. – **3.** La **sortie** bruyante des enfants m'a surpris. – **4.** Pour la **mise à l'eau** d'un gros bateau, on a utilisé une grue. – **5.** Les autorités ont donné leur accord à la **prise en charge** complète des réfugiés. – **6.** La **remise en marche** de la machine nécessite beaucoup d'argent.

e 1. Nous admirions les **sauts** des skieurs. – **2.** Le **chant** des cigales nous réveille la nuit. – **3.** Le **regard** d'Éric m'a mise mal à l'aise. – **4.** La **marche** rapide des militaires nous a impressionnés. – **5.** L'**étude** de la grammaire est indispensable. – **6.** Nous avons admiré l'**envol** des oiseaux.

f 1. Il est arrivé **après la fermeture** des portes. – **2.** Il était très satisfait **de la lecture** de ce livre. – **3. Sa blessure** se cicatrise très bien. – **4.** Noëlle n'a pas supporté **leur rupture** brutale. – **5. Pour la signature** du contrat, il faut préparer tous les papiers nécessaires. – **6. La culture** du maïs est plus intéressante.

212. **Exercice de créativité**

a *Ne sont données ci-dessous que les transformations nominales.*

1. Le retour du mauvais temps... – **2.** Le détournement de l'avion... – **3.** Le développement du commerce... – **4.** La construction d'un nouveau barrage... – **5.** Le long entretien des deux présidents... – **6.** La signature du contrat... – **7.** La mise sur orbite du satellite... – **8.** L'arrestation des deux gangsters...

b *Exercice de créativité.*

213.

1. Les scientifiques craignent **une augmentation sérieuse** de la température. – **2.** Les journalistes sont sûrs **du prochain remaniement** du gouvernement. – **3.** Les députés ont demandé une **réponse rapide** du ministre à leurs questions. – **4.** Une pétition internet réclame **une discussion rapide** du projet de loi. – **5.** Le médiateur exige **un examen attentif** du dossier. – **6.** Le responsable a demandé **le nettoyage quotidien** des salles. – **7.** Les ouvriers ont obtenu une **augmentation importante** de leur salaire. – **8.** Les agriculteurs se plaignent de **la pluie incessante**. – **9.** On annonce **l'arrivée imminente** du Président. – **10.** Le ministre promet **la création prochaine** de postes d'enseignants.

214.

a *Rencontre ; coup de foudre ; vie commune ; fiançailles ; mariage ; voyage de noces ; installation ; naissance ; achat ; construction ; adoption ; soutenance ; nomination ; vente ; déménagement ; installation ; demande ; mutation ; retour*

b En 1985, Chloé et Laurent se sont rencontrés chez des amis communs. Ils ont eu un coup de foudre réciproque et ont vécu ensemble quelques mois. Après s'être fiancés au mois de mars 1986, ils se sont mariés en novembre à Meylan entourés de toute la famille. Puis, ils ont fait leur voyage de noces aux Antilles et au retour, se sont installés dans un petit studio à Grenoble.

Stéphanie est née en 1988 et la même année, ils ont acheté un terrain près de Grenoble. Ils ont fait construire leur maison en 1990 ; c'est cette année-là qu'ils ont adopté Hissa et que Laurent a soutenu sa thèse.

En 1995, Laurent et Chloé ont été nommés à Pontoise près de Paris ; ils ont donc vendu la maison ; toute la famille a déménagé et s'est installée à Pontoise dans un petit pavillon. En 2005, ils ont demandé à être mutés ; ils l'ont obtenu et sont revenus à Grenoble en juillet.

c *Exercice de créativité*

215.

a Titres de journaux

Politique
1. Mise en place du nouveau gouvernement dans une semaine. – **2. Acceptation** du budget par l'Assemblée. – **3. Durcissement** des critiques de la droite contre le parti socialiste. – **4. Prise de** position publique du parti écologiste.

Social
1. Licenciement de 50 personnes à l'usine chimique de Vénissieux. – **2. Protestations** violentes des étudiants contre la loi travail. – **3. Manifestation** des travailleurs dans toute la France. – **4. Échec** des négociations entre les syndicats et le patronat.

Économie
1. Développement de l'agriculture dans le département de la Lozère. – **2. Hausse** importante du prix de l'essence avant l'été. – **3. Déficit** de 5 milliards de la balance du commerce extérieur français.

Culture
1. Vente de *La Joconde* à un milliardaire inconnu. – **2. Protestations** des cinéastes, des critiques et des intellectuels contre les atteintes à la liberté d'expression. – **3. Parution** au printemps prochain du nouveau roman de Virginie Despentes – **4. Démission** du directeur de la Maison de la culture.

Sports
1. Départ demain à 14 heures de la course de voiliers. – **2. Défaite** de l'équipe de France. – **3. Abandon** du champion du monde de cyclisme dans la montée de l'Alpe d'Huez. – **4.** Magnifiques **sauts** des deux skieurs français sur le nouveau tremplin inauguré à Chamrousse.

Faits divers
1. Destruction prochaine du vieux pont sur l'Isère. – **2. Élargissement** de l'autoroute Lyon-Marseille. – **3. Arrestation** hier soir des auteurs du cambriolage de la BNP. – **4. Atterrissage** d'un drone sur le campus universitaire.

Météo
1. Pluies abondantes demain toute la journée. – **2. Formation** progressive de nuages sur les Alpes. – **3. Élévation** des températures de quelques degrés demain dans la journée. – **4. Présence/Arrivée** d'orages sur les reliefs. – **5.** Timides **apparitions** du soleil dans l'après-midi après quelques **perturbations** matinales.

b *Propositions ; d'autres phrases peuvent être faites de même que de courts paragraphes.*

1. Les surveillants des prisons sont en grève après que l'un d'entre eux **a été agressé**. – **2.** On a compté neuf blessés parmi les opposants au gouvernement qui **ont manifesté**. – **3.** La révision de l'indemnité journalière **va être négociée**. – **4.** Les agriculteurs en colère **ont saccagé** la préfecture à Saint-Étienne. / La préfecture... **a été saccagée** par les agriculteurs – **5.** Les syndicats **ont rejeté** les 1015 suppressions d'emplois. / 1015 suppressions d'emplois **ont été rejetées** par les syndicats. – **6.** Un satellite détecteur de sous-marins lance-missiles **sera lancé** prochainement. – **7.** Un ancien premier ministre français **a été condamné**. – **8.** La garde nationale et les narco trafiquants **se sont affrontés** ; on a compté 24 morts. – **9.** Un chirurgien **a été jugé** en appel parce qu'il n'**avait pas porté** secours / **porté assistance** / **aidé** une personne en danger. – **10.** On **prépare** les élections municipales : les écologistes **se jettent** dans la mêlée.

216.

• Renforcement des équilibres territoriaux...

• Maintien du lien social...

• Réduction des nuisances et protection des espaces naturels.

• Encouragement des solidarités...

• Développement des synergies pour l'amélioration et la facilitation du travail des professionnels de tous les secteurs : tourisme, industrie, agriculture, culture, etc.

217.

1. Marche silencieuse des parents d'élèves contre les violences au lycée. – **2. Menace de démission** des chercheurs. – **3. Défilé** des retraités pour la défense de leur pouvoir d'achat. – **4. Coupures** de courant par les employés d'EDF pour la défense du service public. – **5. Blocage** des routes par les routiers pour l'**obtention** de meilleures conditions de travail. – **6.** Grève du zèle des infirmières pour une **augmentation** des effectifs. – **7. Protestation** des syndicats des policiers contre la politique du rendement. – **8. Indignations** des jeunes et des travailleurs contre la modification du code du travail. – **9. Grogne** des buralistes après l'**augmentation** du prix du tabac. – **10. Mobilisation** des agriculteurs contre les importations. – **11. Appel à l'action** des intellectuels pour la défense du droit d'asile.

218. Exercice de créativité

1. Cette inculpation... – **2.** Heureusement, ce dérapage... – **3.** Cette disparition... – **4.** L'opposition prolongée du mouvement écologiste au nouvel aéroport a provoqué... – **5.** Cette mort... – **6.** Cette croissance *ou* cette augmentation... – **7.** Le moment de panique à la Bourse à la suite d'un bref effondrement des cours... – **8.** Cet abandon des recherches...

219.

ⓐ 1. L'université a décidé la prise en charge du chauffage, de l'entretien et du nettoyage des locaux. **2.** Après leur inscription, le paiement de leurs cours et le passage d'un test de placement, les étudiants pourront suivre les cours. – **3.** Notre compagnie s'occupera de l'étude du projet, de l'achat des matériaux et de la construction des équipements.

ⓑ Sauvetage du pain : proposition
Le **sauvetage** du pain de tradition a eu lieu in extremis grâce au décret « pain » en 1993. Il était temps : on ne trouvait plus que des baguettes industrielles blafardes et sans saveur. La réglementation a permis le **réveil** de la profession et le **retour** des croûtes dorées et des belles mies et même la **naissance** de boulangers stars travaillant à l'ancienne : **pétrissage**, **façonnage** et **cuisson** dans le même lieu et surgélation interdite. **Résultat** : un pain délicieux dont la **conservation** est excellente.

ⓒ *D'autres organisations sont possibles*

1. Le pape a appelé les élites mondiales à un meilleur partage des richesses car, d'après lui, la **corruption** des élites et le **manque** de perspectives peuvent entraîner la **radicalisation** de la jeunesse et des **dérapages** dans la violence. Le pape invite les puissants à passer à l'action sans attendre par la **solidarité** et une meilleure **répartition** des richesses afin d'assurer la **paix** et la **prospérité** de toute la société.

2. La Polynésie souffre de sous-développement à cause de son **éloignement** de la métropole qui rend les **importations** obligatoires et accentue la **cherté** de la vie. Les Polynésiens demandent de nouveaux équipements, l'**amélioration** des liaisons maritimes et aériennes. Ils réclament aussi des **indemnisations** pour les conséquences des essais nucléaires. Bref, ils ne veulent plus être des français de seconde catégorie !

3. La France grogne mais elle bouge aussi pour construire un monde meilleur. Dans certains sondages, les Français expriment leur **lassitude** face aux problèmes économiques, leur **morosité** après les attentats, leur **résignation** et leur **méfiance** envers la classe politique. Pour certains, la **frustration** et l'**impuissance** amènent la tentation de la violence, d'autres souhaitent le **retour** de l'autorité. D'autre part, heureusement, l'optimisme et la **créativité** de milliers de citoyens s'expriment dans la **création** d'entreprises, l'**élaboration** de nouvelles technologies, l'**innovation** et l'**expérimentation** de nouveaux modes de vie.

220.

a *D'autres associations sont possibles.*

1. l'aventure et la sécurité	**6.** la simplicité et la variété
2. la liberté et l'engagement	**7.** la gloire et la tranquillité
3. l'étude et le jeu	**8.** le travail et le temps libre
4. la beauté et l'intelligence	**9.** les expériences et la routine
5. l'intimité et la convivialité	**10.** les traditions et les innovations

Et bien sûr des surprises pour pimenter le tout !

b *Exercice de créativité*

Quelques suggestions parmi beaucoup d'autres (celles-ci sont universelles) :
Ce que nous ne voulons pas : frustration et déception ; chagrin, deuil et manque ; pertes et découragement ; mensonges et trahisons ; séparations.

c *Exercice de créativité*

Voici une proposition parmi d'autres :
Dans la véritable amitié, c'est le lien, le plaisir d'être ensemble qui dominent. Il n'y a pas d'égoïsme : l'échange de plaisirs, d'objets et de services est secondaire, car c'est la réciprocité du sentiment qui compte et aussi le mélange équilibré de rapprochement et de juste distance, le respect de la liberté de l'autre.
L'écoute, la compréhension et la patience sont essentielles bien sûr. Chacun doit savoir manifester sa confiance et sa fidélité ; faire preuve de discrétion et de fiabilité...
Et alors, fluidité garantie dans la relation et amis pour la vie !

221.

A. Les élèves ne **viennent** pas toujours en cours ou ils **partent** avant l'heure. Quelquefois, ils **sortent** même de l'établissement. Quand ils **sont** présents, ils **arrivent** souvent en retard. Ils **s'asseyent / s'assoient** n'importe où, ils **vont et viennent** dans la salle, ils **se tiennent** mal. Ils **disent** des bêtises toute la journée, ils ne **se taisent** pas quand on le leur demande, certains **répondent** avec insolence, quelques-uns **tiennent** parfois des propos insultants.

Ils **connaissent** tout, mais superficiellement, par les médias mais ils ne **savent** pas répondre à une question de cours. Ils ne **suivent** pas bien en classe car ils sont dans la lune en cours : ils ne **boivent** vraiment pas les paroles du professeur...

Ils **peuvent** réussir mais ils n'y **mettent** pas assez d'énergie. Ils ne **comprennent** pas qu'ils **doivent** travailler et ils ne **font** pas leurs devoirs.

Ils **lisent** mal, ils **écrivent** encore moins bien et ils ne **finissent** pas leur travail. Ils n'**apprennent** rien par cœur et certains jours ils ne **comprennent** rien à rien.

Et quand, pour finir, ils **obtiennent** des mauvaises notes, ils **croient** que les profs ne **valent** rien. Ou alors ils **sont** déprimés et ils **disent** que c'**est** notre faute ! Après quoi, ils **envoient** des messages horribles sur nous sur Internet. Je n'en **peux** plus !

B. ⓐ Est-ce que...

... tu viens / vous venez toujours en cours ?
... tu pars / vous partez avant l'heure ?
... tu sors / vous sortez de l'établissement ?
... tu vas et viens /vous allez et venez dans la classe ?
... tu te tiens / vous vous tenez mal ?
... tu dis / vous dites des bêtises ?
... tu ne te tais pas / vous ne vous taisez pas ?
...tu réponds / vous répondez avec insolence ?
... tu tiens / vous tenez des propos insultants ?
... tu ne sais pas / vous ne savez pas répondre ?
... tu ne suis pas / vous ne suivez pas bien ?
... tu es / vous êtes dans la lune ?
... tu ne bois pas / vous ne buvez pas ses paroles ?
... tu n'y mets pas / vous n'y mettez pas d'énergie ?
... tu ne comprends pas / vous ne comprenez pas qu'il faut travailler ?
... tu ne fais / vous ne faites pas vos devoirs ?
... tu lis mal / vous lisez mal ?
... tu écris mal / vous écrivez mal ?
... tu ne finis pas / vous ne finissez pas vos devoirs ?
... tu n'apprends pas / vous n'apprenez rien par cœur ?
... tu obtiens / vous obtenez des mauvaises notes ?
... tu crois / vous croyez que les profs ne valent rien ?
... tu es / vous êtes déprimé ?
... tu dis / vous dites que c'est la faute des profs ?
... tu envoies / vous envoyez des messages horribles ?

b *La question avec «tu» est celle du questionnaire. Les réponses en «je» ont la même forme conjuguée :*

> *Tu viens ? Je viens.*
> *Tu finis ? Je finis.*
> *Tu comprends ? Je comprends.*

Sauf pour les verbes aller et être :
Tu vas... ? Je vais...
Tu es... ? Je suis...

C. *«vous» et «nous» ont la même base sauf pour les verbes irréguliers être et faire. Voir B. pour la correction du «vous». Voir la fiche* L'essentiel sur... *en cas de doute.*

222.

a C'est = être ; déambule = déambuler ; ce sont = être ; se forme = se former ; se tiennent = se tenir ; atteint = atteindre ; tous allument = allumer ; ils brandissent = brandir ; ralentissent = ralentir ; s'arrêtent = s'arrêter ; s'interrogent = s'interroger ; se passe-t-il = se passer ; parcourt = parcourir ; ressemble = ressembler ; on entend = entendre ; retombe = retomber ; on appelle = appeler ; qui n'a = avoir ; on peut = pouvoir ; qui ne se connaissent pas = se connaître.

b *Exercice de créativité*

223. Exercice de créativité

Activité d'observation 18

1. DOMOTIQUE

Des maisons intelligentes **vont** prochainement **s'adapter** aux habitudes de leurs occupants. Dès qu'elles **auront analysé** les variations climatiques, elles **modifieront** les températures ce qui **permettra** aux familles de réduire leurs factures.

2. UN VESTIAIRE FABULEUX

Les nouveaux textiles connectés **réguleront** notre confort. Ils **pourront** même transmettre nos états physiques et émotionnels changeants. Très bientôt, un dispositif, déjà testé, **permettra** aux fans de ressentir la condition physique des joueurs sur le terrain.

3. CE N'EST PLUS DE LA SCIENCE-FICTION

L'exploration spatiale fait toujours rêver. Dans dix ans ou moins, l'homme **marchera** sur Mars et **se préparera** à explorer des exoplanètes. Est-ce que cela **sera** le début d'une migration interstellaire comme dans les nombreux films sur l'espace ?

4. NOURRIR LA PLANÈTE

Le défi est inquiétant. La population mondiale **devrait** atteindre 11,2 milliards en 2100 et, dès 2050 il **faudra** nourrir 10 milliards de personnes. Nous **devrons** produire autant de nourriture que l'humanité en a consommé pendant toute son histoire. Il **sera probablement possible** de nourrir tous ces estomacs à condition de changer rapidement nos habitudes : les 50 millions les mieux nourris **devront** accepter de consommer et gaspiller moins.

5. L'OMC SE RÉUNIT ENCORE DEMAIN

L'organisation mondiale du commerce **doit débattre** des déséquilibres mondiaux. Espérons un bon accord international dans un proche avenir.

6. ARIANE DEVRAIT DÉCOLLER BIENTÔT

Bonne nouvelle de Kourou ! Les prévisions météo étant bonnes pour la Guyane française pour la semaine prochaine, la fusée Ariane **pourrait** s'envoler dès demain.

7. CHANGER DE GOUVERNANCE

Pour faire face aux défis économiques et écologiques, une autre économie, plus collaboratrice, **se mettra** en place. Les réseaux horizontaux **se multiplieront** et les citoyens **prendront** dans un proche avenir plus d'initiatives pour contrôler le monde où ils vivent. On **évoluera** vers des systèmes de gouvernance plus démocratiques qui **limiteront** l'avidité des plus riches.

b L'idée de futur peut être exprimée :
– par des temps (futur proche, futur, futur antérieur, conditionnel présent (dans ce cas probabilité future))
– par des noms, adjectifs ou adverbes comportant une idée de futur (avenir, proche, bientôt...)

224.

a **1.** Je ne monopoliserai pas… – **2.** Je n'inviterai pas… – **3.** Je ferai des économies… – **4.** Je cesserai… – **5.** Je serai plus…

b *Exercice de créativité*

225.

Comme dans toutes les villes blessées, on **n'oubliera pas** mais on **cultivera** notre goût de vivre. On se **remettra** à s'asseoir en terrasse, on **se délectera** du spectacle de la rue métissée. Nous **blaguerons** et **rirons** encore dans la nuit festive, nous **retournerons** danser et nous **écouterons** de la musique.

Les potes **se feront** la bise, les copines rieuses **s'embrasseront**, les amoureux **échangeront** des baisers. On **oubliera** les croyances tueuses et on **admirera** le ciel. On **s'émerveillera** des étoiles

226.

1. Nous construirons… – **2.** Nous permettrons… – **3.** Nous éduquerons… – **4.** Nous réduirons… – **5.** Nous décentraliserons… – **6.** Nous développerons… – **7.** Nous répartirons mieux… – **8.** Nous diminuerons… – **9.** Nous encouragerons… – **10.** Nous rénoverons… – **11.** Nous encouragerons… – **12.** Nous sanctionnerons…

227. **Exercice de créativité**

228.

a **b** et **c** *Exercices de créativité*

229.

a aura, devront, résideront ; ressembleront ; se dresseront ; culminera, abritera ; permettront, devront ; offriront, seront inondées, planeront ; seront sensibles, posera.

b *Propositions :*

– **Villes souterraines** : On construira… Ces villes seront éclairées… On pourra les chauffer…
– **Cités marines** : On agrandira… On utilisera… L'eau de mer sera dessalée… Elles seront chauffées…
– **Stations orbitales** : Des modules seront lancés… Elles seront alimentées en énergie… On cultivera… On créera…
– **Villes végétales** : On utilisera exclusivement… Habitat et environnement seront parfaitement intégrés… Les toitures seront recouvertes… On cultivera des potagers…

c *Exercice de créativité*

230.

Tu adopteras ; tu changeras ; tu consommeras, tu favoriseras ; tu choisiras ; tu boycotteras ; tu soutiendras, tu mangeras ; tu feras.

231.

Le bon danseur	Le mauvais danseur
1. Tu n'écraseras pas…	**1.** Tu écraseras…
2. Tu suivras exactement…	**2.** Tu ne suivras pas…
3. Tu n'oublieras pas de…	**3.** Tu oublieras de…
4. Tu ne porteras pas…	**4.** Tu porteras…
5. Tu ne serreras pas…	**5.** Tu serreras…
6. Tu ne lâcheras pas…	**6.** Tu lâcheras…
7. Tu ne dragueras pas…	**7.** Tu dragueras…
8. Tu ne mangeras pas d'ail…	**8.** Tu mangeras de l'ail…
9. Tu ne parleras pas…	**9.** Tu parleras…
10. Tu ne danseras pas…	**10.** Tu danseras…

b *Exercice de créativité*

232.

Léo

Dès ce soir, je **ne fume** plus. Pendant les vacances, je **me mets** au régime. Le week-end prochain, j'**arrête** de boire. Le mois prochain, je **commence** à réviser. Dans deux mois, je **me marie**. Aussitôt que possible, je **prends** une année sabbatique. Après les examens, je **fais** une grande fête. Dès demain, j'**apprends** le chinois. L'an prochain, je **reste** à Lyon. Dans deux ans, je **fais** le tour du monde.

Mathis

Dans quelque temps, je ne **fumerai** plus. Je **me mettrai** peut-être au régime. J'**arrêterai** bientôt de boire. Je **commencerai** à réviser un de ces jours. Un jour ou l'autre, je **me marierai**. Quand ce **sera** possible, je **prendrai** une année sabbatique. Je **ferai** une grande fête quand j'**aurai** le temps. La semaine prochaine, qui sait, je **resterai** à Paris. Un jour, je **ferai** le tour du monde. Prochainement, j'**apprendrai** le chinois.

233.

Le futur proche est formé avec le verbe aller au présent + l'infinitif du verbe à conjuguer.

234.

a Le vent va casser les branches. Il va emporter les parapluies. – La pluie va inonder les rues. Elle va tremper les passants. – Les passants vont se mettre à l'abri. Ils vont courir. – La circulation va ralentir. – Les pompiers vont avoir du travail.

b **Au futur proche :** Nous allons planter… Nous allons refaire… Nous allons décorer et allons y mettre…
Au futur : Nous installerons… nous repeindrons… nous creuserons… nous agrandirons… nous inviterons…

c *Exercice de créativité*

235. Exercice de créativité

236.

1. Le président de la République **va se rendre** en visite en Afrique où il **assistera** à une conférence inter-états et **aura** des entretiens avec plusieurs chefs d'États. – **2.** Achetez Maigri-vite, il **va** vous transformer en quelques jours ; il **affinera** votre silhouette et **fera s'envoler** vos kilos en trop. – **3.** L'EDF **va implanter** prochainement une centrale solaire près de Lyon. Les travaux **débuteront** en décembre et la centrale **fournira** toute la région en électricité dans trois ans. – **4.** L'exposition *Voyages et Tourisme* **va s'ouvrir** demain à Alpexpo. Elle **sera inaugurée** par le maire. Les agences grenobloises **offriront** toutes les informations possibles aux visiteurs, **feront** connaître les destinations lointaines et **faciliteront** les réservations.

237.

1. Il va se passer *(proximité subjective)* – **2.** je me marierai *(valeur de promesse)* ; je me marie *(déjà décidé, subjectivement déjà présent)* – **3.** Elle doit partir *(doute)* – **4.** ils prennent *(insistance sur la proximité objective)* – **5.** Je t'ouvre ! *(tout de suite)* – **6.** je la fais / je vais la faire *(promesse immédiate ; comparez avec « je la ferai » oui, mais quand ?)* – **7.** il pleuvra *(prévision à caractère objectif)* – **8.** il va pleuvoir *(proximité)* – **9.** il doit venir *(doute sur l'heure)* – **10.** ton père doit téléphoner *(léger doute)* / va téléphoner *(si vous êtes sûr)*... il rappellera *(phrase avec si)* – **11.** il va téléphoner *(proximité)* – **12.** il ne téléphonera pas *(volonté de convaincre)* – **13.** Je vais aller... ensuite je dînerai *(succession)* – **14.** je pourrai... visiterai *(distance et promesse)* – **15.** nous partons *(proximité subjective)* – **16.** nous allons voyager *(idem, moins forte)* – **17.** vous prendrez... traverserez... demanderez *(prescription)*.

238. Quelques propositions

Quand j'aurai fini de goûter ; quand le feuilleton sera terminé ; quand mes copains seront partis...

239.

a quand vous aurez fini... ; quand vous vous serez reposé... ; quand vous aurez été opéré... ; quand votre angoisse aura disparu... ; quand vous aurez décidé...

b auront compris... ; auront été éliminées... ; auront été résolus... ; se seront décidées... ; auront obtenu... ; se sera améliorée... ; aura cessé... ; auront acquis...

240. Exercice de créativité

241.

a Maxime : j'aurai réussi ; j'aurai fini ; j'aurai trouvé ; j'aurai rencontré, j'aurai construit ; j'aurai eu ; j'aurai visité...

b Annabelle : elle aura réussi ; elle aura créé ; elle aura monté ; elle l'aura revendue ; elle en aura créé ; elle aura épousé ; elle aura visité ; elle aura acheté...

c *Exercice de créativité*

242.

a 1. augmentera... aura trouvé – **2.** il y aura... aura remplacé – **3.** sera... aura enfin compris – **4.** vivrons... serons revenus – **5.** couvriront... aurons replanté – **6.** seront... auront appris – **7.** connaîtra... auront créé – **8.** Prendront... auront définitivement changé

b et **c** *Exercices de créativité*

243.

1. Lorsqu'elle **aura fini** son travail, elle **quittera** le bureau. – **2.** Dès que tu **auras terminé** la vaisselle, tu **descendras** la poubelle. – **3.** Aussitôt que les enfants **seront rentrés** de l'école, ils **feront** leurs devoirs. – **4.** Tout de suite après que nous **serons revenus** du parc Astérix, nous vous **téléphonerons**. – **5.** Dès que Nicolas **aura changé** de vêtements, il **ira** en boîte. – **6.** Je **retournerai** à la maison quand j'**aurai fini** le dossier Dupont. – **7.** Il **retournera** dans son pays lorsqu'il **aura rédigé** sa thèse. – **8.** Elle **reprendra** un emploi quand elle **aura déménagé**. – **9.** Vous **recommencerez** le sport lorsque vous vous **serez reposé** un peu. – **10.** Quand ils **auront nettoyé** l'appartement, ils le **loueront**.

244.

a 1. il doit arriver – **2.** il doit passer à la maison – **3.** elle doit débarquer – **4.** ils doivent revenir – **5.** nous devons partir – **6.** le patron doit m'appeler – **7.** doit venir. – **8.** la température doit baisser. – **9.** mon mari doit arriver.

b *Proposition*

Ce matin, le président italien doit arriver à 9 heures à Orly, où notre président doit l'accueillir par un discours de bienvenue. Les deux hommes doivent ensuite se rendre à l'Élysée pour une discussion de deux heures, suivie d'un déjeuner. L'après-midi, les deux chefs d'État doivent visiter le nouveau Centre culturel italien. La fin d'après-midi doit de nouveau être consacrée à des entretiens. Le dîner, qui doit avoir lieu à l'Élysée, se déroulera en présence de nombreux artistes des deux pays.

245.

1. Je **devrais rentrer** vers 11 heures, maman. – **2.** tu **devrais pouvoir** vivre avec ça. – **3.** elle **devrait arriver** dans les jours qui viennent. – **4.** Il **devrait donner** sa réponse demain. – **5.** Nous **devrions avoir** bientôt de leurs nouvelles. – **6.** Nous **devrions avoir** un orage avant la nuit. – **7.** vous **devriez vous sentir** en pleine forme – **8.** Elles **devraient rentrer** sous peu.

246.

1. ils **sont sur le point** de se marier. – **2.** Nous **sommes sur le point** de découvrir la solution – **3.** La guerre **est sur le point** d'éclater. – **4.** Je **suis sur le point** de changer de ville. – **5.** ils **sont sur le point** de passer à table – **6.** ...**est sur le point** de débloquer des subventions – **7. Tu es sur le point** de faire une grosse bêtise. – **8. Vous êtes sur le point** d'avoir une promotion.

247. Propositions

1. Les touristes devraient pouvoir visiter la lune

Les militaires annoncent l'ouverture de l'espace au marché privé. D'ici quelques années, nous **devrions pouvoir** aller explorer les cratères lunaires aussi facilement que les forêts françaises. Les plus gros voyagistes se battent pour obtenir le marché mais, selon toutes probabilités, *Voyages en tout genre* **devrait** l'emporter.

2. Météo

En raison des perturbations climatiques de ces dernières semaines, la météo nationale devient de plus en plus prudente. D'après elle, le temps **devrait** s'améliorer relativement sur le Sud-Est, sauf si le cyclone Robert change de route. Le week-end **devrait** être acceptable.

3. L'actrice Mia Fabian

D'après son entourage, elle **devrait** se retirer prochainement de la scène, en raison de son grand âge. Selon les mêmes sources, elle **devrait monter** une école de théâtre. S'ils lui ressemblent, ses élèves **devraient être** d'excellents acteurs.

4. Conférence internationale

La conférence des chefs d'État des pays développés **devrait décider** un allégement de la dette du tiers-monde ; certains étant partisans de sa suppression pure et simple, une amélioration de la situation des pays endettés **devrait être décidée**.

5. André Mathuvut prochainement académicien ?

Son élection **ne devrait pas faire** de problèmes, car il est soutenu par de nombreux académiciens, notamment les plus âgés.

6. Banlieues à la porte du Grand Paris

Grâce au projet du Grand Paris, les banlieues **devraient être** connectées entre elles par de nouveaux transports. La construction d'un nouveau réseau et l'ouverture de nouvelles gares seraient évidemment nécessaires, mais cela favoriserait le développement des zones concernées

7. Vaux-le-Vicomte refait à neuf

Le château prend l'eau : toutes ses toitures ont besoin d'être refaites. Les travaux **devraient être** longs et coûteux : l'État prévoit un budget de 5 millions d'euros. Toutefois, les visites ne devraient pas être interrompues pendant les travaux.

248.

1. Le Sénat **pense** (compte) modifier le texte de loi. – **2.** Mon mari **compte** (pense) rentrer demain soir. – **3.** L'usine **pense** (compte) licencier 100 personnes. – **4.** Je **pense** (compte) obtenir un crédit. – **5.** Nous **comptons** (pensons) déménager en août. – **6.** Tu **penses** (comptes) venir demain ? – **7.** Le patron **ne pense** (compte) recevoir personne aujourd'hui. – **8.** Vous **comptez** (pensez) finir bientôt ?

249.

1. « Martin **a des chances d'avoir** le poste de Paris ? – Oui, **il est à deux doigts de** l'avoir. » – **2.** « Anita **a des chances de publier** son roman ? – Oui, **elle est sur le point de le publier.** » – **3.** « Daniel **a des chances de faire** une exposition ? – Oui, il **est sur le point** d'en faire une. » – **4.** « Guy **a des chances de partir** pour les territoires d'Outre-mer ? – Oui, **il est sur le point** d'y partir. » – **5.** « Florian **a des chances de devenir** directeur ? – Oui, **il est sur le point de le devenir.** » – **6.** « Les Boutoille **ont une chance de trouver** un sponsor ? – Oui, **ils sont sur le point d'en trouver** un. » – **7.** « Léa **a des chances de décrocher** un stage ? – Oui, **elle est sur le point d'en décrocher un.** » – **8.** « Les Maillet **ont des chances** de réussir leur pari ? – Oui, **ils sont sur le point** de le réussir. » – **9.** « Adrien **a une petite chance d'avoir** une chambre en résidence universitaire à Paris ? – Mais oui, **il est sur le point d'en avoir** une. » – **10.** « Magali a fini sa thèse ? – Elle **est à deux doigts de l'avoir finie**. »

250.

1. Il a raté le train. Il a encore oublié l'heure. C'est à cause des embouteillages. Il doit avoir oublié. Il aura confondu les jours. Ce sera encore à cause de sa femme !

2. Elle s'est disputée avec son mari. Elle s'est levée du pied gauche. Elle est malade. Son mari aura été désagréable. Ce sera à cause de la pluie. Ça doit être sa migraine.

3. Il s'est déconcentré. C'est la faute de son entraîneur. Il doit avoir mal dormi. Il aura reçu une mauvaise nouvelle. Ce sera ce temps bizarre.

4. C'est un cadeau pour moi. Ils ont acheté quelque chose pour la fête des pères. Ils doivent avoir fait un échange avec des copains. Ils auront gagné quelque chose à la foire. Ce sera une grosse bêtise de plus.

5. C'est l'orage de cette nuit. Tu as oublié de fermer les volets et avec ce vent... Quelqu'un doit s'être introduit. Les enfants auront encore envoyé le ballon dans la fenêtre. Ce sera un courant d'air.

6. Il y a une panne d'électricité. Les employés d'EDF se sont mis en grève. Il a dû y avoir un accident. La neige aura bloqué la circulation. Ce sera la suite d'une agression.

7. C'est pour cacher ses cheveux blancs. Elle a voulu changer de tête. Elle doit chercher à séduire encore un homme. Son mari le lui aura demandé. Ce sera pour ressembler à Marilyn Monroe.

251.

ⓐ Robots : aura remplacé ; Il faudra ; occupera ; se spécialiseront ; On sera obligé ; y obligeront ; Nous aimerons ; est-elle imminente ; Ils vont nous ressembler ; seront dotés ; vont d'ici peu ; ils seront programmés ; commencera quand on croira.
Médecine : D'ici 25 ans ; se seront effondrés ; menacera ; concernera ; devront travailler ; font envisager un avenir ; est promise pour bientôt ; réduire

252. **Exercice de créativité**

253.

ⓐ Nous vivons ; ils vont se multiplier ; cela va donner ; Nous allons nous réveiller ; nous allons faire ; qui va ressembler ; ce que nous avons ; nous allons y croire ; nous allons trouver ; l'humanité va se diriger.

ⓑ Notre espèce aura peut-être disparu ; continuera ; les cafards sont ; ils auront peut-être ; nous aurons quitté les lieux ; qui nous regrettera ?

Le passé

254.

1. a – **2.** est – **3.** n'ai – **4.** s'est – **5.** avons – **6.** sont – **7.** ont, n'ont – **8.** êtes – **9.** suis – **10.** sont – **11.** est – **12.** es – **13.** sommes – **14.** a... a – **15.** ai – **16.** avons – **17.** êtes... suis – **18.** es – **19.** êtes... avons – **20.** ai... suis.

255.

1. été – **2.** quitté – **3.** fini – **4.** ri – **5.** suivi – **6.** conquis – **7.** appris – **8.** mis – **9.** assis(e) – **10.** dit – **11.** écrit – **12.** couru – **13.** lu – **14.** attendu – **15.** vécu – **16.** sauté... eu – **17.** su – **18.** bu – **19.** pu – **20.** voulu – **21.** reçu – **22.** raconté, cru – **23.** craint – **24.** ouvert – **25.** mort.

256.

1. il est mort – **2.** ils sont passés – **3.** elle est née – **4.** sont nées – **5.** êtes partis – **6.** suis entrée – **7.** es tombé – **8.** est retournée – **9.** sont venus – **10.** es arrivée... es repartie – **11.** sont entrées – **12.** ne sont pas parvenus.

257.

a Il est sorti du bureau. Il est monté dans le bus. Quelques minutes après, il est descendu du bus. Il est passé chez le boulanger. Il est sorti avec du pain. Il a monté l'escalier. Il est rentré chez lui. Il a passé un coup de fil. Il a rentré le linge. Il a descendu la poubelle. Il a sorti le chien qui a descendu les escaliers en courant. Il est retourné chez le boulanger acheter des gâteaux. Il a passé un moment avec lui. Il a monté le courrier. Il a passé un moment devant la télé en attendant sa femme. Quand elle est rentrée, il a sorti les plats du frigo et les a passés au four.

b 3. Elle est descendue chez l'épicier pour... 6. Elle est rentrée à la maison. 10. Elle a monté les courses à la maison. 2. Elle est montée sur une chaise pour... 5. Elle est retournée chez l'épicier... 1. Elle a passé le sucre glace... 8. Elle a sorti le mixeur pour... 9. Elle a passé une demi-heure... 14. Elle a retourné les crêpes... 7. Elle a rentré la poêle. 11. Elle est sortie sur le pallier...

c *Exercice de créativité*

258.

1. Nous avons mangé... – **2.** ...que nous avons mangées – **3.** J'ai beaucoup aimé... que vous m'avez offertes – **4.** Ma mère et ma sœur sont allées... elles ont fait – **5.** que vous avez vus – **6.** se sont rencontrés – **7.** Où as-tu mis... t'ai donnés – **8.** où les avez-vous mises – **9.** se sont mariés – **10.** m'as apporté... que je t'ai demandés – **11.** vous les avez terminés ? – **12.** que j'ai écrites... j'ai oubliées.

259.

1. La voiture que tu as achetée, je l'ai adorée. – **2.** Les crêpes que tu as faites, je les ai mangées. – **3.** Les bijoux que tu m'as offerts, je les ai portés. – **4.** Les lettres que tu m'as écrites, je les ai gardées. – **5.** Les chansons que tu m'as enregistrées, je les ai écoutées. – **6.** La maison que tu as construite, je l'ai décorée. – **7.** Les tableaux que tu as peints, je les ai admirés. – **8.** Les livres que tu m'as offerts, je les ai tous lus. – **9.** Les pas de salsa que tu m'as appris, je les ai oubliés.

260.

a 1. Comment se sont-ils rencontrés

		Verbes au présent	Verbes au passé composé	Verbes au plus-que-parfait	Verbes à l'imparfait	Infinitif
Verbes pronominaux réciproques	Construction directe			S'étaient rencontrés S'étaient trouvés		Se rencontrer
	Construction indirecte					Se raconter Se trouver
Verbes pronominaux réfléchis	Construction directe		Je me suis retrouvée Nous nous sommes séparés Je me suis mise Je me suis heurtée Je ne me suis pas découragée Nous (nous) sommes découverts	Ils s'étaient décidés		Se retrouver Se décider Se séparer Se mettre Se heurter Se décourager Se découvrir
	Construction indirecte					
Verbes non réfléchis						
Verbes pronominaux de sens passif	Se faire	Se font (présent)				

2. Paris est une fête

		Verbes au présent	Verbes au passé composé	Verbes au plus-que-parfait	Verbes à l'imparfait	Infinitif
Verbes pronominaux réciproques	**Construction directe**		Nous nous sommes revus			Se rencontrer Se revoir
	Construction indirecte		Nous nous sommes plu		Se parlaient	Se plaire Se parler
Verbes pronominaux réfléchis	**Construction directe**		On s'est dispersés On s'est amusés	Je ne m'étais jamais intéressé On s'était lassés S'y étaient rassemblées	S'adonnaient	Se disperser S'amuser s'intéresser à Se lasser Se rassembler
	Construction indirecte			Nous nous sommes dit		Se dire se rendre S'apercevoir
Verbes non réfléchis		Nous nous rendons	Nous nous sommes rendus on ne s'est pas encore décidés	Ne s'était pas aperçue		S'apercevoir Se rendre Se décider
Verbes pronominaux de sens passif					Ce qui se faisait S'écoutait	Se faire S'écouter

b *Exercice de créativité*

Les amis

Ils se sont écrit. Ils se sont téléphoné. Ils se sont oubliés. Ils se sont retrouvés.

Les hommes politiques à la télévision

Ils se sont dit bonjour. Ils se sont posé des questions. Ils se sont répondu. Ils se sont disputés. Ils se sont expliqué leur point de vue.

Les migrants

Ils se sont enfuis... se sont entassés, se sont retrouvés (trois fois), se sont crus perdus mais se sont entraidés, se sont débrouillés... se sont enfin installés.

261.

Je suis allée à l'aéroport, j'ai vu une voiture derrière moi et j'ai aperçu deux hommes à l'intérieur. Je me suis garée dans le parking, ils m'ont suivie. J'ai pris mon billet, ils ont aussi acheté un billet. Je me suis installée dans l'avion, ils se sont assis derrière moi. J'ai préparé un plan pour les semer. Je suis arrivée à destination et je suis sortie rapidement de l'aéroport ; ils m'ont rattrapée et m'ont obligée à monter dans une voiture. J'ai crié et j'ai essayé de m'enfuir mais ils m'ont bâillonnée et ils m'ont assommée.

Je me suis réveillée dans une cave. Ils sont entrés et ils m'ont interrogée. J'ai refusé de parler. Ils m'ont frappée. J'ai fait la morte. Ils sont sortis.

Ils m'ont enfermée dans la pièce. J'ai attendu un moment, j'ai forcé la serrure et je me suis enfuie. J'ai pris une chambre d'hôtel sous un faux nom. Ne vous inquiétez pas, je pense savoir qui ils sont

262.

Elle s'est lavée / elle s'est aussi lavé les cheveux / elle s'est fait les ongles / elle s'est habillée / elle s'est maquillé les yeux / elle s'est coiffée / elle s'est piqué le doigt avec une épingle / elle s'est sucé le doigt / elle s'est aperçue / elle s'est dépêchée / elle s'est précipitée vers sa voiture / elle s'est installée / elle s'est rendue... / elle s'est fait arrêter / elle s'est fait passer... / elle s'est fâchée / elle s'est enfermée / elle s'est mise / elle s'est calmée / elle s'est remaquillée / elle s'est décidée / elle s'est fait expliquer / elle s'est préparée / elle s'est avancée / elle s'est pris les pieds / elle s'est étalée / elle s'est cassé la cheville / elle s'est lamentée / elle s'est retrouvée.

263.

1. Le western
Il est arrivé au grand galop et il s'est arrêté devant le saloon. Il a sauté de son cheval et il est entré dans le saloon. Il s'est accoudé au bar, il a commandé un verre.
2. – 3. – 4. – 5. – 6. *Exercices de créativité*

264.

À 12 h 30, vous êtes arrivée au restaurant / vous avez dit au serveur que vous attendiez quelqu'un / vous avez attendu une heure / vous avez bu quelques verres / vous avez téléphoné trois fois / vous n'avez pas déjeuné / vous êtes repartie vers 13 h 30 / vous avez pris votre voiture / vous avez démarré brusquement / vous avez roulé pendant une heure ou deux / vous vous êtes arrêtée dans un parc / vous n'avez rencontré personne / vous vous êtes promenée un moment / vers 16 heures, vous êtes allée chez votre ex-mari / Vous avez discuté avec lui / vous vous êtes disputés / vous êtes repartie vers 17 heures / vous n'avez vu personne jusqu'à 18 heures / vers 18 heures vous avez rencontré M. Brunel, un collègue de travail qui a témoigné que vous aviez l'air perturbée / à 18 h 30 vous êtes rentrée chez vous / à 19 heures vous avez reçu un coup de téléphone de la police / vous avez appris l'agression subie par votre mari à 17 h 30 / à 19 h 30, vous êtes allée au commissariat / à 20 heures vous êtes interrogée par la police.

265.

A / L'année 2014
La Grèce a pris / les 22èmes jeux olympiques ont été ouverts (se sont ouverts) / Le vol a disparu / Un référendum a été organisé / Manuel Vals a été nommé premier ministre/ Le Front National est arrivé / Le roi d'Espagne a annoncé / L'Allemagne a remporté / L'Espagne a été reléguée / Un avion civil s'est crashé / L'avion ... s'est écrasé / On a implanté (un cœur artificiel a été implanté pour la deuxième fois) / Un référendum a été organisé/ 55 % des Ecossais ont répondu

négativement /La sonde spatiale, qui a été lancée le 2 mars 2004, a envoyé le robot Philae / on a annoncé un rapprochement...

B /Plus de progrès ...
_ Le marquis a déclaré / La Révolution a donné aux femmes ... mais elle n'a accordé...

Olympe de Gouges a rédigé / elle s'est opposée/ elle a été guillotinée et est tombée...

On a mis en place / Le nouveau gouvernement a enfin accordé / 33 femmes sont entrées / Le Parlement a inscrit ... / Les années 1960/70 ont connu / une vague a mené / le mouvement a ouvert, a aidé les femmes qui voulaient / des milliers de femmes ont manifesté / les débats ont fait rage/ La contraception a été autorisée / un procès a obtenu / En 1974 on a voté et en 1975 le Parlement a voté la loi qui autorisait /de nombreuses lois ont précisé ce que devait être / Plusieurs textes ont été votés / elle a été inscrite en 1999 et est devenue obligatoire / En 2012 une loi a visé / deux résistantes ont fait leur entrée / qui devait être installée / l'événement a été reporté / a constaté Marisol Touraine.

266.

a Propositions

Ils vivaient en petits groupes... Ils se nourrissaient principalement de fruits, du produit de leur chasse ou de leur pêche... Pour chasser, ils utilisaient des armes très rudimentaires : des piques de bois qui se terminaient par une pointe en silex taillé... Ils portaient comme vêtements les peaux des animaux qu'ils avaient tués (des ours, des lions, des rennes)... Ils habitaient très souvent dans des grottes... Quand ils se déplaçaient, ils emportaient le feu...

b Propositions

Georges : mes parents vivaient dans une HLM de la banlieue parisienne. Mon père travaillait dans une usine. Il était souvent fatigué. Nous ne partions jamais ensemble en vacances ; L'été j'allais en colonie de vacances...

Félix : nous habitions dans une villa entourée d'un grand jardin. Je faisais du tennis et du cheval toutes les semaines. Mon père préférait faire du golf. L'été, je partais à l'étranger pour un séjour linguistique...

c *Exercice de créativité*

267.

a Propositions

1. ...je sortais tous les soirs.
2. ...j'étais souvent fatigué mais je gagnais beaucoup d'argent.
3. ...j'avais toutes les filles que je voulais.
4. ...je pouvais porter des sacs de 50 kg sans problème.
5. ...j'avais des muscles comme ceux de Schwarznegger.
6. ...rien ne m'échappait.
7. ...j'arrivais à casser des noix avec mes dents.
8. ...je faisais des sauts périlleux.

b *Exercice de créativité*

268.

1. Si vous en profitiez pour repeindre tout l'appartement… Si vous partiez marcher sur un sentier de grande randonnée… Si vous faisiez toute votre correspondance en retard… Si vous alliez voir un film ou une pièce de théâtre que vous n'avez jamais pu voir… Si vous essayiez de vous promener dans la ville en ne prenant que des rues inconnues… Si vous téléphoniez à vos amis dont vous n'avez plus de nouvelles depuis longtemps…

2. Si tu les emmenais manger dans un restaurant tranquille ou, encore mieux, si tu partais deux jours seul avec eux… si tu leur parlais à cœur ouvert… si tu essayais de te mettre à leur place… si tu les questionnais sur ce qui les inquiète… si tu t'intéressais un peu plus à leurs activités et à leurs amis…

3. Si vous nous expliquiez vos difficultés… Si vous nous montriez vos bilans… Si vous intéressiez le personnel aux bénéfices… Si vous donniez plus de responsabilités à vos employés… Si vous autorisiez les femmes à travailler à mi-temps…

4. Si vous veniez dîner à la maison samedi prochain… Si on se téléphonait… Si on s'écrivait de temps en temps… Si on décidait de passer un week-end par mois ensemble… Si on partait à Venise ensemble pour Pâques…

5. Si on lui prenait un abonnement à l'Opéra… Si on lui achetait un chien … Si on lui payait un week-end dans un bel hôtel… Il n'a pas de copine en ce moment, si on lui présentait une super nana.

269.

1. Tous les étés nous passons un mois à Belle Ile ; l'été dernier nous sommes allés dans le Périgord. – **2.** La plupart du temps elle met des chaussures à talons ; pour cette promenade elle a mis des souliers de montagne. – **3.** Le plus souvent elle se maquille très discrètement ; mais à cette fête elle s'est fait un maquillage extraordinaire. – **4.** Il n'arrête pas de poser des questions ; pour une fois à la dernière réunion on ne l'a pas entendu. – **5.** À Noël, ils vont sur la Côte d'Azur ; exceptionnellement l'hiver prochain, ils iront en Espagne. – **6.** Habituellement, je vais au travail à pied ; demain avec cette neige je prendrai le bus. – **7.** Ordinairement, il ne quitte pas la maison ; pourtant, dans quinze jours, il partira pour les USA. – **8.** Le matin nous avons cours à 8 heures mais la semaine prochaine, nous commencerons à 9 heures – **9.** Chaque hiver nous passons une semaine dans une station de ski, mais cet hiver nous irons à la Martinique. – **10.** Normalement elle prend le bus pour aller à son travail mais mardi prochain, avec la grève, elle prendra son vélo. – **11.** D'habitude, il prend l'avion pour aller à Toulouse, mais la prochaine fois, il ira en TGV. – **12.** Mon mari m'invite assez souvent dans un bon restaurant, mais la semaine dernière il m'a emmenée dans un trois étoiles. – **13.** Quand nous allons déjeuner chez nos amis algériens, il y a toujours un couscous, mais dimanche dernier, ils nous ont fait un méchoui.

270.

Propositions

Avant, c'était un hippie	Maintenant, c'est un cadre supérieur
1. Avant, il dépensait tout son argent ;	maintenant, il économise.
2. Avant, il gardait les mêmes chaussettes ;	maintenant, il change de linge chaque jour.
3. Avant, il draguait toutes les filles ;	maintenant, il est fidèle.
4. Avant, il jouait au football deux fois par semaine ;	maintenant, il regarde les matchs à la télévision.
5. Avant, il portait les cheveux longs ;	maintenant, il va régulièrement chez le coiffeur.

Avant, c'était un hippie	Maintenant, c'est un cadre supérieur
6. Avant, il se nourrissait de céréales ;	maintenant, il mange beaucoup de viande.
7. Avant, il lisait des bandes dessinées ;	maintenant, il achète des romans policiers.
8. Avant, il faisait la cuisine ;	maintenant, il va au restaurant.

271.

1. Quand j'étais petit, j'avais peur du noir ; ma peur a disparu quand j'ai fait du camping avec des amis. – **2.** Quand nous étions étudiants, nous sortions tous les soirs ; nous avons changé de style de vie quand nous nous sommes mariés. – **3.** Quand il faisait du ski, il dévalait les pentes à toute vitesse ; il a pris son temps et a pu admirer la beauté des paysages quand il s'est mis au ski de fond – **4.** Quand j'avais de l'argent, je dépensais tout ; mon comportement a évolué quand je me suis retrouvé au chômage pendant quelques mois. – **5.**Quand nous partions en week-end, nous descendions dans des hôtels ; nous avons fait connaissance de gens charmants et avons apprécié leur cadre original quand nous avons découvert les chambres d'hôtes – **6.** Quand tu allais faire du running en montagne, tu ne regardais pas la nature et tu ne pensais qu'à améliorer ton rythme ; tu t'es intéressé aux fleurs et aux plantes et tu en as tiré un grand plaisir quand tu as suivi un cours d'herborisation. – **7.** Quand elle était femme au foyer, elle ne s'intéressait à rien ; elle s'est mise à faire des études quand ses enfants ont quitté la maison. – **8.** Quand vous travailliez dans cette entreprise, vous étiez dépressive ; vous avez retrouvé la joie de vivre quand vous avez décidé de faire un autre métier.

272. Exercice de créativité

273.

a Quand **est arrivé** l'âge de la retraite, **je suis tombé** dans un grand trou. **J'étais** veuf et **je n'avais** aucun projet. Alors **je suis parti** marcher trois mois sur le chemin de Compostelle. Je **voulais** faire le bilan de ma vie, mes réussites et mes échecs. Arrivé à mi-chemin, **j'ai constaté** que j'étais en train de vivre une transformation totale, que la marche **soignait** mon corps et mon esprit. Puis **j'ai rencontré** deux jeunes délinquants belges qui **faisaient** le chemin comme peine alternative à la prison. Pour eux aussi la marche **était** un remède formidable. Là, **j'ai su** ce que **j'allais** faire en rentrant et **je l'ai fait**. J'ai créé une association pour jeunes en difficulté. **Je suis** très heureux car, comme moi, **ils reviennent** toujours transformés.

b *Exercice de créativité*
Propositions
– Avant, je ne savais pas parler en public, mais au Club on m'a fait faire du théâtre.
– Avant, je n'arrivais pas à tenir sur une planche à voile, mais au Club je me suis lancée.
– Avant, j'étais timide, mais grâce au Club j'ai pris confiance en moi.
– Avant je ne savais pas jouer même dans une pièce de théâtre amateur, mais au Club j'ai eu le courage de monter sur les planches.
– Avant, je ne bronzais jamais l'été mais au Club on m'a indiqué une crème solaire formidable.
– Avant je trouvais les minijupes ridicules, mais au Club j'ai décidé de montrer mes jambes.

274.

Avant	Changements	Aujourd'hui
On élevait sa progéniture sans réfléchir Quand on faisait dix enfants, on investissait moins Il était... de les éduquer à la dure On était là pour les éduquer Les familles étaient tribales Plusieurs générations vivaient Il y avait toujours... qui savait	Le modèle familial classique a éclaté. Le monde industriel... ont tout chamboulé Le taux de la mortalité s'est beaucoup réduit On s'est mis à faire moins d'enfants On a commencé à les...	Les parents d'aujourd'hui sont inquiets L'enfant est devenu le centre. On veut qu'il nous aime On a même peur Les parents font appel
	Ils n'ont pas gagné Les divorces se sont multipliés	De nombreux enfants passent Les parents font... mais travaillent Le parent n'a pas le courage
	L'auteur a parcouru	
Le *pater familias* avait	Sont devenues	Il ne s'agit pas
		Les psys ont de beaux jours
	Qu'est-ce que j'ai fait	Détendez-vous ; admettez ; n'ayez pas peur

275.

Voici, à titre d'exemple, quelques changements importants :

Les mœurs ont évolué ; les mentalités se sont transformées ; les habitudes se sont modifiées. Le confort est devenu indispensable.

On a découvert de nouveaux médicaments (de nouveaux médicaments ont été découverts). Les hommes ont créé (inventé) de nouvelles technologies. Les scientifiques ont élaboré (mis au point) de nouvelles espèces végétales.

Le niveau de vie a augmenté. La population a crû. La place des machines a grandi. Le niveau d'éducation a monté (s'est élevé). Le confort matériel a pris de l'importance. De nouvelles industries se sont développées. Les produits de demi-luxe se sont diffusés (propagés, répandus). Le tennis s'est démocratisé. Les vacances de neige sont devenues accessibles. Le temps de travail a diminué. La mortalité infantile a baissé. Le nombre des malades de la tuberculose s'est réduit. La peste a disparu. L'éclairage au gaz a été remplacé par l'éclairage à l'électricité.

La médecine a fait des progrès rapides. La recherche spatiale a progressé à pas de géants. L'électroménager s'est considérablement amélioré. Les tâches ménagères se sont simplifiées. Les machines ont simplifié la vie des femmes. La qualité de l'environnement s'est dégradée. La pollution a empiré. Les études se sont compliquées. Les ordinateurs ont compliqué de nombreux métiers. La qualité de la communication humaine a régressé.

276. **Propositions**

a **1.** Il traversait le carrefour ; tout à coup une voiture a surgi. – **2.** Tout avait l'air normal ; soudain il a remarqué un détail. – **3.** Il méditait profondément ; brusquement le téléphone l'a interrompu. – **4.** Elle mangeait du nougat ; à un moment elle s'est cassé une dent. – **5.** Ils se promenaient, c'est alors qu'un orage a éclaté. – **6.** Elles regardaient les infos ; subitement elle s'est mise à pleurer – **7.** Il a menti, mais moi, à ce moment-là j'ai compris la vérité – **8.** La nuit était très calme ; à ce moment-là un hélicoptère est passé.

b – **9.** Elle était debout dans le bus ; soudain le chauffeur a donné un grand coup de frein et elle a failli tomber – **10.** Il la croyait partie, c'est alors qu'il l'a croisée dans la rue avec sa mère. – **11.** Elle faisait les vitrines ; tout à coup elle s'est trouvée mal. – **12.** Ils naviguaient ; à un moment quelqu'un a basculé dans l'eau. – **13.** Le président parlait ; soudain un groupe d'opposants s'est introduit de force dans la salle. – **14.** Il travaillait à son livre ; c'est à cet instant qu'on a frappé violemment à la porte. – **15.** La crise durait ; brusquement les syndicats ont accepté de négocier. – **16.** Il était veuf, c'est alors qu'il a retrouvé une camarade d'université et qu'il a repris goût à la vie.

277.

1. Quand l'acteur est entré en scène le public **applaudissait**... ; le public **a manifesté sa joie**... – **2.** Quand je suis rentré chez moi, la radio **marchait**... ; mon fils **m'a sauté au cou.** – **3.** Quand le téléphone a sonné, **j'ai sursauté** ; **j'étais** sous la douche. – **4.** Quand l'orage a éclaté, Lucie **a fermé**... ; Lucie **jouait**... – **5.** Quand le TGV est arrivé, nous **faisions**... ; nous **nous sommes précipités**... – **6.** Quand le champion a passé la ligne d'arrivée, le public **l'a acclamé**... ; son principal adversaire **était** loin derrière lui. – **7.** Quand ils ont appris l'arrivée du président, les journalistes **ont couru**... ; ses parents **dînaient**... – **8.** Quand l'heure du départ est arrivée, elle **discutait**... ; elle **a pris**... elle **est partie**... – **9.** Quand ils se sont mariés, ils **avaient** déjà... ; elle s'**est évanouie**... – **10.** Quand la voiture est tombée en panne, nous **roulions**... ; nous **avons poussé**...

278.

Actions principales	Actions secondaires
Martine est sortie du taxi avec ses deux grosses valises.	
Elle est entrée dans son immeuble et a appelé l'ascenseur.	pendant qu'elle l'attendait.
Elle a entendu des bruits bizarres dans les étages :	on traînait des meubles, des casseroles tombaient, un bébé hurlait, des gens criaient.
Elle a appuyé à nouveau sur le bouton de l'ascenseur	qui n'arrivait toujours pas.
Enfin elle a compris,	ses voisins déménageaient.
Elle a monté à pied ses deux grosses valises	pendant que les déménageurs descendaient le piano.

279. **Exercice de créativité**

280. **Propositions**

1. Pour les vacances d'hiver, nous avons loué un studio dans une station de ski. **C'était très cher et nous voulions en profiter au maximum.** Ainsi samedi dernier, le premier jour des vacances, nous sommes partis avec des amis pour aller faire du ski. **Nous étions tous très contents et nous attendions ce moment avec impatience. Il neigeait et nous nous sentions très excités.** Nous avons pris la voiture mais à cause de la circulation et **de la neige qui tombait de plus en plus fort** nous avons mis 6 heures pour faire 60 km. **Dans la voiture nous chantions et nous bavardions pour faire passer le temps** et nous sommes arrivés très fatigués à 22 heures.

2. Joseph, **qui était le petit ami de ma sœur**, a échappé trois fois à la mort en novembre 2014. Il a d'abord fait une chute **mais il n'avait rien de cassé** ; puis il a eu un accident de moto : **les pneus n'étaient pas assez gonflés. Pour finir**, on lui a découvert une maladie grave ; **ses parents étaient très inquiets.** Ébranlé par tout ça, il a décidé de voir les Sept Merveilles du Monde **avant de mourir**, et il est parti quelques mois avec sa copine ; **c'était la première fois qu'ils faisaient un aussi long voyage.** Au retour, **c'était un autre homme et** il était guéri. Aujourd'hui il fait des conférences sur son expérience.

3. À 26 ans, je me suis installé à Hong Kong **pour commencer un nouveau travail.** Quelques mois plus tard, **alors que j'étais sur le point de rentrer en France**, j'ai rencontré Wanlin, **qui venait comme moi à une soirée à l'Ambassade.** Un an après, nous avons pris un appartement ensemble dans le centre-ville, **que nous avons décoré avec nos goûts.** Et trois ans plus tard, notre premier enfant est né, **entouré par ses deux familles.**

281.

1. Je l'ai posé sur la table de la cuisine / il fallait l'envoyer la semaine dernière. – **2.** Mon réveil n'a pas sonné. / Les bus étaient en grève. **– 3.** Aucune ne m'a plu. / Elles étaient toutes moches. – **4.** Ton frère l'a énervé avec ses discours politiques. / Il était complètement éreinté. – **5.** On a eu envie de rester seuls. / On était au cinéma. – **6.** Je l'ai peut-être laissé dans la voiture. / Il était pourtant dans mon sac tout à l'heure. – **7.** Il a fait des allusions très indiscrètes à ma fille. / Il m'exaspérait. – **8.** Je n'en ai pas trouvé. – Ils n'étaient pas beaux. – **9.** Je les ai confondues avec les miennes. Elles se ressemblaient tellement ! – **10.** C'est lui qui me l'a demandé. / Il n'en avait pas d'ultra moderne et ça lui faisait plaisir.

282.

UNE PANNE MALENCONTREUSE

D'habitude, je vais au travail en voiture, c'est loin de chez moi. Hier, comme mon auto **était** chez le garagiste, **j'ai voulu** aller au bureau en bus. Pas de chance, tous les transports en commun **faisaient** grève ! À ce moment-là, **j'ai essayé d'avoir** un taxi : rien. **Je me suis demandé** quoi faire ; je **devais** aller travailler...**J'ai contacté** les sites de covoiturage : saturés

Finalement, **j'ai décidé** de m'y rendre à pied. Je suis arrivée avec deux heures de retard mais, pour une fois, mon patron **a été** compréhensif !

LE CHIEN DE THOMAS

– Tiens ! Je **ne savais pas** que tu **avais** un chien.

– Ben oui, j'avais toujours dit que je **ne voulais pas** de chien à la maison, mais avec les enfants on ne fait pas ce qu'on veut.

– Et alors ?

– Figure-toi qu'il y a une semaine, Thomas **est revenu** de l'école en pleurant.

– Il avait été puni ?

– C'est ce que **j'ai cru** moi aussi. Pas du tout... Il **venait** de croiser le voisin. Ils sont très copains tous les deux. Il **a expliqué** à Thomas que sa chienne avait eu des petits et qu'**il devait** s'en débarrasser. Tu imagines le désespoir du gamin.

– Tu **t'es laissé** embobiner !

– Et oui ! Comme d'habitude. On **est allés** voir les petits chiens. Thomas en **a choisi** un trop mignon noir avec juste les oreilles et les pattes blanches. Il l'**a appelé** Alto. **J'ai quand même refusé** qu'il dorme avec lui dans sa chambre. Mais au fond je **n'ai pas regretté** de lui avoir fait ce plaisir, son dernier bulletin **était** très bon.

283.

C'était / on s'ennuyait /on regardait/ a décidé / il voulait/ a rempli /on a pris /est monté / on était /s'est précipité / on l'a partagée / est tombé / on a entendu /les coureurs arrivaient / ils transpiraient / a couru / elle est tombée / l'a rattrapée / il restait

284. Exercice de créativité

 Activité d'observation 19

je t'avais amoureusement préparé ; je leur avais fait prendre ; ils avaient dîné ; je leur avais raconté ; la vaisselle avait été faite (plus-que-parfait passif).

285.

Imparfait	Imparfait passif	Passé composé	Plus-que-parfait
2. n'était pas là **7.** j'avais envie **8.** Lucas voulait **12.** Gustave ne comprenait pas **14.** tout allait bien **15.** il découvrait **21.** rêvait-il ? **23.** c'était bien elle	**6.** j'étais exaspérée **16.** elle était déçue **17.** il était bouleversé **24.** il n'était pas abandonné	**1.** Gustave est rentré **3.** il l'a cherchée **9.** il m'a proposé **10.** j'ai été **11.** j'ai accepté	**4.** elle était partie **5.** elle avait laissé un mot **13.** lui avait pourtant dit **18.** il n'avait rien remarqué **19.** il avait été **20.** avait pris fin **22.** avait-il entendu **25.** elle était allée

286. Propositions

1) – Imparfait : J'étais fatigué. / Ma voiture roulait mal. / Il y avait des embouteillages. / Je croyais être à l'heure.

– Plus-que-parfait : Ma voiture était tombée en panne. / Je m'étais perdu. / J'avais confondu les heures. / Je m'étais blessé avant de partir.

2) - Il était tombé amoureux la veille. / Il avait trop bu le soir d'avant. / Il était tombé dans l'escalier. / Son patron l'avait menacé de le mettre à la porte. / Sa femme s'était fâchée contre lui.

- Tu n'avais jamais fait la vaisselle. / Tu ne m'avais jamais apporté le petit-déjeuner au lit. / Tu n'avais jamais pensé à m'emmener danser. / Tu ne t'étais jamais occupé des courses. / Tu n'avais jamais fait quoi que ce soit pour moi. / Tu t'étais moqué de maman.

- Ils avaient fait des économies. / Ils avaient pris un congé. / Ils avaient vendu l'appartement. / Ils n'étaient pas sortis pendant deux ans. / Ils avaient fait des heures supplémentaires / Ils s'étaient fait vacciner. / Ils avaient demandé tous les visas. / Ils avaient étudié les cartes. / Ils s'étaient préparés en étudiant plusieurs langues. / Ils avaient confié le chat à des amis.

3) 1. Vous aviez oublié de préparer mon discours d'accueil ! – **2.** Vous n'aviez pas amené les retraités et les enfants des écoles ! – **3.** Vous n'aviez pas vérifié la solidité de l'estrade ! – **4.** Vous n'aviez pas convoqué la télévision ! – **5.** Vous ne vous étiez pas occupés correctement des liaisons wifi ! – **6.** Vous aviez oublié que le président était allergique au gluten ! – **7.** Vous ne vous étiez pas souvenu que sa femme détestait le vin rouge ! – **8.** Vous n'aviez pas fait d'essais avec le micro ! – **9.** Vous n'aviez pas pensé à repeindre les toilettes ! – **10.** Vous n'aviez pas placé de policiers sur les toits !

287. **Propositions**

– Actions :
Les gens ont beaucoup ri, se sont bien amusés. Le DJ s'est défoncé (français familier). Les jeunes ont profité de la soirée au maximum, se sont éclatés (f. fam.). Les adultes ont bu toutes les réserves d'alcool, ont dansé avec enthousiasme. Les journalistes ont pris des photos, sont restés pour danser. Nous avons couru partout et veillé à tout.

– Descriptions :
Tout le monde s'était mis sur son trente et un Les garçons étaient élégants et portaient des nœuds papillon. Les filles sentaient le parfum et avaient des robes de bal. La musique était variée et s'entendait bien partout. Les boissons ne manquaient pas et étaient originales. La nourriture était abondante et de bonne qualité. Les serveurs faisaient leur travail efficacement. Nous n'avions pas une minute à nous et nous étions un peu fatigués.

b Nous avions collé des affiches. Nous avions envoyé des invitations. Nous avions prévenu la presse. Nous avions fait des annonces à la radio. Nous étions allés à la Mairie demander une salle. Nous étions partis à Paris chercher un bon orchestre. Nous avions loué une bonne sono. Nous avions prévu tous les styles de musique. Nous avions organisé la sécurité. Nous avions offert des billets gratuits aux gens les plus drôles. Nous avions pris de bons produits pour le buffet. Nous nous étions préparés moralement et physiquement. Nous nous étions occupés de la décoration.

c Peu de monde **était venu**. Des jeunes **avaient tout cassé**. Les gens n'avaient **pas voulu danser**. Des excités **étaient entrés de force**. L'orchestre **avait mal joué**. La sono **était tombée en panne**. La presse **ne s'était pas déplacée**. Le buffet **avait disparu en une demi-heure**. Les gens **ne s'étaient pas amusés**. Nous nous étions **écroulés de fatigue**.

d On était, qui s'étaient perdus, personne ne savait… venait ou viendrait ; était *ou* a été ; s'est passée… j'étais ; j'avais organisé… j'ai eu envie ; J'ai laissé… nous sommes partis ; il faisait, il y avait ; nous avons trouvé… nous sommes partis ; nous avons sablé.

e *Exercice de créativité*

288.

ⓐ Rire : **1.** ont ri – **2.** riaient – **3.** avaient ri.

ⓑ Applaudir : **1.** applaudissaient – **2.** ont applaudi – **3.** avaient applaudi.

ⓒ Sortir : **1.** était sorti – **2.** sont sortis – **3.** sortaient.

ⓓ Oublier : **1.** on a oublié – **2.** on avait oublié – **3.** j'oubliais.

ⓔ Ouvrir : **1.** nous ouvrions – **2.** nous avons ouvert – **3.** nous avions ouvertes.

ⓕ Se coucher : **1.** nous nous couchions – **2.** nous nous étions couchés – **3.** nous nous sommes couchés

ⓖ S'asseoir : **1.** ils se sont assis – **2.** ils s'asseyaient – **3.** ils s'étaient assis.

289.

1. Quand il nous a offert des billets, nous n'étions jamais allés à l'opéra. – **2.** Quand il m'a passé le volant, je n'avais jamais conduit. – **3.** Quand il vous a embauché comme vendeur, vous n'aviez jamais travaillé dans le commerce. – **4.** Quand elle nous a promenés en haute montagne, nous n'avions jamais mis les pieds en altitude. – **5.** Quand ils ont émigré en Australie, ils n'étaient jamais partis aussi loin. – **6.** Quand ils sont allés au bal du président, ils n'avaient jamais assisté à une grande réception. – **7.** Quand nous les avons rencontrés dans la jungle, nous n'avions jamais vu de Pygmées. – **8.** Quand ils sont allés à ce safari, c'était la première fois qu'ils voyaient des lions. – **9.** Quand elle t'a invité au restaurant, tu n'avais jamais goûté de cuisine indonésienne. – **10.** Quand tu les as rencontrées à un événement festif, tu n'avais jamais rencontré de femmes aussi amusantes.

290. Propositions

Dès qu'il était rentré à la maison, il allumait la télévision. / Quand elle avait lu le journal, elle sortait faire un peu de yoga. / Toutes les fois que nous avions bu un verre, nous nous mettions à chanter. / Quand j'avais fini le ménage, je m'offrais un petit gâteau. / Toutes les fois qu'elle avait eu une journée difficile, elle giflait les enfants. / Quand elles avaient acheté une nouvelle robe, elles se sentaient coupables. / Lorsqu'ils avaient fait un bon repas, ils se mettaient au régime. / Aussitôt que vous aviez rencontré une personne intéressante, vous notiez sa description dans un journal intime. / Lorsque nous avions terminé un tableau, nous le mettions en vente. / Toutes les fois qu'il avait été trop gentil, il devenait agressif. / Quand j'avais trop travaillé, je tombais malade. / Chaque fois que vous aviez fait une promenade, vous vous arrêtiez à la pâtisserie. / Aussitôt qu'il avait vidé son sac, il se sentait plus léger.

291.

1. Elle **avait déjà brûlé** les papiers quand il a voulu les récupérer. – **2.** Le train **était déjà parti** quand il est arrivé à la gare. – **3.** Elle **avait déjà appris** la nouvelle quand il lui a téléphoné. – **4.** Ils **avaient déjà eu** le temps de cacher l'arme quand la police est arrivée. – **5.** Les jeunes **s'étaient déjà enfuis** quand les gardiens sont entrés dans le magasin. – **6.** Les employés **avaient déjà réglé** le problème quand le patron a voulu s'en occuper. – **7.** Elle **s'était déjà mariée** quand il est revenu d'Afrique pour l'épouser. – **8.** Le bateau **avait déjà coulé** quand les secours sont arrivés. – **9.** Les enfants **avaient déjà mangé** le gâteau quand les parents ont voulu se servir. – **10.** Tous les étudiants **étaient déjà partis** quand le professeur est arrivé.

292. **Propositions**

1. ...où on n'avait jamais reconnu son talent, qui n'avait jamais rien fait pour l'aider et qu'il n'avait jamais vraiment aimée. – **2.** ...qui était cette fille qui avait dansé toute la soirée avec notre ami Paul, que personne n'avait rencontrée avant et pour qui de nombreux jeunes hommes s'étaient sûrement disputés – **3.** ...les photos qui avaient été prises à cette fameuse soirée, que nous avait apportées le facteur et au dos desquelles avaient été écrits quelques commentaires. – **4.** ...l'homme qui avait reçu le prix Nobel, que la télévision avait présenté au journal de 20 heures et autour de qui s'étaient massés tous les enfants de la rue.

293.

ⓐ 1. Il a eu une promotion **parce qu'/ car** il avait empêché la femme de son patron de tomber dans l'escalier. – **2.** Il a obtenu un gros contrat **parce que / car** on lui avait donné une information confidentielle. – **3.** Il a monté une entreprise aux USA **parce qu'/ car** il avait rencontré un homme d'affaires américain au golf. – **4.** Il a épousé l'héritière d'un consortium de journaux **parce qu'/ car** il avait rendu service à un magnat de la presse. – **5.** Avec sa femme ils se sont trouvés à la tête d'une collection extraordinaire **car / parce qu'**ils avaient acheté beaucoup de tableaux contemporains. – **6.** Ils ont pu se retirer des affaires assez jeunes **car / parce qu'**ils avaient revendu leur collection. – **7.** Ils ont fini leur vie sous les cocotiers **car / parce qu'**ils avaient acheté une île privée.

ⓑ 2. Comme on lui avait donné une information confidentielle, il a obtenu... – **3**. Comme il avait rencontré un homme d'affaires américain au golf, il a monté... – **4.** Comme il avait rendu service à un magnat de la presse, il a épousé... – **5.** Comme ils avaient acheté... ils se sont trouvés... – **6.** Comme ils avaient revendu... ils ont pu se retirer... – **7.** Comme ils avaient acheté... ils ont fini...

⚠ REMARQUE : dans cet exercice, on pourrait remplacer « comme » par « c'est parce que... que ». → C'est **parce qu'**il avait empêché la femme... qu'il a eu une promotion.

294.

1. Il était angoissé. Il n'avait pas assez travaillé. Il a mal compris le sujet / Il avait mal compris le sujet. – **2.** Elle en avait assez / Elle en a eu assez. Il l'avait battue la veille. Elle s'est décidée en une nuit. – **3.** Il était convaincant / Il a été convaincant. J'en avais déjà entendu parler. J'ai eu des doutes / J'avais des doutes. – **4.** J'étais fatigué. Ils étaient / ont été / avaient été insupportables. J'ai perdu mon contrôle. – **5.** Nous étions en retard. Nous avions oublié / avons oublié l'heure. Nous nous sommes trompés de gare. – **6.** La batterie du téléphone était en panne. J'avais oublié de le noter sur mon agenda. Je n'ai pas eu / je n'avais pas le temps. – **7.** Il en rêvait depuis longtemps. Il m'en a parlé / avait parlé. J'avais tout préparé avec lui.

295.

- Je

Récit A

Je me suis réveillé(e) très tôt, j'ai préparé les enfants, je les ai déposés à l'école puis je suis allé(e) au travail.

Récit B

Je suis arrivé(e) au travail, mais auparavant je m'étais réveillé(e) très tôt, j'avais préparé les enfants et je les avais déposés à l'école.

- Nous

Récit A

Nous nous sommes levées à l'aurore pour aller skier et nous avons pris le car pour la station. Nous nous sommes amusées comme des folles sur les pistes et nous sommes retournées très tard à Grenoble.

Récit B

Nous sommes retournées très tard à Grenoble : nous nous étions levées à l'aurore pour aller skier puis nous avions pris le car pour la station. Ensuite nous nous étions amusées comme des folles sur les pistes.

- Vous

Récit A

Vous êtes tombés en panne sur l'autoroute, vous avez laissé la voiture dans un garage, vous avez passé la nuit à l'hôtel en attendant et finalement, vous avez récupéré la voiture chez le mécanicien.

Récit B

Vous avez récupéré la voiture chez le mécanicien. Avant, vous étiez tombés en panne sur l'autoroute, vous aviez laissé la voiture dans un garage et vous aviez passé la nuit à l'hôtel en attendant.

- Elle

Récit A

Elle a volé dans un supermarché puis elle a cassé des vitrines et après elle a insulté les agents, alors elle a fini dans un centre de redressement.

Récit B

Elle a fini dans un centre de redressement parce qu'elle avait volé dans un supermarché, cassé des vitrines et insulté des agents.

- Ils

Récit A

Ils sont partis en vacances en voiture mais ils ont perdu les clés, les papiers, l'argent et la voiture. Alors ils ont dormi chez des gens rencontrés en route et ils sont rentrés en stop.

Récit B

Ils sont rentrés en stop… Juste avant ils avaient dormi chez des gens rencontrés en route parce qu'ils avaient perdu les clés, les papiers, l'argent et la voiture avec laquelle ils étaient partis en vacances.

- Tu

Récit A

Tu as d'abord cassé un joli vase, puis tu t'es fait mal en tombant, après tu t'es disputé avec ta mère et finalement tu as éclaté en sanglots.

Récit B

Tu as éclaté en sanglots car, auparavant, tu avais cassé un joli vase puis tu t'étais fait mal en tombant et tu t'étais disputé avec ta mère.

296.

Récit 1 : ont décidé, ont travaillé ; ont économisé ; ont acheté.

Récit 2 : ont acheté ; avaient décidé ; avaient travaillé ; avaient économisé.

297.

Beaucoup de verbes sont au plus-que-parfait parce que le récit ne suit pas l'ordre chronologique : la première phrase du second texte au passé composé correspond à l'événement passé le plus récent ; puis il y a un retour en arrière racontant la vie de B. Péquignot. Le dernier verbe au futur annonce un événement à venir.

Il en est de même pour le premier texte.

298.

6. s'est évadé, on ne connaît pas – **5.** son procès a eu lieu, il a été condamné – **1.** avait mené, c'était…, il pêchait – **2.** il avait décidé, il avait consulté, il avait négligé sa femme et ne s'occupait plus – **3.** il avait passé, il avait reçu, il n'avait rien envoyé – **4.** avaient porté plainte, avait été arrêté et placé…

299.

C'est avec une émotion unanime que la France a appris la disparition hier de Simone Veil, une icône pour tout le pays.

Simone Jacob était née le 13 juillet 1927 à Nice. Elle était la quatrième enfant de l'architecte André Jacob et d'Yvonne Steinmetz, une famille juive non pratiquante. Le 3 septembre 1939, la seconde guerre mondiale avait débuté et les Juifs avaient perdu le droit d'exercer leur profession une année plus tard. Le 30 mars 1944, la jeune fille avait été incarcérée au quartier général Allemand. Elle avait cependant réussi au baccalauréat quelques mois plus tôt. Le reste de la famille avait été arrêté par la Gestapo puis déporté à Auschwitz. Sa mère était morte du typhus en mars 1945. Le camp ayant été libéré le 15 avril 1945 par l'armée britannique, Simone est retournée en France et a commencé des études à l'IEP de Paris et c'est là qu'elle a rencontré Antoine Veil avec lequel elle s'est mariée. De cette union sont nés trois garçons.

C'est à partir de 1956 qu'a débuté une brillante carrière dans la magistrature et en politique. Nommée en 1974 ministre de la Santé publique, elle a présenté au Parlement sa fameuse loi sur l'IVG qui a été adoptée le 17 janvier 1974 ; elle avait pourtant subi de nombreuses attaques et les menaces de l'extrême droite. Nommée le 17 juillet 1979 présidente du Parlement européen, elle a reçu enfin les honneurs de la France le 20 novembre 2008 puisqu'elle a été élue au premier tour à l'Académie française. Elle avait tenu à ce qu'on inscrive son numéro matricule à Auschwitz sur son épée d'académicienne.

Un sondage de l'IFOP venait d'indiquer qu'elle était considérée comme la femme la plus respectée des Français.

300.

Verbes utilisés : se rassembler ; faire un discours ; défiler ; des incidents se produisent **ou** ont lieu ; arriver ; se disperser.

Récit 1 : les manifestants se sont rassemblés ; la présidente a fait un discours ; les manifestants ont défilé paisiblement ; quelques incidents se sont produits ; la manifestation est arrivée ; diverses associations ont fait ; tout le monde s'est dispersé

Récit 2 : la manifestation pacifiste s'est dispersée… Les manifestants s'étaient rassemblés ; avait fait un discours ; avaient défilé ; s'étaient produits ou avaient eu lieu ; était arrivée ; avaient fait des discours

Récit 3 : les manifestants se sont rassemblés ; la présidente a fait un discours ; les manifestants ont défilé paisiblement la manifestation est arrivée ; diverses associations ont fait… ; tout le monde s'est dispersé ; quelques incidents s'étaient produits ou avaient eu lieu.

Récit 4 : Malgré quelques incidents qui ont eu lieu... Les manifestants s'étaient rassemblés ; avait fait un discours ; avaient défilé ; la manifestation est arrivée ; diverses associations ont fait... ; tout le monde s'est dispersé.

301.

a Il m'est arrivé une drôle d'histoire : comme je roulais en direction de Lyon, un motard m'a arrêté. Obéissant, je me suis garé sur le bord de la route et je lui ai montré les papiers de la voiture. Il avait l'air très nerveux et il regardait tout le temps derrière lui. J'ai trouvé ça plutôt bizarre. Puis il m'a demandé de sortir de la voiture pour regarder les pneus et tout d'un coup il a pris le volant et il est parti avec ma voiture ! J'ai été / J'étais tellement étonné que je n'ai même pas réagi. Heureusement un autre motard est arrivé et j'ai compris ce qui s'était passé : c'était un faux motard qui avait volé un uniforme et une moto pour s'enfuir... Ils l'ont arrêté et j'ai retrouvé ma voiture qui était en bon état.

b Nous marchions dans la rue et soudain nous avons entendu des cris sur la droite. Nous sommes allés voir ce que c'était mais nous n'avons pas compris tout de suite. Il y avait un gros camion sur un trottoir et des gens qui couraient partout. Ils essayaient tous de rentrer dans les immeubles et, dans les magasins, nous voyions des têtes apeurées qui regardaient la rue. Quelqu'un nous a crié en courant de ne pas rester là si nous ne voulions pas nous faire manger : un lion s'était échappé du camion. Nous avons commencé à regarder autour de nous et nous n'avons pas vu le lion. Où était-il ? Tout d'un coup nous nous sommes aperçus qu'il était juste derrière nous. Nous avons eu très peur mais il nous regardait gentiment et au lieu de nous sauver nous lui avons parlé. Il s'est assis et nous a écoutés. Son maître est arrivé et l'a fait remonter dans le camion : il avait simplement oublié de fermer la porte et il était allé boire un pot au café. Les gens qui avaient été si peu courageux avec le lion l'étaient beaucoup plus avec son maître et lui faisaient des reproches. Assis sur son derrière le lion regardait tout ça avec un air très calme.

c Je venais de vivre une séparation difficile d'avec mon compagnon lorsque je me suis fait un lumbago qui m'a paralysée. C'était très difficile pour une personne aussi indépendante que moi. J'ai été vraiment touchée quand deux amies m'ont proposé de venir chez moi pendant une semaine pour m'aider. Elles ont fait la cuisine et le ménage et ont joué le rôle de mère pour moi : grâce à elle je n'avais plus à prendre la moindre décision ou à penser aux autres ce qui ne m'était jamais arrivé. J'ai compris que je n'avais pas besoin de tout faire moi-même que je ne pouvais pas porter tout le poids du monde sur mes épaules. Mes deux amies m'ont dit qu'elles étaient heureuses de pouvoir enfin faire quelque chose pour moi ; en effet, jusque-là, j'avais toujours voulu me débrouiller sans aide et j'y étais parvenue Je me suis sentie tellement soutenue ! C'était absolument délicieux.
Cette passe difficile m'a finalement appris beaucoup et a changé ma vision de la vie.

302.

A Qu'est-il devenu ?
était ; a ; a fait son chemin ; n'était pas, lui a pris, est devenu ; a installé ; il a déjà vendu ; est maintenant exposée ; avait décidé, il l'a fait ; avait rêvé, il y est arrivé ; se considère ; lui avait dit... qu'il n'était / qu'il ne serait bon à rien ; l'avait traumatisé ; il en rit, il déclare... J'ai peut-être réussi ; elles m'ont mis en colère... j'ai tout fait ; Je lui dois, il éclate ; je vous l'ai dit, c'est.

B Joséphine Baker
Est née / il lui fallait / qui était /elle a passé / elle avait / elle est partie /elle a obtenu / elle est partie / a commencé / elle a connu / elle a mené /elle était /elle est rentrée / avait acquis / JB s'est engagée /elle dissimulait / ce qui lui a valu / ils ont adopté / qu'ils avaient acheté elle a englouti / elle a reçu / lui a offert / elle est retournée /elle est morte / elle a été enterrée

303.

GRENOBLE, PLACE SAINT-ANDRÉ

Cela **faisait** quatre heures qu'il **était assis** à la terrasse à observer le brassage des diverses tribus de la vie grenobloise. Il ne le **regrettait** pas. Pendant l'après-midi, à la terrasse, il **avait sympathisé** avec différents jeunes et chercheurs. Cela lui **avait donné** une impression à la fois intellectuelle et montagnarde de la ville.

19 heures. Son estomac **a réclamé / réclamait**. L'envie fugitive de changer de lieu l'**a traversé**, mais il **a aussitôt changé** d'avis. Son guide ne **décrivait-il** pas ce lieu comme une bonne table ? Il **s'est** donc **contenté** de migrer à l'intérieur.

Une grande table **réunissait / avait** réuni des employés municipaux. Il **a commandé** un gratin dauphinois et **a écouté** leur conversation. Son image de la ville **se précisait / s'est précisée** : inventive, frondeuse, nostalgique de son beau passé social, et leader dans les industries de pointe.

La bouteille de Côtes-du-Rhône le **détendait** délicieusement. Il **était** mûr pour finir la soirée au Grenier, cabaret spectacle au-dessus du restaurant.

Une bonne journée, somme toute.

304.

On a fait /on a eu / vous a poussés / ils avaient tous entendu / venait / on nous avait seulement parlé / qui avait épousé /avaient migré / ça ne nous semblait pas / on s'est sentis / vous avez trouvé / vous êtes remontés / Nous avons découvert / nous avons aussi trouvé / qui avaient émigré / nous avons perdu / qui s'était installé / ont montré / l'autre était tombé malade et y était mort / vous avez dû / avaient fui / s'était exilé / tu as été élevé / nous croyions / ont prouvé / c'était / s'étaient convertis / et avaient épousé / d'autres s'étaient cachés /avaient survécu / étaient restés / il y a eu / j'avais oublié / Nous avons trop souffert

305. Exercice de créativité

Le conditionnel

306.

1. n'existerait pas... serait démodée – **2.** on ne chercherait plus... car nous serions satisfaits. – **3.** semblerait... nous préfèrerions – **4.** Existeraient... nous discuterions. – **5.** il n'y aurait plus... se tueraient – **6.** nous n'aurions pas peur... nous saurions.

307.

En 2007, ils pensaient qu'en 2050 :
– les nouvelles générations vivraient moins bien. – on prendrait sa retraite à 70 ans. – on serait obligé de suivre des formations en permanence. – la société serait plus injuste. – le climat deviendrait plus doux. – la technique occuperait trop de place. – la mondialisation serait totale.

308.

montrerait ; ferions ; nous essayerions, nous nous disputerions ; se fâcheraient, nous menaceraient, Nous ferions, nous serions, nous ririons ; nous nous précipiterions, nous partirions ; il y aurait, on entendrait ; on s'arrêterait, ils nous donneraient, nous aurions, ils nous emmèneraient, ils nous montreraient ; nous rentrerions, maman ferait, elle nous mettrait ; on jouerait, déborderait ; Papa viendrait, nous passerions, nous mangerions, nous nous régalerions ; quand nous serions couchés, nous enverrions.

309.

a **Verbes au conditionnel :** je voudrais (souhait) ; représenteraient ; s'occuperaient ; pourrait ; resterait (projets hypothétiques et imaginaires)

b Il faudrait ; demanderait, utiliserait, consommerait ; dureraient, on en jouirait ; ils coûteraient, s'y retrouverait, il devrait ; serait réduit, serait prévu.

c *Exercice de créativité : proposition.*

Monsieur le Président de la République,

Nous avons besoin de votre aide pour réaliser un projet de développement de notre petite commune de montagne. Nous **voudrions** implanter un centre de loisirs hiver-été, destiné aux personnes défavorisées.

Le Centre **aurait** deux bâtiments. Le premier destiné aux activités collectives, **serait** composé d'une grande salle de repos, d'une salle à manger, d'une salle de ping-pong et nous y **installerions** aussi les locaux administratifs. Dans le deuxième, nous **installerions** le centre de ski et, au premier étage, les chambres. Celles-ci **seraient** toutes pourvues de sanitaires et **donneraient** toutes sur nos beaux paysages.

Nous **organiserions**, en liaison avec les mairies et les départements, des stages et des séjours pour jeunes défavorisés afin de les mettre en contact avec d'autres réalités et faciliter ainsi leur insertion dans la société. Nous leur **ferions** découvrir la nature, nous les **ferions** travailler aux champs, nous leur **ferions** pratiquer un ou plusieurs sports et nous **participerions** ainsi à l'effort de la nation pour les jeunes.

Pour cela, nous **aurions** besoin de subventions. Le département s'est engagé pour une moitié des dépenses. L'État ne **pourrait**-il pas faire un geste ?

Dans l'attente d'une réponse favorable qui **permettrait** à la commune de survivre, nous vous prions de bien vouloir agréer nos salutations les plus respectueuses.

d *Exercice de créativité*

310.

a J'ai épousé Louis parce qu'il représentait la sécurité mais **je n'aurais pas dû** parce que j'aimais Hugo qui était aventureux. Avec Hugo, **on aurait été** heureux... **J'aurais vécu** une vie moins tranquille mais **je me serais plus amusée**. **On aurait pris** des risques, **on aurait voyagé**, **on aurait rencontré** toutes sortes de gens. **On aurait mené** notre vie tambour battant comme une aventure... **On se serait moqué(s)** du qu'en-dira-t-on... **J'aurais pu** être une autre femme...

J'aurais dû convaincre Jade de m'épouser au lieu de partir voyager. **J'aurais eu** une vie plus classique mais plus calme. **J'aurais connu** la vie de famille, **j'aurais eu** un travail stable, **elle m'aurait chouchouté**, **j'aurais été** un papa poule. **On serait allé(s)** en camping toujours au même endroit retrouver nos vieux copains. **J'aurais joué** à la pétanque. **J'aurais été** totalement différent...

b *Exercice de créativité*

311.

1. ils auraient vécu – **2.** ils ne se seraient pas installés – **3.** ils n'auraient pas demandé – **4.** ils n'auraient pas eu – **5.** ils auraient été – **6.** je ne serais pas né – **7.** je n'aurais pas grandi.

312.

– Tu aurais pu faire attention ! : à quelqu'un qui vient de vous bousculer ou de vous faire une tache.
– Tu aurais pu mieux faire ! : un père à un enfant dont les résultats scolaires sont insuffisants.
– Tu aurais pu y penser ! : à quelqu'un qui a oublié de faire quelque chose d'important.
– Tu aurais pu m'aider ! : après avoir fini seul un travail difficile.
– Tu aurais dû prévoir ! : à quelqu'un qui se plaint des conséquences malheureuses d'un acte.
– Tu aurais dû prendre les choses en main ! : à quelqu'un mécontent des résultats d'une décision prise par une autre personne.
– Tu aurais dû faire un effort ! : un père à son fils qui n'a pas assez travaillé.
– Tu n'aurais pas dû te laisser faire ! : une mère à sa fille qui se plaint de l'autorité excessive de son mari.
– Tu n'aurais pas dû te montrer agressif ! : à un proche qui se plaint de la réponse impolie que vient de lui faire un vendeur.
– Tu n'aurais pas dû dire la vérité ! : à quelqu'un qui vient de dire une vérité qui a fait plus de mal que de bien.
– Tu aurais mieux fait de te taire ! : à quelqu'un qui a révélé un secret et qui aurait dû le garder.
– Tu aurais mieux fait de me prévenir ! : à quelqu'un qui n'a pas réussi à faire à temps ce qu'il avait promis de faire.
– Tu aurais mieux fait de me demander mon avis ! : à quelqu'un qui a pris seul une mauvaise décision et qui le regrette.

313.

a **1.** Auriez-vous ? – **2.** Sauriez-vous – **3.** Pourriez-vous – **4.** Accepteriez-vous – **5.** Seriez-vous – **6.** Auriez-vous – **7.** Auriez-vous.

La deuxième forme supprime l'inversion : Est-ce que vous auriez...

ⓑ *Exercice de créativité*

Exemple : Est-ce que cela vous ennuierait de vous décaler / pousser d'une place ? (au cinéma)

ⓒ *Exercice de créativité*

Exemple : Vous serait-il possible de me faire la monnaie de ce billet de cinquante euros ?

314.

ⓐ et **ⓑ** *Exercices de créativité*

315.

ⓐ et **ⓑ** *Exercices de créativité*

316.

ⓐ *Observation*

ⓑ et **ⓒ** *Exercices de créativité : quelques propositions*
Il faudrait réduire le café, manger plus sainement et faire un peu de sport.
Vous devriez surveiller votre alimentation, prendre le temps de marcher en forêt.
Vous pourriez déléguer certaines tâches, débrancher quelquefois le téléphone.
Ne voudriez-vous pas aller quelquefois au hammam ou faire une thalasso ?
Ce serait sans doute bien de méditer chaque jour.
Vous feriez mieux de vous faire moins de souci.
Si j'étais toi (vous), je n'essaierais pas de tout contrôler seul.

317.

ⓐ 1. le vrai tueur serait ; Néandertal n'aurait pas su

2. le karaoké permettrait ; il faciliterait ; il satisferait ; il aurait

3. auraient-elles inventé ; exploiterait

4. il n'y aurait aucun ; une défaillance technique aurait causé

5. aurait été ; il aurait décrit ; resterait ;

6. n'aurait pas été ; elle aurait été ; se serait appelée ; ce qui expliquerait.

7. compterait ; auraient déjà eu recours ; seraient

Tous les verbes au conditionnel expriment une action présente ou passée dont l'exactitude n'a pas encore été vérifiée.

ⓑ *Exercice de créativité*

ⓒ *Exercice de créativité*

⊕ **Activité de repérage 20**

ⓐ

	Présent	Imparfait	Subjonctif
1.	viennent-ils		
2.	Il faut		qu'elle vienne
3.	elle doute		que tu partes
4.	C'est tu pars		
5.	ils boivent		
6.			qu'ils boivent
7.	il exige		que j'aie fini (*subj. passé*)
8.	finissent		
9.	il est		que nous prenions
10.	Je ne pense pas		que tu connaisses
11.		nous prenions	
12.		connaissiez-vous	
13.	Il est douteux		que vous fassiez
14.	Je suis sûr ils vont		
15.		je croyais, vous faisiez	
16.	ils veulent		qu'elles aillent
17.	il est		que vous soyez
18.		j'étais, vous étiez	
19.	je regrette		que vous ayez eu (*subj. passé*)
20.		aviez-vous	
21.	on peut il semble		qu'elle soit partie (*subj. passé*)
22.	je trouve		qu'ils mentent
23.		Aviez-vous déjà entendu (*plus-que-parfait*)	

ⓑ *Expressions qui déterminent l'emploi du subjonctif :*

2. Il faut que – **3.** Elle doute que – **6.** Il faudrait que – **7.** Il exige que – **9.** Il est impossible que – **10.** Je ne pense pas que – **13.** Il est douteux que – **16.** ...ne veut pas que – **17.** Il est indispensable que – **19.** Je regrette que – **21.** Il semble que – **22.** Je trouve improbable que.

318.

1. Il est temps **qu'il apprenne** à se servir de cet appareil. – **2.** Je suis étonné **qu'elle craigne** autant la chaleur. – **3.** Il a recommandé **que nous n'ouvrions** pas les portes avant huit heures. – **4.** Rien n'est moins sûr **qu'il reçoive** un avis favorable. – **5.** Je désire **que tu te mettes** au travail. – **6.** Le docteur a exigé **qu'elle voie** un autre spécialiste. – **7.** Cela me surprend que **vous ne connaissiez pas** encore votre voisine. – **8.** Il déplore que ses étudiants **se servent** si peu de leur dictionnaire – **9.** Je crains **qu'il n'attende** encore longtemps. – **10.** Je suis enchantée **que ce bijou vous plaise** – **11.** Pourquoi interdit-il **qu'on écrive** au crayon ? – **12.** Il vaudrait mieux **que votre fille s'asseye** ; elle a l'air fatiguée.

319.

1. Êtes-vous certaine **qu'elle puisse** venir ? – **2.** Malheureusement, je crains **qu'il ne fasse** pas beau. – **3.** Il est possible **que Cécilia soit** au courant. – **4.** Crois-tu **qu'elle ait** entièrement raison ? – **5.** Les agriculteurs aimeraient bien **qu'il pleuve** un peu plus. – **6.** Il est douteux **qu'elles sachent** la vérité. – **7.** Elle voudrait **que son mari aille** consulter une voyante. – **8.** Il est peu probable **qu'il veuille** lui rendre ce service. – **9.** Je ne suis pas sûr **qu'il faille** être aussi intransigeant. – **10.** J'ai peur **que vous ne vouliez pas** me prêter votre voiture.

320. Quelques propositions de correction

– Il faudra que nous **ayons fait** le ménage et rangé la maison, que nous **ayons fait** les lits, etc.
– Il faudra que Maman **ait acheté** et que nous **ayons installé** le décor de Noël, que Victor et Sophie **aient décoré**, que Sophie **ait mis** en place la crèche, que Papa **ait suspendu** les guirlandes, que Grand-mère **ait mis** des bougies partout.
– Il faudra que Maman **ait sorti** la belle vaisselle, que nous **ayons mis** le couvert, etc.
– Il faudra que Maman **ait commandé** la dinde qu'elle **ait cuisiné** le foie gras à l'avance, etc.
– Il faudra que les parents **aient choisi, acheté, emballé** les cadeaux.
– Il faudra que nous nous **soyons faits** beaux, que nous nous **soyons lavées et parfumés**, etc.

321.

1. Il est vital que vous **ayez lu** tous les livres nécessaires... – **2.** Je veux que vous **ayez sélectionné** les informations indispensables... – **3.** J'exige que vous **ayez terminé** le plan... – **4.** Il est indispensable que vous **ayez rédigé** la première version... – **5.** Il est préférable que vous **m'ayez montré** votre texte... – **6.** Il est important que vous **ayez fait** les corrections... – **7.** Il est essentiel que vous **m'ayez envoyé** votre texte... – **8.** Il faudra que **nous nous soyons rencontrés**... – **9.** Il vaut mieux que **vous ayez terminé** votre exposé... – **10.** Il est nécessaire que **vous l'ayez répété** plusieurs fois...

322.

1. Je souhaiterais qu'elle **aille** à sa rencontre. – **2.** Je regrette qu'elle **n'ait pas encore fini** son travail. – **3.** Arthur doute que ses parents **soient déjà rentrés** – **4.** Vous n'avez pas encore été remboursés ? C'est scandaleux qu'on **mette** si longtemps à le faire – **5.** Faut-il que nous **prenions** le bus ou le métro ? – **6.** Il exige que vous **ayez terminé** avant 17 heures. – **7.** Je ne pense pas que Marianne **soit déjà partie**. Tu peux lui téléphoner. – **8.** Il est dommage qu'on **n'ait pas peint** avant de poser la moquette. – **9.** « Voilà ma nouvelle voiture ! » – Je suis content que vous **ayez pu** en changer. – **10.** Les vacances approchent, il est indispensable que vous **preniez** vos réservations. – **11.** Ses parents sont désolés qu'elle **ait échoué** à son examen.

323.

b 1. J'exige que **tu te laves** les dents. – **2.** Je te défends **de frapper** ta sœur. – **3.** Je veux que **tu embrasses** ta tante. – **4.** Je t'interdis **d'être grossier.** – **5.** Je t'autorise à **regarder** la télévision. – **6.** J'accepte que **tu dormes** chez ta copine. – **7.** Je refuse que tu **rentres** après 19 heures. – **8.** Je te permets **d'emprunter** mon écharpe. – **9.** Je veux bien que tu **amènes** ton copain pour goûter. – **10.** Je m'oppose à ce que tu **invites** toute la classe.

c *Exercice de créativité*

324. Exercice de créativité

325. Propositions

Valeur générale à *infinitif*

Il vaut mieux consulter votre médecin. – Il est indispensable de bien préparer l'itinéraire. – Il est indispensable d'évaluer correctement les difficultés. – Il est important de prévoir des itinéraires de repli. – Il est prudent d'avertir de l'heure de votre retour. – Il vaudrait mieux s'équiper avec du bon matériel. Etc.

Conseils spécifiques à *subjonctif*

Il est nécessaire que vous dosiez vos efforts. – Il faut que vous consultiez régulièrement la carte. – Il est recommandé que vous teniez compte du balisage. – Il est souhaitable que vous emportiez des aliments énergétiques. – Il est préférable que vous fassiez demi-tour en cas de difficultés imprévues. Etc.

326. Exercice de créativité

327.

– Si **vous** aviez le choix préféreriez-**vous** travailler ? → *Le sujet est le même dans les deux parties de la phrase. Il faut employer l'infinitif.*
– Si **vous** aviez le choix préféreriez-vous que votre femme **travaille ?** → *Le sujet est différent dans les deux parties de la phrase. Il faut employer le subjonctif.*

328.

Bastien	Livia
J'aimerais que l'ambiance **soit** calme	Je préférerais qu'il y **ait**...
Je voudrais bien qu'on **passe** des soirées...	J'ai envie que nous **allions** danser...
Ça me plairait qu'on **puisse** tout faire... qu'il ne **faille**...	Ça me plairait que nous **prenions**...
J'aimerais bien que le climat **soit**... et qu'on n'**ait** pas...	Je désire qu'il **fasse** chaud... que nous **puissions**... qu'il ne **pleuve**...
J'apprécierais que nous **campions**..., qu'on **entende**... que ça **sente**...	Je rêve que tu **veuilles** bien...
Ça serait bien que nous ne **dépensions** pas trop	Je voudrais que l'hôtel **vaille** très cher et que le service **y soit** parfait.

b

Bastien	Livia
J'apprécierais que nous nous **baignions** dans une petite crique.	Je préférerais qu'on se **baigne** sur une plage privée.
Je voudrais bien qu'on **évite** les coups de soleil.	Je rêve qu'on **bronze,** bronze, bronze !
Ça serait bien qu'on **fuie** la foule.	– Ah non ! je voudrais qu'on **aille** là où tout se passe.
J'aimerais bien que nous nous **habillions** simplement.	Moi, j'ai envie que nous **frimions** sur le port.
Ça me plairait qu'on **lise** de bons livres.	Et moi, ça me plairait que nous nous **éclations** en discothèque.

329.

a *Observation*

souhaiter que + subjonctif / ne pas avoir envie que + subjonctif
espérer que + indicatif / dire que + indicatif (= réalité)

b 1. Nous **souhaitons** que les enfants **fassent** de bonnes études et **trouvent** un bon emploi. – 2. Les étudiants **désirent** que l'examen **soit** facile et ils **espèrent** que les professeurs **mettront** une bonne note. – 3. L'auteur **a envie que** son livre **plaise** et il **espère** qu'il se **vendra** bien. – 4. Les enfants **souhaitent** que le père Noël **soit** généreux et ils **espèrent** qu'il **apportera** beaucoup de cadeaux. – 5. Les agriculteurs **désirent** qu'il **pleuve,** mais ils **espèrent** qu'il n'y **aura** pas d'inondations.

330.

1. J'attends que l'école **inculque** la discipline. – 2. J'attends qu'elle **informe** les élèves sur leur avenir. – 3. J'attends qu'elle **serve** d'intégrateur social – 4. J'attends qu'elle **soit** égalitaire. – 5. Je désire qu'elle **apprenne** à vivre ensemble. – 6. Je trouve souhaitable qu'elle **rende** les enfants curieux. – 7. Je voudrais qu'elle **sache** enseigner à tous. – 8. J'espère qu'elle **pourra** compenser les clivages sociaux. – 9. Je trouve préférable qu'elle **permette** le brassage social. – 10. J'espère qu'elle **favorisera** l'apprentissage d'un métier. – 11. Je souhaite qu'elle **développe** l'esprit critique. – 12. J'attends qu'elle **soit** laïque et qu'elle **garantisse** un même enseignement à tous.

331.

1. que nous y allons. – 2. que j'aie jamais mangé. – 3. qu'il ait éprouvé. – 4 que Mozart ait composé. – 5. que vous pouvez visiter. – 6. que nous ayons visité. – 7. qui a obtenu. – 8. où il lui a fait. – 9. que vous trouvez. – 10. dont elle se souvienne.

332. **Propositions**

Nous cherchons un appartement qui ne **soit** pas trop cher / qui ne **coûte** pas plus de 300 000 euros. – Nous aimerions un appartement que les enfants **trouvent** agréable. – Nous voudrions un appartement où chacun **puisse** avoir sa chambre. – Auriez-vous un appartement près duquel il y **ait** une piscine ? – Existerait-il un appartement dans lequel la cuisine **soit** déjà installée ? –

Pourrions-nous trouver une maison dont la surface du séjour ne **soit** pas inférieure à 40 m²?
– Connaîtriez-vous un appartement dont les fenêtres **donnent** sur un parc? – Y aurait-il un
appartement à côté duquel il y **ait** une école et un collège? Etc.

333. Propositions

2. Je suis un pauvre petit garçon, j'ai des professeurs	Ah! ce que je voudrais avoir des professeurs
qui ne **sont** jamais disponibles	qui **soient** souvent avec moi
que je ne **trouve** pas gentils	que je **puisse** trouver gentils
avec qui je ne **fais** jamais rien	avec qui je **fasse** beaucoup de choses
dont la voiture **est** un vieux tacot	dont la voiture **soit** un superbe cabriolet
près de qui je ne me **sens** pas bien	près de qui je me **sente** vraiment bien
3. J'ai un gouvernement	Vite un gouvernement
qui **ne comprend** rien aux entreprises	qui **comprenne** les entreprises
que plus personne **ne trouve** crédible	que l'**on puisse** respecter
dont les mesures **sont** incompréhensibles	dont les mesures **soient** intelligentes
sur lequel les patrons **ne peuvent** pas compter	sur lequel les patrons **puissent** compter
4. C'est une vie	Je désire une vie qui **soit** bonne pour moi et les autres
qui **m'apporte** peu de satisfactions	que **j'adore**
que je **n'aime** pas beaucoup	où il **se passe** toujours quelque chose d'intéressant
où il ne **se passe** pas grand-chose	dans laquelle je **puisse** apprendre tous les jours
dans laquelle je **m'ennuie**	dont je **sois** fier
dont je ne **peux** pas être fier	

1. Mon rêve existe, je l'ai rencontré.	2. Mon rêve n'existe que dans ma tête.
Je souhaite acheter la jolie petite île Lola	Je souhaite acheter une île
qui **est** dans les Caraïbes.	qui **soit** dans une mer chaude.
où on **fait** du cheval sous les palmiers.	où il n'y **ait** pas de serpents.
sur laquelle **viennent** les oiseaux migrateurs.	sur laquelle **poussent** des orchidées.
que peu de gens **connaissent**.	que personne ne **connaisse**.
dans laquelle **court** une rivière.	dans laquelle **courent** une ou deux rivières.
à laquelle une belle Espagnole **a donné** son nom.	à laquelle je **puisse** donner le nom que je veux.
que j'**ai visitée** cet été.	
dont le catalogue ne **dit** rien.	

(⊕) **Activité de repérage 21**

a « C'est vraiment **magnifique** cette victoire et même **inespéré**! Une si petite équipe… Qu'elle ait vaincu un grand pays comme l'Angleterre, c'est vraiment **incroyable** de voir ça! Je suis **stupéfait** que nous ayons gagné le match! Et toute l'Islande est vraiment **fière** du résultat. Les gens sont **fous de joie** car c'est un honneur pour le pays. Ça nous prouve que, bien que nous soyons un petit pays, nous pouvons **gagner**. À condition que l'entraîneur et l'équipe **se défoncent**, bien sûr! Vive l'Islande! On se souviendra de l'Euro 2016!»

b C'est **magnifique cette victoire** (nom) – c'est inespéré – C'est incroyable **qu'**elle ait vaincu (+ subjonctif) – **de** voir ça (+ infinitif) – Je suis **stupéfait que** nous ayons gagné (+ subjonctif) – je suis **fière du** résultat (nom) – Les gens sont **fous de joie** car c'est un **honneur** (indicatif). Ces adjectifs s'utilisent: seuls, suivis d'un nom, d'un infinitif, d'un subjonctif après «que», d'un indicatif après un autre mot de liaison.

334.

1. J'adore qu'on me **fasse** des compliments. – **2.** Il aime qu'on lui **fasse** des cadeaux. – **3.** Ça m'exaspère que tu **boudes**. – **4.** J'ai horreur que tu me **prennes** pour un imbécile. – **5.** J'ai envie que tu **viennes** près de moi. – **6.** On aimerait mieux que tu ne nous **accompagnes** pas… – **7.** Je préfère que tu me **dises** la vérité. – **8.** Il apprécie beaucoup qu'on **soit** gentil avec lui. – **9.** Je n'aime pas beaucoup que tu **restes** au lit toute la journée. – **10.** Ça m'arrangerait que tu ne t'en **ailles** pas.

335.

1. Maman était consternée que Papa **prenne** une place de parking… – **2.** Les parents de Léonard étaient horrifiés que des photos gênantes de leur fils **aient circulé** sur Facebook. – **3.** Ma tante était embarrassée que nous **disions** des gros mots. – **4.** Ça l'a vexée que vous lui **disiez** qu'elle avait mauvaise mine. – **5.** Ça l'a écœurée qu'ils **veuillent** payer leur part et pas un centime de plus. – **6.** Ils étaient vraiment mal à l'aise que nous **bâillions** pendant tout le concert. – **7.** Elle s'est sentie humiliée qu'il lui **dise** de faire un petit régime. – **8.** Ça a beaucoup gêné ma mère que vous lui **demandiez** son âge. – **9.** Je me suis sentie insultée que mon copain ne me **raccompagne** pas…

336.

1. Je suis ravie qu'on **fasse** les courses à ma place. – **2.** J'adore les **taquiner**. – **3.** Je regrette infiniment **d'être** en retard. – **4.** Il craint qu'il **fasse** trop froid dehors. – **5.** Elle aime mieux **être placée** devant. – **6.** Elle ne peut pas supporter qu'il ne **sache** rien faire de ses dix doigts. – **7.** Je suis surpris que tu me **dises** ça seulement maintenant. – **8.** Ça m'exaspère qu'il **veuille** toujours commander. – **9.** J'en ai vraiment assez qu'il **pleuve** encore. – **10.** Je suis désolée de **ne pas pouvoir** vous aider. – **11.** Ça me fait plaisir que vous **soyez** là. – **12.** Il est dommage qu'il **faille** partir.

337.

1. Nous sommes très heureux que vous **ayez décidé** de changer de région. – **2.** Je suis furieuse que mon patron **m'ait refusé** une augmentation. – **3.** Nous sommes impressionnés que vous **ayez gagné** ce concours international. – **4.** Je n'apprécie pas du tout que tu **m'aies raconté** des histoires. – **5.** Finalement, j'aime mieux qu'ils ne **soient pas venus**. – **6.** Il est furieux qu'elle lui **ait dit** ses quatre vérités. – **7.** Ça leur a fait très plaisir qu'on leur **ait fait** une visite surprise. – **8.** Ses collègues étaient furieux qu'elle **soit encore arrivée** en retard. – **9.** Je suis exaspéré qu'on **ait encore égaré** mon dossier. – **10.** Je me réjouis que l'université vous **ait accordé** une bourse.

338.

1. Je suis désolée que mon mari **ait été** grossier. – **2.** Ils sont désespérés que leur fils **ait disparu**. – **3.** Il est fou de joie que sa femme **soit sortie** de l'hôpital. – **4.** Je suis surpris que les enfants **veuillent** venir avec nous. – **5.** Nous sommes honteux que la conversation **ait mal tourné**. – **6.** C'est dommage que Pierre ne **puisse** pas prendre de vacances cette année. – **7.** Nos parents sont satisfaits que nous **ayons réussi** notre bac. – **8.** Nous sommes extrêmement inquiets qu'ils ne nous **aient pas téléphoné** depuis huit jours. – **9.** Ta mère est très fière que tu **aies réagi** comme il le fallait. – **10.** Il est fou de rage qu'elle lui **ait posé** un lapin. – **11.** Elle est vraiment déçue que nous ne lui **ayons pas fait** signe. – **12.** Le directeur est très fâché que les dossiers ne **soient** pas prêts.

339.

1. Je suis désolée de ne pas **avoir réussi** mon permis de conduire. – **2.** Elle est très déçue de ne pas **avoir été sélectionnée** pour le championnat national. – **3.** Ils sont fous de rage **d'avoir raté** cette affaire. – **4.** Elle est heureuse **que la police ait déjoué** un braquage. – **5.** La délégation est catastrophée **d'avoir manqué** son rendez-vous. – **6.** Ils devraient avoir honte **d'avoir menti** aux actionnaires. – **7.** Ils sont très satisfaits **d'avoir bouclé** leur film à temps pour Cannes. – **8.** Il est très choqué **d'avoir perdu** son emploi. – **9.** Il est horriblement vexé de ne pas **avoir été invité** chez le ministre. – **10.** Je me réjouis **d'avoir pu** me libérer pour cette soirée caritative.

340.

1. Sa femme est angoissée qu'il **prenne** de gros risques en escalade. – **2.** Il adore que son employeur lui **fasse** des compliments. – **3.** Elle est dépitée **de ne pas avoir obtenu** le poste. – **4.** Ce serait mieux pour moi que vous **reveniez** la semaine prochaine, Messieurs. – **5.** La ministre déplore que nous ne **changions** pas d'avis. – **6.** Je suis ravie que l'entreprise **ait remboursé** la machine défectueuse. – **7.** Je n'en reviens pas **d'avoir gagné** le gros lot. – **8.** J'ai horreur que vous **m'envoyiez** sans arrêt des SMS. – **9.** Ça m'étonnerait beaucoup qu'il **soit réélu**. – **10.** Nous sommes stupéfaits **de pouvoir** quand même obtenir un prêt.

341.

1. Je suis heureux qu'il / elle **parte**. – **2.** Nous souhaitons qu'il / elle **soit** heureux(se). – **3.** J'ai peur qu'il **fasse** mauvais temps. – **4.** Nous regrettons que Lucas **ait échoué**. – **5.** Je suis surpris que le temps **soit** beau. – **6.** Il est fier que son fils **ait réussi**. – **7.** J'appréhende qu'il / elle **revienne.** – **8.** Elle craint que son patron ne **soit** de mauvaise humeur. – **9.** Il apprécie que le règlement **ait été modifié**. – **10.** Nous attendons avec impatience que notre appartement **soit vendu.**

342.

ⓐ 1. Je trouve détestable qu'elle **ait agi** comme ça. – **2.** Je trouve gentil qu'il **ait pensé** à moi. – **3.** Je suis reconnaissant que vous **ayez répondu** à ma lettre. – **4.** Il trouve dégoûtant que nous l'**ayons laissé** tomber. – **5.** Vous trouvez injuste qu'ils **aient critiqué** Pierre. – **6.** Le patron trouve courageux que vous **ayez assumé** cette responsabilité.

ⓑ 1. Je vous trouve très courageux **d'avoir plongé** pour sauver cet enfant. – **2.** Je les trouve gentils **d'avoir pensé** à inviter ta mère. – **3.** Il les trouve détestable de **s'être moqués** de cette pauvre fille sur les réseaux sociaux. – **4.** Je le trouve honnête **d'avoir reconnu** son erreur. – **5.** Je vous trouve peu scrupuleux **d'avoir trompé** notre client. – **6.** Je la trouve grossière **d'être partie** sans prévenir.

c **1.** Je trouve méprisable qu'il **ait cru** ces mensonges… / Je le trouve méprisable **d'avoir cru** ces mensonges… – **2.** Tu trouves gentil **qu'il t'offre** des fleurs. / Tu le trouves gentil **de t'offrir** des fleurs. – **3.** Nous trouvons sympathique **qu'elle tienne** souvent compagnie à sa grand-mère. / Nous la trouvons sympathique **de tenir** souvent compagnie à sa grand-mère. – **4.** Vous trouvez idiot qu'ils se **soient mis** en colère. / Vous les trouvez idiots de **s'être mis** en colère. – **5.** Je trouve insensé que **tu aies démissionné.** / Je te trouve insensé **d'avoir démissionné.** – **6.** Leur père trouve impardonnable qu'ils **aient insulté** leur mère. / Leur père les trouve impardonnables **d'avoir insulté** leur mère.

343. Propositions

– **Il estime satisfaisant** que la séparation de l'Église et de l'État et la loi de 1905 **permettent / garantissent** la libre pratique des religions, mais **remarque** que la place de l'Islam reste un sujet de discussion animée.

– **Il trouve important** que les Français **possèdent** la carte vitale et la CMU et **il approuve** que la sécurité sociale **soit** pour tous même s'il **déplore qu'il y ait** une médecine à deux vitesses.

– **Il approuve** que le service public **s'étende** aussi bien à l'éducation qu'à l'audiovisuel même si de nombreuses tâches sont désormais confiées au privé.

– **Il trouve rassurant** qu'une partie de nos impôts **serve** à subventionner des productions et des réalisations les plus diverses, mais **regrette qu'on essaie** de faire des économies budgétaires sur la recherche fondamentale.

– **Il approuve que** le peuple de France se **soulève** pour défendre la démocratie bien que des valeurs opposées **gagnent** du terrain.

– **Il se réjouit que** l'Assemblée nationale **ait voté** à l'unanimité des lois contre le racisme, mais **regrette** qu'on **ait perdu** des mois avec le débat sur l'identité nationale et la déchéance de nationalité.

– **Il se réjouit** que cette assemblée **ait aboli** la peine de mort contre l'avis de l'opinion dans les sondages à l'époque.

– **Il juge remarquable** qu'on **puisse** critiquer en toute liberté ce que font ou ne font pas le gouvernement, les syndicats ou les partis politiques.

– **Il se réjouit** qu'il **existe** une identité culturelle française défendue contre les impérialismes (uniformisation, américanisation, mondialisation) mais **regrette** qu'elle soit de plus en plus attaquée.

344.

1. Croyez-vous qu'il **soit** sage… – **2.** Je suis persuadée qu'elle ne **voulait / veut pas**… – **3.** Est-ce qu'elle est certaine que ce train **a** des couchettes ? – **4.** J'ai l'impression qu'il ne **dit** pas la vérité. – **5.** Elle ne trouvait pas que l'hôtel **soit** aussi confortable… – **6.** Il est peu probable qu'elle **puisse** revenir… – **7.** Je ne suis pas convaincu qu'il **veuille** vraiment nous aider. – **8.** Il est incontestable que cette loi ne **pourra** jamais… – **9.** Tu es sûre qu'elle **comprend** ce qu'on lui a dit ? – **10.** J'imagine que vous **devez** le prévenir s'il y a un changement… – **11.** Trouvez-vous vraiment vraisemblable qu'elle **ait eu** tous les torts… – **12.** …il est peu plausible qu'il **revienne**…

345.

1. Je suis convaincu qu'il la **fera remonter.** / Il est douteux qu'il le **fasse.** – **2.** Je suis persuadé que son réseau **l'aidera.** / Je doute fortement qu'ils **cofinancent** son tour du monde. – **3.** Il est probable qu'ils **ont eu** un contretemps de dernière minute. / Il est possible **qu'ils aient oublié** de recharger leur téléphone. – **4.** Il est vraisemblable qu'ils **continueront** à augmenter. / Il n'est pas sûr qu'ils **redeviennent** raisonnables. **5.** Sois certain **qu'elle** en a envie. / Il n'est pas évident qu'elle **soit** d'accord.

346.

Policier 1 : – M. Martin affirme qu'il **n'est pas sorti** après 20 heures, mais le patron du bistrot dit qu'il **était au bar** jusqu'à 20 h 30 environ. Ne trouvez-vous pas suspect que M. Martin **ne sache plus** où il était à 20 h 30 ?

Policier 2 : – Je ne sais pas… Il est exact qu'ils **n'ont pas dit** la même chose, mais cela ne prouve pas que M. Martin **ait menti**. Un samedi soir, après quelques bières, il est possible qu'il **ait fait** erreur, tout simplement.

Policier 1 : – Ouais… D'autre part, sa copine confirme qu'il **était à la maison** après 21 heures, mais je trouve curieux qu'elle **ait eu l'air troublé** pendant l'interrogatoire. Il se peut qu'elle **ne dise pas la vérité** pour le protéger.

Policier 2 : – En effet, il n'est pas impossible qu'elle **cache** quelque chose, mais quoi ? Ils prétendent tous les deux qu'ils **regardaient** la télévision, mais je trouve peu plausible qu'ils **aient oublié** tous les deux le programme.

Policier 1 : – Vous voyez… Je ne sais pas ce qui **se passe**, mais je suis persuadé que M. Martin **n'est pas** si net que ça !

Policier 2 : – Tu es persuadé, mais tu ne peux rien affirmer. Examinons les autres aspects avant de dire que c'est lui le coupable.

b *Exercice de créativité*

347.

a et **b** *Exercices de créativité*

 Activité de repérage 22

En *italiques* : les éléments réutilisables
En **gras** : les subjonctifs et les expressions qui les précèdent

Renonçons à désespérer ! Prouvons que la France est plus grande que ceux qui aspirent à la diriger. Le système est fatigué, **n'attendons plus que nos dirigeants se mettent** à écouter vraiment la société, passons à l'action !

Il faut que la confiance *revienne !* **Pour que cela se fasse ; il faut qu'**une société civile adulte **entreprenne** des actions d'intérêt général.

Nous tous, associatifs, maires, entrepreneurs, nous qui agissons déjà, *nous portons chacun une part de la solution.* **Donnons aux Français** les outils **pour qu'ils écrivent** ensemble un nouveau roman national.

Unissons par l'action civique les opinions les plus opposées avant que les passions tristes ne **se réveillent**. **Il faut** absolument **que nous coconstruisions** un avenir heureux pour nos enfants **sans que** des idées opposées **nous bloquent**.

Vous tous qui refusez la fatalité et êtes prêts à vous retrousser les manches, signez notre appel **avant qu'il ne soit** trop tard.

348.

Il est ahurissant / stupéfiant que cette œuvre n'ait pas été protégée.
Il est choquant que la direction du musée soit restée muette / n'ait fait aucune déclaration.
Il est honteux que la ministre de la Culture n'ait rien dit.
Il est inimaginable que le Président ne se soit pas ému / n'ait pas rappelé la loi.
Il est inacceptable / invraisemblable que les députés soient restés absents du débat.

Il est navrant / effrayant que les journalistes ne se soient pas scandalisés.

Il est consternant / glaçant que personne n'ait protesté avec force.

Il est intolérable que le texte antisémite soit resté longtemps sur l'œuvre.

Il est incompréhensible / incroyable que l'artiste ait décidé d'intégrer des tags antisémites à son œuvre.

Il est attristant qu'un seul élu et une seule association aient porté plainte.

Mais il est réconfortant et rassurant de voir que la justice a fait masquer les tags antisémites.

349.

ⓐ *Exercice de créativité : quelques propositions :*

A. Big Data

Il est très inquiétant que notre vie puisse être suivie partout par n'importe qui. / Il est inacceptable que nos données soient stockées à notre insu...

B. Les menaces sur le milieu naturel

Il est inadmissible que les chefs d'État ne prennent pas des mesures catégoriques devant l'augmentation de la température. / Il est scandaleux que les mers soient envahies par tous les déchets de l'humanité. / Il est désolant que des hectares de forêts soient détruits...

C. Santé et maladie

N'est-il pas scandaleux que ce soient les pays les plus pauvres qui sont affectés à 90 % des maladies mortelles ? Il est honteux que les personnes riches soient mieux soignées que les pauvres...

ⓑ *Exercice de créativité*

ⓒ *Discussion : exercice de créativité*

350.

1. êtes – **2.** courent – **3.** se rende – **4.** pourra – **5.** fassiez – **6.** demandiez – **7.** ne retrouvera jamais – **8.** sera élu – **9.** avons pu – **10.** auront lieu – **11.** avait réagi *ou* réagissait – **12.** aient pu *ou* puissent – **13.** seront retirés – **14.** l'aies tout fini – **15.** plaise – **16.** soit... fasse – **17.** convienne – **18.** ait – **19.** soit confirmée – **20.** saurai – **21.** viennent – **22.** prennent.

351. Propositions

1. pour que tout **se passe** bien. / pour **avoir** du temps libre. – **2.** afin qu'ils **se sentent** bien. / afin de leur **faire** plaisir. – **3.** à moins que j'**aie** un rendez-vous très important. / à moins de **ne pas avoir** de voiture. – **4.** de peur **qu'il gèle**. / de peur **d'avoir** froid. – **5.** en attendant que le médecin **ait fini** sa visite. / **en attendant de** pouvoir te voir. – **6.** jusqu'à **obtenir** ce qu'il voulait. / jusqu'à ce que la loi soit modifiée. – **7.** à condition que **tu sois** là. / à condition de **pouvoir** te rencontrer. – **8.** avant qu'elle **parte** en Angleterre. / avant de lui **avouer s**on amour. – **9.** de façon à **éviter** tout acte de violence contre lui. / de façon à ce que les manifestants ne **puissent** pas le suivre – **10.** sans **être remarqué**. / sans que la dame **ait conscience** qu'on la volait.

352.

1. tu retrouves / tu aies retrouvé – **2.** elle t'en veuille – **3.** j'aurai terminé – **4.** répare. – **5.** il a été obligé – **6.** nous achetons... nous buvons – **7.** sache – **8.** nous vous entendions – **9.** vous soyez... fassiez – **10.** elle puisse – **11.** il est – **12.** il n'ait pas... / qu'il n'ait pas eu il exigeait – **13.** plaît... se conduit – **14.** ne la reconnaisse – **15.** nous n'avons pas pu – **16.** Réagissent – **17.** ait obtenu... soient si coûteux

353.

1. Sophie est très contente d'avoir obtenu le poste après seulement deux entretiens. – **2.** Les parents d'Axel sont très satisfaits que leur fils ait réussi le bac en juin dernier. – **3.** Jonathan est désolé de ne pas avoir pu venir à ton anniversaire samedi dernier. – **4.** Il est probable que les subventions demandées seront accordées. – **5.** Le patron regrette de ne pas avoir compris le problème de sa secrétaire en avril dernier. – **6.** Nadia est déçue que Hugo ne puisse pas venir le week-end prochain. – **7.** Pourquoi est-il interdit de faire du ski sur cette piste ? – **8.** Le ministre du Travail déclare que le salaire minimum ne sera pas augmenté cette année. – **9.** Les salariés sont satisfaits que le patron leur permette de faire le stage. – **10.** Maëlle a gagné / gagnera assez d'argent pendant ses vacances pour pouvoir partir aux États-Unis. – **11.** Mes parents regrettent que leurs meilleurs amis soient partis habiter si loin. – **12.** Il s'imagine peut-être que les clients accepteront sa proposition. – **13.** Ils iront à Paris le mois prochain pour visiter le musée d'Orsay. – **14.** Les parents interdisent souvent que leur fille sorte seule le soir. – **15.** L'institutrice est très émue que ses élèves lui aient offert un cadeau à la fin de l'année scolaire. – **16.** Julien étudie / a étudié le droit dans le but de devenir avocat. – **17.** Nous ne nous reverrons pas avant que vous ayez pris votre décision. – **18.** L'actrice a refusé de voir les journalistes avant de s'être remaquillée – **19.** Agate travaille / a beaucoup travaillé afin d'être admise dans cette université prestigieuse – **20.** Nous avons réuni assez d'argent et nous avons réussi à organiser une petite fête avant que notre collègue prenne sa retraite.

354. Exercice de créativité

L'expression du temps

⊕ Activité de repérage 23

ⓐ Repérage des expressions de temps

Toutes les **journées** d'été se ressemblent à la plage. Elle est occupée, **jour après jour, vingt-quatre heures sur vingt-quatre**, sans vraie **pause**, par les **vagues** humaines qui **se succèdent**.

Au lever du soleil quelques fêtards et SDF y dorment **encore**, mais pas **pour longtemps**! Les agents municipaux feront le ménage **entre 6 et 7 heures, avant l'arrivée de la foule**. Quelques baigneurs amoureux du calme nageront **une bonne heure** sans être dérangés.

Après leur départ, l'animation s'installera **peu à peu**. **À partir de 7 heures**, les livreurs approvisionneront les petits cafés et, **pendant environ deux heures**, la vie sur la plage sera essentiellement pratique.

Ensuite, les vacanciers arriveront et, **au fur et à mesure**, la plage se couvrira de serviettes et de parasols. **À 11 heures**, les enfants (enduits **toutes les heures** de crème solaire par les parents) feront d'**incessantes** allées et venues dans l'eau, en poussant des cris de joie. Les jeunes passeront **des heures** à améliorer leur bronzage et feront **de longues** parties de ballon.

Après quoi, les pique-niques sortiront **petit à petit** des sacs et les mères obligeront les petits à se cacher à l'ombre **une heure ou deux**. La chaleur amollira l'ambiance **jusqu'à 17 heures. Tout au long de l'après-midi**, les vendeurs de plage proposeront glaces et boissons.

Vers 18 heures, les familles qui sont restées **toute la journée** repartiront passer **la soirée** ailleurs. D'autres tribus s'installeront alors **pour quelques heures** avec apéro et pique-nique. Les jeunes quitteront le bord de l'eau pour les boîtes **après** avoir joué de la guitare et bu des bières **pendant 2 ou 3 heures**.

La nuit descendra doucement et il y aura un **moment** de calme relatif **avant** les visiteurs **du soir**, moins nombreux mais pas **toujours** plus discrets. Les amoureux et les promeneurs **de la nuit** écouteront le rythme **constant** des vagues **alors que** d'autres joueront de la musique **toute la nuit**. Certains trouveront un coin où dormir **quelques heures**.

Et puis l'aube rose annoncera **le début** d'**une nouvelle journée**, semblable aux **précédentes** et aux **suivantes** pour **tout l'été**... Comme **chaque année**.

Classement des expressions de temps

Une action	Deux actions en relation
Date au lever du soleil ; entre 6 heures et 7 heures ; à partir de 7 heures à 11 h ; jusqu'à 17h ; vers 18h ; l'aurore ; le début de	**En même temps** alors que l'une après l'autre
Se répètent jour après jour ; toutes les heures ; chaque année d'incessantes allées et venues ; le rythme constant des vagues	**Se passent l'une après l'autre** après leur départ ; après avoir joué ; … suivantes
	Se passent l'une avant l'autre avant l'arrivée de ; avant d'aller ; avant les visiteurs ; …précédentes
Évoluent progressivement petit à petit	**Progressent en parallèle** au fur et à mesure
Suit une autre puis ; ensuite ; après quoi ; alors ; et puis	
A une durée 24 heures sur 24 ; sans vraie pause ; longtemps ; une bonne heure ; pendant environ 2 heures ; passeront des heures ; tout au long de ; toute la journée ; quelques heures ; pendant 2 ou 3 heures ; toute la nuit ; tout l'été	

b *Exercice de créativité*

355.

a *Les éléments permettant d'organiser les événements dans le temps (compléments circonstanciels, prépositions et conjonctions de temps, marqueurs temporels, date) sont en caractères gras.*
Une femme **vient** d'accéder à la direction d'un des meilleurs hôtels 5 étoiles de la capitale. Delphine Tatour, trente-quatre ans, a effectué toute sa carrière dans l'hôtellerie : elle **débute** au Trianon Palace, hôtel 3 étoiles de Paris, **après** un BTH passé à Bourges. Elle est **ensuite** nommée première attachée de direction féminine à l'hôtel Intercontinental où elle **passe deux ans** et demi **avant de** partir un an au Canada, à l'hôtel Bonaventure. **Enfin,** elle revient à Paris comme directrice adjointe au George V. Elle est présente à la **réouverture** du Scribe **en 2014. Elle vient** d'être choisie pour diriger le Ritz, le fleuron du luxe, **récemment** rénové. Une ascension irrésistible dans un milieu pourtant peu réputé pour son féminisme !

b *Proposition*
Pierre Tronchet est né en 1961. Il a fait une licence de droit et a réussi le concours de la police en 1984. L'année suivante, il a été nommé inspecteur de police à Nevers. De 1988 à 1989, il a effectué un stage dans la police new-yorkaise et en 1990, il est devenu inspecteur de la police criminelle à Dreux. Un an plus tard, à 30 ans, après un nouveau stage, il est devenu inspecteur principal à Lyon. C'est en 1997 qu'il a été promu chef de la police judiciaire au Quai des Orfèvres à Paris. Puis, de 2007 à 2010, il a poursuivi sa carrière comme conseiller au ministère de l'Intérieur. Enfin, en 2016, il a pris sa retraite après avoir été pendant six ans responsable de la police des polices.

356. Exercice de créativité : propositions

1. Hier 16 avril, à 14 heures, une voiture a percuté une moto sur le campus devant le restaurant universitaire. – **2.** Du 8 mai au matin 9 heures, au 15 mai 17 heures, le Conseil de l'Europe se réunira à Strasbourg. Les séances auront lieu de 9 heures à 12 heures et de 14 heures à 17 heures. – **3.** C'est demain, 25 mai, que se déroulera le procès du cambrioleur Pierre Jacquet. Ce dernier avait été arrêté le 8 novembre 2015 et maintenu en prison préventive du 10 novembre 2015 au 24 mai 2016. La peine prévisible pourrait être de trois mois de prison. – **4.** Le syndicat CGT de la SNCF a déposé un préavis de grève qui commencera le 20 juin pour une durée encore inconnue. – **5.** Les départs en vacances approchent. Nous rappelons aux automobilistes que les jours d'encombrement maximum seront les 30 juin et 10 juillet, et les heures les plus chargées de 9 heures à 16 heures. Bison Futé vous conseille donc d'éviter de rouler pendant ces heures-là. – **6.** Le syndicat intercommunal de l'agglomération grenobloise a annoncé la construction de la ligne 5 du tramway. Les travaux débuteront en juillet 2020 et se termineront approximativement quatre ans plus tard.

 ### Activité de repérage 24

Selon la référence temporelle passé, présent, futur, les temps choisis pour exprimer l'antériorité ou la simultanéité voire la postériorité devront tenir compte de ce moment :

Passé → imparfait / plus que parfait

Présent → présent / passé composé / imparfait

Futur → passé composé / présent / futur

Il y a deux ans, cela faisait (il y avait) bientôt dix ans que Patrice avait fondé sa boîte. Cela faisait (il y avait) aussi quelque temps qu'il s'ennuyait. Il a donc revendu l'entreprise.

Aujourd'hui, il ne s'ennuie plus du tout : depuis qu'il s'est séparé de sa première boîte, il s'est lancé dans d'autres projets dont il rêvait depuis longtemps.

Demain, cela fera (il y aura) un an qu'il a fondé sa deuxième entreprise. Depuis quelques mois déjà, les résultats sont prometteurs et il fêtera cela avec ses collaborateurs.

357.

a

Phrases	Référence Présent	Référence passé	Action finie	L'action continue	Expressions de temps	Temps du verbe
1. Il y a une heure, il pleuvait.				X	Il y a	imparfait
2. La pluie a commencé il y a une heure.	X			X	Il y a	passé composé
3. Il pleut depuis une heure.	X			X	depuis	présent
4. Il pleuvait depuis une heure.		X		X	depuis	imparfait

5. La pluie avait commencé une heure plus tôt.		X		X	plus tôt	plus-que-parfait
6. Une heure plus tôt, il avait plu.		X	X		plus tôt	plus-que-parfait
7. Une heure plus tôt, il pleuvait.		X	X		plus tôt	imparfait

b Choix et valeur des temps

Présent et imparfait comportent une idée de durée. Passé composé et plus que parfait contiennent une idée d'accompli ou de brièveté.

	Référence dans le présent = maintenant	Référence dans le passé = à ce moment-là
L'action continue.	Présent	Imparfait
L'action a duré mais elle ne continue pas.	Imparfait	–
L'action est finie et/ou elle a été brève.	Passé composé	Plus-que-parfait
Expressions utilisées	Il y a Depuis	Plus tôt depuis

Cas particulier avec «depuis» + négation

On parle d'une absence de l'action en choisissant une nuance de sens :

1. l'action ne s'est pas accomplie
Référence dans le présent : *Il n'a pas plu depuis des mois.*
Référence dans le passé : *Il n'avait pas plu depuis des mois.*

2. l'absence d'action se prolonge
Référence dans le présent : *Il ne pleut pas depuis des mois.*
Référence dans le passé : *Il ne pleuvait pas depuis des mois.*

358.

1. Il y a (référence dans le présent) deux ans, les jupes étaient bien plus courtes. / **Depuis** deux ans (référence dans le passé), les jupes étaient bien plus courtes. – **2.** Ils ne vont plus sur la Côte d'Azur **depuis** bien longtemps. – **3.** Je l'ai rencontré **il y a** une dizaine d'années. – **4.** Il garde le lit **depuis** plusieurs jours. – **5.** Le facteur a apporté une lettre recommandée **il y a** une heure. – **6.** Elle ne sortait plus car, **depuis** plusieurs jours, il soufflait un vent glacial. – **7.** Quelle pluie ! Quand je pense qu'**il y a** un mois nous étions sur la plage à nous faire bronzer. – **8.** On ne la voyait plus parce que, **depuis** trois semaines, elle était en cure à Luchon.

359.

Le verbe conjugué sert de référence temporelle.
Présent = présent → depuis que + passé composé
Imparfait = passé → depuis que + plus-que-parfait

1. Depuis que le beau temps est revenu, les paysans passent leurs journées dans les champs. – **2. Depuis que Marielle était tombée / avait fait une chute** à ski, elle marchait avec une canne. – **3.** (Passif) **Depuis que le milliardaire a été enlevé**, la police est sur les dents. – **4. Depuis que les voisins étaient partis**, la vie lui semblait bien triste. – **5.** (Passif) **Depuis qu'il avait été élu**, le président voyageait beaucoup. – **6. Depuis que son frère est arrivé**, Patrice est très nerveux. – **7. Depuis qu'elle avait changé d'adresse**, elle ne voyait plus ses anciens amis. – **8. Depuis que la tour avait été construite**, son appartement ne voyait plus le soleil. – **9. Depuis que le bébé est né**, ils dorment très mal. – **10. Depuis que l'hôtel a été rénové**, la clientèle fortunée est e retour.

360.

a **1.** Il y a / voilà / cela fait 8 ans que Baptiste exerce la médecine. – **2.** Il y a / voilà / cela fait cinq ans qu'ils vivent ensemble. – **3.** Il y a / voilà/ cela fait 24 heures qu'elle est à Paris. – **4.** Il y a / voilà / cela fait une semaine qu'il fait beau. – **5.** Il y a / voilà / cela fait des siècles que nos frontières sont stables. – **6.** Il y a / voilà / cela fait 2 ans que nous résidons à La Réunion.

b **1.** L'entreprise s'est informatisée il y a 10 ans. Il y a / cela fait / voilà 10 ans que l'entreprise gère tout par informatique. Depuis 10 ans, l'entreprise gère tout par informatique. – **2.** Mes parents ont rencontré un maître spirituel il y a 5 ans. Cela fait / voilà / il y a 5 ans que mes parents suivent les engagements d'un maître spirituel. Depuis 5 ans, mes parents suivent les engagements d'un maître spirituel. – **3.** Nous avons découvert la danse africaine il y a 5 ans. Voilà / cela fait / il y a 5 ans que nous pratiquons régulièrement la danse africaine. Depuis 5 ans, nous pratiquons régulièrement la danse africaine. – **4.** Vous avez arrêté de fumer il y a 25 ans. Il y a / cela fait / voilà 25 ans que vous ne fumez pas. Depuis 25 ans, vous ne fumez pas. – **5.** Tu as supprimé la télé il y a 5 ans. Il y a / cela fait / voilà 5 ans que tu n'as pas la télé. Depuis 5 ans, tu n'as pas la télé. – **6.** J'ai choisi le chauffage au bois il y a 2 ans. Il y a / voilà / cela fait 2 ans que je me chauffe au bois. Depuis 2 ans, je me chauffe au bois.

361. Reformulation

a 2016

Cela **fait** des heures **que** les passagers avaient enregistré les bagages et **qu'**ils attendaient l'embarquement pour leur vol à destination de Casablanca. L'heure du départ était passée **depuis** longtemps et **il y avait** des heures **qu'**ils réclamaient sans succès des informations. **Il y avait** longtemps **qu'**ils n'avaient ni bu ni mangé et l'angoisse et la colère montaient peu à peu. **Depuis qu'**ils attendaient, chacun avait fait de nombreux commentaires.

b 2013

1. Depuis le temps **qu'**on attend, ce n'est pas normal ! – **2.** On aurait dû partir **il y a** des heures ! – **3. Voilà / cela fait des heures qu'**on ne nous dit rien ! – **4.** Je n'ai rien dans l'estomac **depuis** ce matin ! – **5. Cela fait / il y a trop longtemps qu'**ils nous laissent sans information ! – **6. Cela fait / il y a** une heure **que** le responsable a disparu du guichet ! – **7. Depuis qu'**il est parti, on n'a plus personne à qui s'adresser ! – **8.** Dans cinq minutes, **cela fera / il y aura** exactement six heures **qu'**on attend ! – **9.** Je ne comprends pas, **il y a** des années **que / cela fait** des années **que** je vole avec cette compagnie sans problèmes. – **10. Depuis que** nous sommes arrivés dans cette salle, ma fille a eu une crise d'angoisse !

362.

1. Il y a 2 ans que Madame Arthaud est devenue PDG de Total et qu'elle dirige Total. – **2.** Cela fait 3 ans que mon patron a perdu sa femme et qu'il est veuf. – **3.** Voilà un an que sa sœur a épousé un homme plus jeune. Cela fait un an qu'elle vit avec un homme plus jeune. – **4.** Il y a 8 mois que nous avons créé un dispensaire à Haïti ; cela fait 8 mois que nous nous occupons d'un dispensaire à Haïti. – **5.** Les Chabert ont quitté la France il y a 5 ans ; cela fait 5 ans que les Chabert résident à Bruxelles. – **6.** Il y a 20 ans que je me suis fait couper les cheveux ; voilà 20 ans que j'ai les cheveux courts.

363. Exercice de créativité. Quelques propositions

1. Cela fait cinq ans que nous ne sommes pas allés au cinéma, que César n'a pas eu d'augmentation… – **2.** Voilà un mois que vous n'avez pas fait le rangement ; que vous n'avez pas répondu à ce client…

364.

ⓐ Remarque : « cela faisait » et « il y avait » fonctionnent pour toutes les phrases.

1. Cela faisait cinq ans qu'il avait arrêté de fumer. Il y avait trois ans qu'il avait cessé de boire. Cela faisait deux ans qu'il était devenu végétarien. Cela faisait dix ans qu'il s'était converti au bouddhisme. Il y avait six mois qu'il avait adopté un enfant. Cela faisait deux mois qu'il s'était rasé la tête. – **2.** Cela faisait douze heures qu'ils avaient quitté les lieux / qu'ils s'étaient enfuis en voiture. Il y avait neuf heures qu'ils avaient traversé la frontière belge / huit heures qu'ils avaient rejoint l'aéroport de Bruxelles, sept heures qu'ils s'étaient envolés pour l'Afrique et quatre heures qu'ils avaient disparu après l'atterrissage à Kinshasa. – **3.** À Noël, il y avait quatre semaines qu'Amélie avait disparu / qu'elle s'était évaporée / qu'elle n'avait pas donné signe de vie / n'était pas rentrée, que la police n'avait rien trouvé / avait échoué à la retrouver.

ⓑ *Propositions*

Quand j'ai eu des nouvelles de X, il y avait… qu'… avait adopté un chien ou un enfant ; qu'… avait quitté le pays, sa femme (son mari), son boulot ; qu'… était devenu(e) végétarien, obèse, PDG ; qu'… avait eu une crise cardiaque, qu'il (elle) était mort(e) ; qu'il (elle) s'était tué(e) ; cinq qu'il (elle) était retourné(e) dans son pays, chez sa mère, à l'université ; qu'il (elle) avait écrit une thèse, un roman à succès, un manuel de développement personnel.

365.

ⓐ **1.** Dans un mois, il y aura dix ans que Marie travaille chez nous. Ça mérite une augmentation. – **2.** Le 7 juillet prochain, cela fera cinq ans que mon fils est né. – **3.** Dans quelques jours, il y aura un an que j'ai perdu mon chien. – **4.** Le mois prochain, cela fera dix ans que notre fille adoptive vit avec nous. – **5.** Dimanche qui vient, cela fera trente ans que nous sommes amis. – **6.** Fin août, il y aura cinq ans que le petit Grégory est mort. – **7.** Demain il y aura / cela fera deux ans que nous vivons dans cette belle région.

ⓑ *Exercice de créativité*

366.

ⓐ **1.** En 1999, cela faisait quarante ans que Boris et Sarah **s'étaient mariés**. – **2.** Nous **avions décidé** de quitter la capitale il y a de longues années et nous ne l'avons jamais regretté. – **3.** Le chat **n'était plus sorti dans le jardin** depuis qu'il s'était mis à neiger. – **4.** Il a eu cet accident début 2005 et, depuis, **il a beaucoup de mal à marcher**. – **5.** À Noël, cela fera cinq ans que le pays **a été libéré**… – **6.** Hacène regardait sa montre avec impatience, car cela faisait presque une heure qu'il **attendait sa copine**. – **7.** À la fin du mois, cela fera dix ans que Maria **travaille** pour la famille Aichoun. – **8.** Voilà un certain temps que je **n'ai pas reçu** de nouvelles de ma sœur. – **9.** Voilà des jours qu'il **se plaint** du bruit. – **10.** Cela fait des milliards d'années que le Big-Bang **a eu lieu**.

ⓑ 1. Il y a /cela fait quinze jours que papa m'a promis un nouveau téléphone et je ne vois toujours rien venir. – **2.** Il n'était pas retourné à la messe **depuis qu**'il avait célébré sa première communion. – **3.** Quand il est tombé malade, **il y avait / cela faisait** très longtemps **qu**'il négligeait sa santé. – **4. Depuis qu'**ils avaient reçu cette mauvaise nouvelle, ils étaient effondrés. – **5.** Nous avons brusquement réalisé que nous n'avions pas vu nos cousins **depuis leur** déménagement. – **6. Il y a / cela fait / voilà** une semaine **que** tu le sais et tu ne m'as rien dit ? – **7.** Il a arrêté de travailler **il y a** cinq ans pour élever leurs enfants. – **8.** On ne te reconnaît plus **depuis que** tu fréquentes des gens importants !

367.

1. Ils s'en vont **pour** un semestre au Canada. – **2.** Elle te téléphonera **pendant** la matinée. – **3.** Je vous envoie **pour** un mois en stage dans une entreprise allemande. – **4.** Retéléphonez la semaine prochaine, ils sont **pour** quelques jours à Paris. – **5.** Nous allons jouer aux cartes **pendant** la soirée ; voulez-vous vous joindre à nous ? – **6.** Il restait [**pendant**] des heures immobile à la fenêtre à contempler le ciel. – **7.** Il est nommé **pour** une durée indéterminée au Quai d'Orsay. – **8.** Chaque année, elle partait [**pendant**] trois semaines au Club Méditerranée – **9.** Il a été gardien [**pendant**] plusieurs années dans cet immeuble. – **10.** Un incident technique s'est produit **pendant** l'atterrissage.

368.

1. Je reviens **dans** cinq minutes. – **2.** Il a fait l'aller-retour **en** une heure. – **3.** Ce devoir doit se faire **en** temps limité. – **4.** Patiente un peu, j'aurai terminé **dans** quelques minutes. – **5.** Il avait réalisé ce film **en** un temps record. – **6.** Je n'aurai jamais cru qu'**en** si peu de temps il fasse tant de progrès. – **7.** Il a pris cette décision **en** trois secondes. – **8.** Il a bâclé son travail **en** un quart d'heure. – **9.** Autrefois, on allait à Paris **en** une journée ; maintenant, on y va **en** trois heures et demie ; **dans** quelques années, on s'y rendra sans doute **en** moins de trois heures. – **10.** On commence à construire ici et, **dans** une décennie, cet endroit sera sans doute méconnaissable.

369. Exercice de créativité. Quelques propositions
– se doucher / s'habiller / se coiffer…
– cuisiner / ranger / faire le ménage…
– surfer sur le Net / consulter ses mails / téléphoner…

370.
1. f. – **2.** d. – **3.** e. – **4.** a. – **5.** c. – **6.** b.

371.
1. J'ai le cœur qui bat chaque fois que je monte l'escalier / toutes les fois qu'il me regarde. – **2.** Il ne dort pas de la nuit toutes les fois qu'il s'est disputé avec sa femme / chaque fois que son patron le convoque pour le lendemain. – **3.** Tu dors comme un bébé chaque fois que tu as fait une randonnée en montagne / toutes les fois que nous passons un week-end à la campagne. – **4.** Ils ont le trac chaque fois qu'ils entrent en scène / toutes les fois que le public est lent à réagir. – **5.** Vous rougissez chaque fois que vous prenez la parole en public / toutes les fois qu'on vous

critique. – **6.** Ils perdent leur calme chaque fois qu'on leur fait des remarques / toutes les fois que leur équipe de foot perd un match.

372.

On peut utiliser les deux expressions pour chaque phrase.

1. À mesure que l'éducation progressera, la violence diminuera. – **2.** Les sauveteurs perdent l'espoir de retrouver les alpinistes vivants au fur et à mesure que le temps passe. – **3.** Le réchauffement climatique augmente à mesure que la population et la pollution augmentent. – **4.** Les esprits se sont échauffés au fur et à mesure que les invités buvaient abondamment. – **5.** À mesure que l'incendie se rapprochait, les habitants devenaient plus nerveux. – **6.** Est-il bien vrai que nous devenons plus sages au fur et à mesure que nous vieillissons, comme le disent certains philosophes ?

373.

1. Au moment où j'ai voulu payer à la caisse. – **2.** Simplement **à l'instant où** je démarre. – **3. Le jour où** la Banque de France a été cambriolée. – **4.** Elle est en effet arrivée **à la seconde** précise **où** son fiancé embrassait Françoise. – **5. Au moment où** je m'apprêtais à ouvrir la porte d'entrée. – **6.** Oui, car je suis passé **à la seconde où** le feu devenait orange. – **7.** Vous donnerez l'argent **le jour où** nous aurons fixé un rendez-vous avec le vendeur. – **8.** C'est vrai que j'ai tiré **à la seconde où** j'ai cru qu'il allait me tuer.

374.

Remarque : les expressions « pendant que », « tandis que » et « alors que » peuvent exprimer soit la durée simple (j'ai eu l'information pendant que j'étais au bureau), soit l'opposition simple (il est grand alors qu'elle est minuscule), soit les deux (elle rêvasse tandis que les autres prennent des notes). C'est la situation et le vocabulaire choisi qui l'indiquent.

ⓐ 1. Quelle chance de suivre des cours de langue, **alors que** d'autres font des petits boulots ! – **2.** Quelle veine de jouer de la guitare **pendant que** d'autres sont gardiens de nuit ! – **3.** Quel bonheur de séjourner chez ses parents le week-end **alors que** d'autres ont un job d'appoint ! – **4.** Quel plaisir de siroter un apéro en terrasse **pendant que** d'autres finissent de taper un rapport ! – **5.** Quel délice de faire les boutiques **pendant que** mon mari travaille !

ⓑ 1. Quelle malchance de faire des petits boulots pendant que d'autres suivent des cours ! – **2. Quelle déveine** d'être gardien de nuit alors que d'autres peuvent jouer de la guitare ! – **3. Quel malheur** d'avoir un job le week-end tandis que d'autres séjournent chez leurs parents ! – **4. Quelle corvée** de taper un rapport alors que d'autres sirotent un apéro ! – **5. Quelle punition** de travailler alors qu'elle fait les boutiques !

ⓒ *Exercice de créativité*

375.

ⓐ 1. j'aurai arrêté les somnifères / quitté Facebook / simplifié mon organisation / fini les travaux de la maison / escaladé le mont Aiguille/ dit « merde au tabac » / emmené les enfants en Afrique. Je serai devenu zen / arrivé à écrire ma thèse / allé contempler les étoiles.
Je me serai rasé le crâne / intégré dans mon nouveau quartier / mis au bio / fait tatouer.

2. Je veux avoir arrêté les somnifères / avoir quitté Facebook / avoir simplifié mon organisation / avoir fini les travaux de la maison/avoir escaladé le mont Aiguille / avoir dit « merde » au tabac / avoir emmené les enfants en Afrique.
Je veux être devenu zen / être arrivé à écrire ma thèse / être allé contempler les étoiles.

Je veux m'être rasé le crâne, m'être intégré dans mon nouveau quartier / m'être mis au bio / m'être fait tatouer.

ⓑ *Exercice de créativité*

376.

1. Je vous téléphonerai **avant que** vous (ne) partiez. – **2. Avant que** les impôts augmentent, le Premier ministre a convoqué le Conseil. – **3. Avant de** démarrer, vous devrez mettre au point mort. – **4.** Il avait rassemblé toutes ses troupes **avant d'**envahir les Pays-Bas. – **5. Avant que** le prisonnier ne s'évade, son complice lui avait fait parvenir des armes. – **6. Avant que** l'avion atterrisse, les passagers bouclent leur ceinture. – **7.** Personne ne le soupçonnait **avant qu'**il avoue – **8.** Il faut demander un permis **avant de** construire une maison. – **9.** Le patron a pris soin de régler toutes les formalités **avant de** partir.

377.

ⓐ Aurore a quitté Victor :

1. avant l'été – **2.** avant de s'ennuyer – **3.** avant de le détester – **4.** avant qu'il devienne autoritaire. – **5.** après qu'ils ont voyagé ensemble en Sicile – **6.** après avoir rencontré Antonio / après sa rencontre avec Antonio – **7.** après que Victor l'a trompée – **8.** après avoir compris que Victor ne changerait pas.

ⓑ *Exercice de créativité*

378.

1. Aussitôt que le film a commencé, les gens se sont tus. – **2. À peine** Océane sera-t-elle arrivée **qu'**il cessera de bouder. – **3. Dès que** le soleil brille, elle s'installe dehors pour bronzer. – **4. À peine** avait-il trouvé des informations intéressantes **qu'**il les communiquait à ses collègues. – **5. Aussitôt que** Gilles parle politique, c'est la dispute dans la maison. – **6. Une fois que** le garagiste a remonté la roue, il a fait la facture. – **7. Une fois qu'**il avait fini ses corrections, il partait se promener. – **8. Une fois qu'**il avait labouré et préparé la terre, il semait le blé.

379.

1. Aussitôt qu'il a activé le système d'alarme, le directeur a quitté la banque. **Avant de** quitter la banque, le directeur a activé le système de sécurité. – **2. Après** être sortis de prison / **À peine** sortis de prison / **Dès qu'**ils sont sorti de prison, les malfaiteurs ont commis un nouveau braquage. – **3. À peine** l'alarme s'est-elle déclenchée **que** la police est arrivée. La police est arrivée **dès que** l'alarme s'est déclenchée / **aussitôt après** le déclenchement de l'alarme. – **4.** L'alerte enlèvement a été déclenchée **immédiatement après** que la disparition du petit Prosper a été signalée / **après** le signalement de la disparition du petit Prosper. – **5. Dès que / une fois que** l'identité des terroristes est connue, il est plus facile de les retrouver. **Avant de** retrouver les terroristes, il faut connaître leur identité. – **6. Depuis** le début de la grève des pilotes / **Depuis que** la grève des pilotes a commencé il y a cinq jours ; la compagnie a annulé 900 vols. – **7.** La fédération a éliminé le cycliste de la compétition **après** un contrôle positif au dopage. **Avant d'être** éliminé de la compétition par la fédération, le cycliste avait eu un contrôle de dopage positif. – **8.** Les négociations de paix dureront une semaine (minimum) **jusqu'à ce qu'**elles se terminent par un accord. Les négociations se sont terminées par un accord **après** une semaine. – **9. Quand / Dès que / Aussitôt que** l'accord aura été signé par toutes les parties, les Casques bleus se mettront en place. Les Casques bleus se mettront en place **dès (aussitôt)** après la signature de toutes les parties. – **10.** Le président se retirera de la vie publique **avant de** se lancer dans l'écriture de ses mémoires. **À peine** le président aura-t-il quitté la vie publique **qu'**il se lancera dans l'écriture de ses mémoires. Le président se lancera dans l'écriture de ses mémoires **une fois qu'**il aura / après avoir quitté la vie publique.

380. Propositions

1. L'avion a décollé **dès qu'il en a reçu l'autorisation**. – **2.** Je te raconterai tout **quand nous nous reverrons**. – **3.** Il a fait du sport **pendant que sa femme apprenait la couture**. – **4.** Il écrivait une thèse **en attendant qu'un poste de sa spécialité soit créé**. – **5.** Nous ne passerons pas à table **tant que les enfants ne se seront pas lavé les mains**. – **6.** Il n'a pas dit un seul mot **lorsque sa femme a fait ces déclarations stupides**. – **7.** Il ne vous donnera pas d'autorisation de sortie **maintenant que vous vous êtes conduit de cette façon**. – **8.** Il avait décidé de partir au Togo **quand la guerre a éclaté**. – **9.** Il faudra que vous suiviez un régime sévère **jusqu'à ce que vous ayez perdu quinze kilos**. – **10.** Elle s'était maquillée soigneusement **après avoir pris un bain**.

381. Propositions

1. Nous prendrons patience **en attendant que** le magasin ouvre. – **2.** Je lirai un peu **jusqu'à ce que** tu sois prête. – **3. Une fois que** tu auras fini, nous pourrons partir. – **4.** Il a changé d'avis **après avoir étudié** le dossier. – **5.** Il a dit n'importe quoi **avant de savoir** quel était le problème. – **6.** Nous devrions tout ranger **avant que** les invités arrivent. – **7.** Un peu de courage ! Tu sais bien que nous devons travailler **jusqu'à** six heures. – **8.** Il serait plus prudent de partir **avant** la nuit. – **9.** J'ai compris ce qu'il voulait vraiment seulement **au moment où** Marie m'a expliqué sa pensée. – **10.** J'ai horreur de sortir du lit tôt, surtout l'hiver **avant** le lever du soleil. – **11.** Ils sont sortis de la pièce **après que / dès que** nous sommes arrivés. – **12. Aussitôt que** la voiture sera réparée, nous filerons dans le Midi. – **13. À peine arrivés** à la maison, ils se sont précipités pour piller le frigo. – **14.** La jeune fille gardera le bébé **jusqu'à ce que** les parents reviennent du cinéma. – **15.** Je te le répéterai **aussi longtemps que** tu n'auras pas pris la décision d'arrêter de fumer.

382.

ⓐ 1. Tous les jours, elle allait courir au parc **avant d'**aller au bureau. – **2. Chaque fois qu'**elle courait, elle faisait provision de calme. – **3. Pendant une demi-heure**, elle ne vivait plus que dans ses sensations. – **4.** Déjà, **après cinq minutes** de course, son cerveau s'arrêtait de bavarder. – **5. Une fois que** les muscles étaient vraiment chauds, une régularité s'installait. – **6. À mesure que** le temps passait, elle perdait la sensation d'effort. – **7. Quand** elle avait atteint son vrai rythme, le plaisir venait. – **8. Au bout** de vingt minutes, l'euphorie la prenait. – **9.** Elle profitait pleinement de la beauté du parc **jusqu'au moment où** elle devait s'arrêter pour aller au bureau. – **10. Après** avoir couru, elle se sentait sur un petit nuage et travaillait sans pression.

ⓑ *Exercice de créativité : propositions*

1. ça me rappelle **quand** j'étais petite dans les landes et que Mamy m'emmenait **tous les jours / le plus souvent possible / chaque fois que je voulais / quand il faisait beau** à la plage. Et aussi **le jour où / l'été où / la fois où** on a rencontré ce drôle de type. J'avais eu peur et j'ai fait des cauchemars **pendant une semaine / tout l'été / très longtemps**...

2. j'ai besoin d'un sucre **immédiatement / tout de suite / sans attendre / le plus vite possible** ! mmm, je m'offrirai un gâteau en rentrant **tout à l'heure / dans une heure / dès que je verrai une boulangerie**. Oui, mais **quand** j'aurai encore grossi, je serai furieuse ! Bon, je boirai seulement une eau minérale **après la course / quand je m'arrêterai / dès que je serai à la voiture**...

3. J'ai couru seulement **cinq, dix minutes** ! Je ne suis pas du tout en forme, je m'arrêterai **dans** cinq minutes, exceptionnellement. Et cet après-midi, je ferai **une heure** de sieste.

4. depuis cinq minutes / depuis que je suis arrivée ici, c'est trop délicieux ! Travailler le **reste de ma vie / encore des années / jusqu'à ma retraite toute ma vie** dans un bureau, ce n'est plus possible ! j'étudie **dès demain / ce soir / ce week-end** un plan de reconversion ! Si je me débrouille bien, **dans un an / dans peu de temps**, j'aurai des gites ruraux en Dordogne.

383.

a *Exercice de créativité*

Quelques suggestions :

La vie de Michel est très régulière, voire monotone, car ses horaires de travail sont répétitifs. La vie de Basile enchaîne les plaisirs dans une ronde qui a aussi un côté répétitif. La vie de Danièle est plus variée, car travail et séquences de convivialité se succèdent tous les jours au cours de la même journée.

Quelques exemples pour Michel

Quand Michel entre à l'usine à 7 h, il est debout depuis une heure et a fait trente minutes de métro. Michel se prépare très vite le matin et aussitôt saute dans le métro. Entre 7h et 7 h 30, les ouvriers ont le temps de se changer et de saluer leurs collègues avant de se mettre à travailler sur les machines. La pause-café dure un petit quart d'heure, après quoi il retourne à son poste. À la sortie de l'usine à 18h, c'est le moment pour un pot partagé avec les collègues.

Quelques exemples pour Danièle

Danièle a besoin de huit heures de sommeil et adore se réveiller avec une demi-heure de zumba dynamique. Comme elle passe beaucoup de temps à la salle de bains, elle boit sa théière quotidienne en se préparant. Son travail a l'air cool, mais en fait elle travaille sept à huit heures par jour. Elle commence toujours sa journée par un long moment sur l'ordinateur et au téléphone. Le matin, elle reçoit les metteurs en scène avec qui elle travaille. Les séances de travail peuvent être longues. L'après-midi, elle se concentre au moins trois heures sur le travail d'écriture.

Quelques exemples pour Basile

Basile émerge définitivement du sommeil à 14h. Il faut dire qu'il se couche généralement quand les autres se lèvent, après une longue succession de festivités. Il lit le quotidien du jour en buvant trois expressos pour rester connecté avec la marche du monde. Ses coups de fil lui permettent de définir le programme en général chargé de sa journée, c'est à dire surtout la nuit. Entre 1h et 4 h, Basile s'éclate en dansant comme un dingue dans diverses fêtes.

Quelques exemples pour comparer les trois

Tandis que Michel dîne chez lui, Danièle prend l'apéritif à la cafétéria des studios. C'est aussi l'heure de l'apéro pour Basile. Michel, lui, l'a pris plus tôt. Pour se détendre, Danièle aime danser le matin et faire une séance de relaxation en fin de journée. Michel préfère passer une heure avec un jeu ou une série télé. Quant à Basile, il ne cesse de se relaxer, mais c'est un sacré travail !

b **Dès** mon réveil **à 7h15**, je consulte mails et SMS **en me dirigeant** vers la salle de bains : ouf, tout va bien. **À peine** sorti de la douche, je réveille les enfants **tout en pianotant** sur Autolib pour réserver une voiture **d'ici à 40 minutes**. J'avale un café **pendant que** mon fils m'explique une technique de concentration vue en cours. Pas le temps de discuter de leur **journée à venir**, chacun a deux minutes pour préparer ses affaires. Nous dévalons l'escalier **en trente secondes**. **Une fois** les enfants attachés dans le véhicule, je me faufile dans l'heure de pointe **en écoutant** leur joyeux bavardage. **Dès qu'**ils sont à l'école, je troque la voiture pour un vélo. Je pédale **à toute vitesse** et, **en même temps**, je récapitule mon programme du jour. **Quand** j'arrive au travail, j'ai **déjà** géré une petite centaine d'activités souvent simultanées et cela continuera **toute la journée**. **Parfois**, je me demande si je saurais **encore** me concentrer sur une seule activité **à la fois** pendant **cinq minutes d'affilée**.

384. Propositions

1. Le garagiste réparait les freins… **en même temps que / pendant que / tandis que** son ouvrier changeait une ampoule… – **2.** Le mari de Léa avait demandé une année de congé… **avant qu'ils partent en Inde / avant de** partir en Inde / **avant** leur départ en Inde. – **3. Dès qu'il / aussitôt qu'il / le jour où** il a aperçu sa femme dans les bras d'un autre, il a demandé le divorce. – **4. Après avoir loué** une voiture, tu pourras partir visiter… / Tu pourras partir visiter la région **dès que / après que** tu auras loué une voiture. – **5. Dès qu'elle / aussitôt qu'**elle a pris un somnifère, elle s'est endormie / **Après avoir pris** un somnifère, elle s'est endormie très vite. / Elle a pris un somnifère et elle s'est endormie **tout de suite après.** – **6. Dès que / chaque fois que** je lui faisais une remarque, elle se mettait en colère. – **7.** Ils sont arrivés à la gare juste **au moment où / à l'instant où / juste quand** le train partait / **juste au moment du départ** du train. – **8.** La villa des Dugrand a été cambriolée **pendant qu'**ils étaient en voyage au Brésil. / Les Dugrand étaient en voyage au Brésil et **pendant ce temps-là** leur maison a été cambriolée / et leur maison a été cambiolée **pendant** leur absence. – **9.** Il n'a pas plu **depuis qu'elle** a déménagé à Nice / **depuis** son déménagement à Nice. – **10.** Le feu a pris dans les combles… **juste au moment où** le ténor commençait son grand air. / Le feu a pris **dès le commencement** du grand air du ténor. – **11.** Le mari de Sonia fait le repassage **en attendant q**u'elle rentre du marché / **en attendant** son retour du marché. – **12.** Une voiture l'a renversé **(juste) au moment où / à l'instant où** il s'est retourné… – **13.** Tous les spectateurs se lèvent et quittent la salle **dès que / aussitôt que** le film se termine / **dès la fin du film / sitôt** le film terminé. – **14.** Bonne nouvelle pour les fonctionnaires, leur salaire va augmenter **à partir du / dès** le premier janvier. – **15. Depuis qu'il** mange moins, il a beaucoup maigri. – **16. Dès** la rupture des relations diplomatiques de la Syldavie avec le Ravadjistan, le gouvernement a demandé à… de quitter le pays. **Dès que / aussitôt que** les relations diplomatiques ont été rompues… – **17.** Carole n'a plus pu faire de ski **après / depuis** sa chute dans l'escalier / **depuis qu'**elle est tombée dans… – **18.** Cela faisait dix ans qu'ils vivaient ensemble, ils ont décidé de se marier. / Ils ont décidé de se marier **après dix ans de vie commune.** – **19. Avant qu'**Aude et Sylvain Texier partent / **avant** le départ d'Aude et Sylvain Texier au Canada, leurs amis avaient préparé une fête… – **20. Pendant que / en même temps que / tandis que** les charpentiers travaillaient… les maçons montaient un mur…

385. Exercice de créativité

Le discours rapporté

Liste des verbes basiques présents dans les exercices 386 à 395

Annoncer /affirmer/dire/déclarer/ Observer/murmurer/prétendre	Promettre/garantir/ certifier
Souhaiter/ordonner/prier de /exiger	Demander/vouloir/savoir Répondre/accepter/ admettre/reconnaître/ avouer/refuser/nier/démentir

⊕ Activité de repérage 25

Camus utilise deux techniques pour rapporter les paroles :
– le style indirect avec le verbe introducteur au passé ce qui amène de nombreuses modifications par rapport au dialogue au présent.
– la citation de paroles directes, entre guillemets et accompagnées d'un verbe placé avant ou après la citation :

Exemple : « Pourquoi m'épouser alors ? », a-t-elle dit
– on trouve aussi des commentaires qui explicitent les éléments non verbaux :

Exemple : « comme je me taisais, n'ayant rien à ajouter, elle m'a pris le bras en souriant et... »

Tableau complet du dialogue a), b) et c)

Discours rapporté au passé (citations et style indirect)	Discours direct au présent « ... »
Marie m'a demandé si je voulais me marier avec elle.	Veux-tu / est-ce que tu veux te marier avec moi ?
J'ai dit que cela m'était égal et que nous pourrions le faire si elle le voulait.	Ça m'est égal ; si tu veux on pourra se marier.
Elle a voulu savoir alors si je l'aimais.	Tu m'aimes/ est-ce que tu m'aimes ?
J'ai répondu ...que cela ne signifiait rien, mais que sans doute je ne l'aimais pas.	Ça ne signifie rien ; sans doute, je ne t'aime pas.
« Pourquoi m'épouser alors ? » a-t-elle dit.	Alors, pourquoi m'épouser ?
Je lui ai expliqué que cela n'avait aucune importance et que si elle le désirait nous pourrions nous marier. »	Ça n'a aucune importance, si tu le désires nous pourrons nous marier.
Elle a observé alors que le mariage était une chose grave.	Mais le mariage est une chose grave.
J'ai répondu : « non ».	Non.
Elle voulait simplement savoir si j'aurais accepté la même proposition d'une autre femme à qui je serais attaché de la même façon.	Est-ce que tu aurais accepté la proposition d'une autre femme à qui tu serais attaché comme à moi ?
J'ai dit : « Naturellement ».	Naturellement.

Elle s'est demandé alors si elle m'aimait, moi.	Et moi, est-ce que je t'aime ?
Je ne pouvais rien savoir sur ce point.	Ça je ne peux pas le savoir.
Elle a murmuré que j'étais si bizarre qu'elle m'aimait sans doute à cause de ça mais que peut-être un jour je la dégoûterais pour les mêmes raisons.	Tu es très bizarre ; c'est sans doute pour ça que je t'aime mais peut-être qu'un jour ce sera aussi à cause de ça que tu me dégoûteras.
Elle a déclaré qu'elle voulait se marier avec moi.	Bon je veux me marier avec toi.
J'ai répondu que nous le ferions dès qu'elle le voudrait.	D'accord dès que tu voudras.

d *Exercice de créativité*

386.

1. Arthur demande à son frère si les voisins sont rentrés. – **2.**Clément dit qu'il fait très froid. – **3.** Le passant demande quelle heure il est. – **4.** Le policier ordonne aux manifestants de se disperser. – **5.** Elle demande pourquoi ce bébé pleure tant. – **6.** Il ordonne aux élèves de se taire. – **7.** Il voudrait savoir combien le client a payé la réparation de la voiture. – **8.** Madame Rouvel demande qui a cassé la sonnette. – **9.** Le pompier demande au public d'évacuer la salle. – **10.** Il veut savoir ce que les enfants mangent à quatre heures. – **11.** Elle se demande ce qui a bien pu faire ce bruit.

387.

1. Ils nous disent que nous devons partir. – **2.** Elle me dit que je lui mens. – **3.** Pierre me promet que son patron essaiera de faire quelque chose pour ma fille. – **4.** Ils nous font savoir que leur voiture est tombée en panne à quelques kilomètres de chez nous. – **5.** Le ministre déclare qu'ils régleront ce problème quand ils auront étudié les dossiers. – **6.** Elle leur affirme qu'ils réussiront certainement. – **7.** Vous nous dites que vous ne pourrez pas venir nous aider. – **8.** Ma mère me répète tout le temps qu'il ne faut pas que je sorte seule le soir. – **9.** Les étudiants déclarent au maire qu'ils feront leur manifestation même s'il l'interdit. – **10.** Ethan me dit qu'il n'est pas d'accord avec moi.

388.

1. Le fils à Juliette : « **Mon** père **me** demande si **je** pourrais mettre **ses** lettres à la poste. »

2. Blaise à Kévin : « Nicolas **me** dit qu'**il** a rencontré **mes** parents chez **son** oncle. »
Kevin à Luigi : « Blaise **me** dit que Nicolas a rencontré **ses** parents chez **son** oncle / l'oncle de Nicolas. »

3. Madame T. à sa voisine : « **Je** dis à **ma** fille qu'elle **me** rapporte une laitue et une douzaine d'œufs si **elle** va au marché. » / « **Je** dis à **ma** fille de **me** rapporter une laitue et une douzaine d'œufs, si **elle** va au marché. »
La fille à une amie : « **Ma** mère **me** demande de **lui** rapporter une laitue et une douzaine d'œufs, si **je** vais au marché »

4. Lucas à son père : « Lucas **me** demande si **je me** souviens du jour où **il m'**avait enfermé dans la cave. »
Lucas à Coline : « Je demande à Sacha **s'il se** souvient du jour où **je l'avais** enfermé dans la cave. »

5. Bob à Louise : « Raphaël **me** dit qu'**il** a oublié de **te** souhaiter **ton** anniversaire et qu'il ne sait pas comment **se** faire pardonner. »

Louise à sa mère : « Raphaël dit à Bob qu'**il** a oublié de **me** souhaiter **mon** anniversaire et qu'**il** ne sait pas comment **se** faire pardonner. »

6. Un parisien à sa femme : « Le journaliste annonce que tous les trains sont en grève et **il nous** recommande d'éviter de prendre **notre** voiture. »

Un Belge à un collègue : « Le journaliste français annonce que tous les trains sont en grève et **il** recommande aux Parisiens d'éviter de prendre **leur** voiture. »

389.

ⓐ Madame Legrand vous dit d'aller chercher les enfants à l'école. Vous leur expliquerez qu'elle doit partir quelques jours avec leur père pour leur travail. Elle vous laisse / laissé sa voiture pour que vous perdiez moins de temps. Elle vous a donné ses clés et vous a demandé si vous aviez bien votre permis de conduire. Il faut que vous rappeliez à Océane qu'elle doit prendre ses médicaments parce qu'elle a tendance à les oublier. Charles doit penser à rapporter son survêtement.

ⓑ Votre mère me charge de vous dire qu'elle doit partir quelques jours avec votre père pour leur travail. Océane, elle me demande de te rappeler de prendre tes médicaments parce que tu as tendance à les oublier et à toi, Charles de penser à rapporter ton survêtement.

390.

1. Vous avez dit qu'il passait vous voir tous les soirs ? – **2. Vous saviez qu'il était parti** en voyage et **qu'il ne reviendrait** pas avant huit jours ? – **3. Ils disaient que** les cyclistes **étaient arrivés** en bus et **qu'ils seraient bientôt repartis. – 4. Il a prétendu qu'il avait** tout de suite compris la vérité. – **5. On a raconté que nous vendrions** la ferme quand notre père **serait mort. – 6. Je t'ai affirmé qu'elle t'aimait et qu'elle viendrait** à ton rendez-vous. – **7.** Elle a **dit qu'elle préférerait** des fleurs. – **8. Tu as dit qu'il avait réussi** son permis de conduire et **qu'il allait** s'acheter une moto.

391.

1. Le fonctionnaire **expliqué à l'étudiant qu'il fallait** d'abord aller à la préfecture. – **2.** Le graffeur **a expliqué aux policiers qu'il ferait** ce qu'**il lui plairait** quand **il lui plairait. – 3.** La radio **a annoncé qu'on n'avait pas retrouvé** le tableau. – **4.** Ce soir-là, les responsables disaient **qu'ils ne seraient** pas absents longtemps. – **5.** Le journaliste **a écrit que les terroristes s'étaient enfuis** avec une voiture volée et **qu'ensuite ils l'avaient abandonnée. – 6.** La radio **a annoncé que les policiers avaient cherché** partout les enfants perdus, mais **qu'ils ne les avaient pas trouvés. – 7.** Le ministre **a déclaré que** les habitants de ce village **seraient relogés. – 8.** L'entreprise **a affirmé qu'ils n'étaient pas** responsables.

392.

1. Il lui **a affirmé qu'il embauchait** aussi les femmes. – **2.** Elle **m'a dit qu'il venait** dîner là tous les soirs. – **3.** Tu **m'avais dit qu'il était venu et qu'il était reparti** tout de suite. – **4.** Il me **disait que Gilles s'était levé** à cinq heures, **qu'ensuite il était parti et qu'on ne l'avait pas revu. – 5.** Claude **m'a dit qu'il n'avait pas osé** avouer à sa famille qu'il avait perdu son emploi. – **6.** Elle **m'a expliqué qu'ils allaient partir** pour un mois à la mer **quand Coline serait revenue** de son stage. **7.** Sa mère **m'a dit qu'ils avaient décidé** de ne plus se voir parce qu'ils n'avaient plus rien à se dire. – **8.** Je crois qu'il **a dit que,** quand maman **aurait consulté** ses messages, **elle pourrait** te donner un coup de main.

393.

Message au style direct	Message rapporté peu de temps après	Message rapporté longtemps après
10 octobre 2012, le matin Dimitri à Nicolas : « J'en ai vraiment assez de ce travail. Hier, encore, rien n'était prêt pour la rentrée ; je vais changer de boulot ! »	10 octobre 2012, le soir Nicolas à Lise : Dimitri m'a dit, ce matin, qu'il en a / avait assez de ce travail, qu'hier, encore, rien n'était prêt pour la rentrée et qu'il va / allait changer de travail.	20 septembre 2015 Nicolas parle de Dimitri à Marc : Ce jour-là, Dimitri m'avait dit qu'il en avait assez de ce travail, que la veille encore rien n'était prêt pour la rentrée et qu'il allait changer de travail.
1er juin 2013 dans la matinée Sébastien à Nathalie : « Quelle histoire ! Le week-end dernier, Jacques a failli être tué dans un carambolage sur l'autoroute. »	1er juin 2013 au dîner Nathalie parle de Jacques à son mari : Ce matin, Sébastien m'a appris que Jacques a failli être tué dans un carambolage sur l'autoroute, le week-end dernier.	28 septembre 2016 Nathalie parle de Jacques à Marie : Il y a un peu plus d'un an, Sébastien m'avait appris que Jacques avait failli être tué, le week-end précédent dans un carambolage sur l'autoroute.

394.

1. Paul **dit** à sa mère **qu'il aime** le chocolat. / Paul **a dit** à sa mère **qu'il aimait** le chocolat. – **2.** Emma **dit** à ses amis **qu'elle n'ira** pas au cinéma. / Emma **a dit** à ses amis **qu'elle n'irait** pas au cinéma. – **3.** Alain **demande** à Yasmina **si elle viendra** avec lui. Elle lui **répond** qu'elle **ne peut** pas. / Alain **a demandé** à Yasmina **si elle viendrait** avec lui. Elle **a répondu** qu'elle ne pouvait pas. – **4.** Yves **demande** à Corentin **si sa mère est arrivée**. Il **répond qu'elle n'est pas encore arrivée**. / Yves **a demandé** à Corentin **si sa mère était arrivée**. Il a répondu qu'elle **n'était pas encore arrivée**. – **5.** Philippe **demande** à sa sœur **qui est venu**. / Philippe **a demandé** à sa sœur **qui était venu**. – **6.** Jade **demande** à Sylvie **qui partira** avec elle. / Jade **a demandé** à Sylvie **qui partirait** avec elle. – **7.** Nathan **demande** à Rose **ce qu'elle veut**. / Nathan **a demandé** à Rose **ce qu'elle voulait**. – **8.** Arthur **demande** à Lucas **ce qui s'est passé** et **de quoi nous parlions**. / Arthur **a demandé** à Lucas **ce qui s'était passé** et **de quoi nous parlions**. – **9.** Camille **dit** à son mari **de ne pas partir** tout de suite. / Camille **a dit** à son mari **de ne pas partir** tout de suite. – **10.** Yves **demande** à Marc **à qui elle a téléphoné** et **pourquoi elle a fait ça**. / Yves **a demandé** à Marc **à qui elle avait téléphoné** et **pourquoi elle avait fait** ça. – **11.** Claude **demande** à Marc **quelle était** sa fleur préférée. / Claude **a demandé** à Marc **quelle était** sa fleur préférée. – **12.** Rémi **dit** à ses amis **d'entrer** vite. / Rémi **a dit** à ses amis **d'entrer** vite. – **13.** Luc **demande** à ses voisins **où ils iront** en vacances. / Luc **a demandé** à ses voisins **où ils iraient** en vacances. – **14.** Aline **demande** à sa fille **de lui apporter** un verre d'eau. / Aline **a demandé** à sa fille **de lui apporter** un verre d'eau.

395.

1. Jonathan **a expliqué** à son grand-père sur quelle icône il devait cliquer pour consulter ses mails. – **2.** Un touriste **a demandé** à un passant où se trouvait la gare. – **3.** S'adressant à son frère, Adam a **reconnu / admis** que celui-ci avait raison. – **4. Léo a avoué** à sa mère que c'était lui qui avait cassé le vase. – **5.** Un homme politique **a déclaré / assuré** qu'il n'avait jamais fait de telle déclaration à la presse. – **6.** S'adressant à Anna, Pierre **a admis / expliqué** que ce n'était pas lui et qu'il avait dû se tromper. – **7.** Monsieur Blanc **a déclaré / répété** à son fils qu'il ne lui prêterait plus la voiture. / Monsieur Blanc **a refusé** catégoriquement de prêter la voiture à son fils. – **8.** Le professeur **a demandé** aux élèves de se taire immédiatement. / Le professeur **a exigé** le silence. – **9.** Mathilde **a annoncé** à ses amies qu'elle attendait un bébé. – **10.** Le président **a déclaré / annoncé** que la séance était ouverte. – **11.** Simone **a dit** à son fils **qu'elle voulait** bien qu'il dorme chez son copain / **a accepté** que son fils dorme chez son copain. – **12.** Thérèse au téléphone **a confirmé** qu'ils revenaient bien, le samedi, par le TGV de 21 heures – **13.** Un serveur **a prié** un groupe de jeunes de faire / **a invité** un groupe de jeunes à faire moins de bruit. – **14.** Le commerçant **a confirmé / répété** qu'il n'avait pas cet article. – **15.** La vendeuse **a garanti / assuré / certifié** que cette machine était tout à fait silencieuse. – **16.** Le moniteur d'auto-école **a répété** au jeune homme qu'il devait toujours regarder dans le rétroviseur avant de doubler. – **17.** Le vieux mari a **déclaré** à sa vieille épouse qu'après 60 ans de mariage il l'aimait toujours. – **18.** Romain **a confié** à son ami Florent que ça ne marcherait jamais entre lui et Noémie, car il n'arrivait même pas à lui dire bonjour. – **19.** Farida **a promis / assuré** à sa mère qu'elle n'avait jamais mis de rouge à lèvres dehors. – **20.** Romain **a souhaité** que le week-end ne soit pas trop pourri. – **21.** Grand-mère **a évoqué** la beauté de la Côte d'Azur dans les années cinquante. – **22.** Le petit garçon **a nié** avoir mangé le chocolat.

Liste des verbes présents dans les exercices 396 à 410

Estimer/penser/juger/être convaincu de ou que/ croire/se déclarer/afficher/ raconter/faire savoir/ attirer l'attention sur/ souligner/révéler/confier/se montrer direct interroger/questionner/faire une proposition/ s'engager à	S'inquiéter/mettre en garde contre/lancer un cri d'alarme /lancer une mise en garde Regretter déplorer/dénoncer/ s'indigner Désapprouver/blâmer/menacer/ sermonner/ réprimander Réconforter/ rassurer

396.

Hugo
– content, a accepté et lui a proposé de l'aider ;
– a trouvé l'idée sympathique et lui a proposé ses services ;
– a accepté avec reconnaissance et était prêt à lui donner un coup de main.

Pierre
– a accepté et a demandé ce qu'il pouvait apporter ;
– a trouvé l'idée bonne ;
– a accepté en proposant de participer.

Michel
– n'était pas libre ;
– n'a pas pu accepter car il avait un rendez-vous ;
– la proposition ne lui plaisait pas ;
– a refusé en raison / sous prétexte d'un rendez-vous ;
– a accepté mais sans grand enthousiasme.

Jeanne
– désolée, n'a pu accepter car elle devait aller voir sa mère ce soir-là ;
– a regretté de ne pouvoir se joindre à ses amis parce qu'elle devait aller voir sa mère ;
– a refusé avec regret car elle devait aller voir sa mère ce soir-là.

Sophie
– a accepté sans enthousiasme ;
– a accepté par désœuvrement ;
– n'a pas refusé, mais ne semblait pas enchantée par l'idée.

Annie
– a refusé catégoriquement ;
– a refusé sèchement, froidement ;
– la proposition ne lui plaisait pas.

Laure
– a accepté mais sans grand enthousiasme ;
– a accepté par gentillesse ;
– n'a pas osé refuser.

Roselyne
– de mauvaise humeur, a refusé l'invitation ;
– a repoussé cette proposition avec agressivité ;
– a grossièrement refusé son invitation.

Roland
– a accepté avec enthousiasme ;
– s'est jeté sur l'idée avec plaisir ;
– a accepté chaleureusement.

397. Une proposition parmi d'autres

Charlotte, inquiète à l'idée que son patron veuille la voir, a demandé à sa collègue ce que cela pouvait signifier. Léa, ignorant complètement la raison de cette convocation, n'a pas pu lui donner d'explication. Comme Charlotte était de plus en plus inquiète – c'était la première fois qu'elle était convoquée – Léa a essayé de lui remonter le moral gentiment et à plusieurs reprises, faisant même la supposition qu'il voulait peut-être lui confier d'autres responsabilités ; devant le manque de confiance en elle de sa collègue, Léa a pris un ton plus ferme et lui a conseillé de cesser de se poser des questions inutiles qui ne lui faisaient que du mal.

398. Une proposition parmi d'autres

Didier s'est exclamé joyeusement que le carnaval de Lille était enfin pour bientôt. Olivia, surprise, lui a demandé s'il aimait vraiment ça, lui qui n'aimait pas la foule. Didier a expliqué que ce n'était pas la même chose, car c'était la fête. Olivia a dit que ça ne lui disait rien / qu'elle n'en avait pas envie, car elle avait peur des alcooliques. Didier a reconnu qu'on buvait un peu là-bas (il a minimisé la situation). Il a insisté sur les côtés agréables en disant qu'on peut être quelqu'un d'autre pour quelques heures. Il lui a promis qu'elle allait vraiment s'amuser. Olivia, pas très convaincue, a accepté finalement de tenter l'expérience. Elle a demandé à Olivier de ne pas la laisser tomber (pendant la fête).

399.

a *Dialogue. Une suggestion parmi d'autres*

– **Nathalie, excuse-moi, j'ai pas pu t'appeler avant.**

– Ah, c'est toi ! T'es où là ?

– **J'ai des problèmes. Vous m'attendez bien au cinéma ?**

– Bien sûr qu'on t'attend ! Comme d'hab, je te signale ! Qu'est-ce que tu fabriques, là ?

– **J'ai eu un truc urgent à régler.**

– Quoi ? Qu'est-ce qui t'arrive encore ?

– **Tu sais bien, c'est avec Jérôme. Il a voulu qu'on se voie.**

– Arrête ! Tu te moques de moi.

– **Ouais, je sais… normalement on est séparés, mais… je te raconterai. On pourrait aller à la séance suivante, non ?**

– Ah non ! On va y aller au cinéma, avec ou sans toi ! Débrouille-toi sans nous.

b *Dialogue et situation rapportés. Proposition*

Elle m'énerve un peu Karine, en ce moment ! Avec son Jérôme, c'est n'importe quoi. Tu vois, hier, on avait rendez-vous avec elle, Ninon et moi pour voir le dernier Walt Disney. On l'a attendue une demi-heure, le film allait commencer et là, elle a enfin appelé en disant qu'elle avait pas pu le faire plus tôt. Tu parles ! Elle a dit qu'elle avait des problèmes et elle a demandé si on l'attendait. Je me suis un peu énervée et je lui ai demandé ce qu'elle fabriquait parce que, nous, on l'attendait comme d'habitude. Elle a dit qu'elle avait eu un truc urgent à régler et j'ai insisté pour savoir quel problème elle pouvait encore avoir ; elle en a tout le temps des problèmes ! Et là, devine quoi, elle a dit que Jérôme avait voulu la voir. Je me suis mise en colère et je lui ai dit de se taire parce que je trouvais qu'elle se moquait de moi. Elle nous a assez raconté leur séparation, n'est-ce pas ? Et là, elle a eu le toupet de nous demander si on pouvait pas voir le film à la séance suivante… J'ai hurlé dans le téléphone : « Non ! » et j'ai coupé. On a vu le film, il était super… Tu peux le croire toi, qu'elle revoit Jérôme ?

400. Exercice de créativité

 Activité de repérage 26

1. il a souligné ; il a réaffirmé avec force ; il a annoncé que – **2.** interrogé sur… il s'est montré ; aucune nouvelle n'a été annoncée ; il s'est contenté d'indiquer que – **3.** il a démenti formellement les rumeurs… concernant ; certains s'étaient inquiétés… ; il a souligné ; en racontant quelques anecdotes – **4.** il a fait savoir que ; certains avaient annoncé ; la rumeur s'était emballée – **5.** Le chef de l'État a exprimé son émotion ; il a annoncé le classement ; il a assuré les victimes de ; s'est engagé à – **6.** le journal part en guerre contre ; dénonce leurs procédés ; s'indigne que ; réclame une moralisation ; appelle les… à agir – **7.** un communiqué du… met en avant ; les… ne partagent pas cet optimisme ; certains contestent… ; la ligue… déplore – **8.** les… s'inquiètent de… qui, selon eux, cache ; …ils alertent l'opinion sur… et exigent ; …le gouvernement affiche sa… – **9.** Les syndicats annoncent ; ils appellent à manifester leur désaccord avec… ; les fonctionnaires sont invités à ; les enseignants ont déjà dit ; s'opposer à ; les taxis protestent contre ; qui exigent le maintien ; ont déclaré qu'ils participeraient… ; un petit conseil… – **10.** Le président a fait un plaidoyer vibrant pour ; il a admiré ce qu'il appelle… ; il a aussi rappelé aux Européens… ; après avoir évoqué avec une certaine inquiétude ; il nous invités à ; selon lui…

401.

b Propositions

1. La direction **approuve** entièrement notre plan. – **2.** Non, malgré l'article du *Monde*, je **nie** catégoriquement avoir un compte en Suisse. – **3.** Il a **contre-attaqué** en affirmant que leurs propres actions étaient détestables. – **4.** **Citant** Ronsard, il a dit : « Cueillez, cueillez… – **5.** Elle a formellement **démenti** la rumeur selon laquelle elle serait candidate. – **6.** Il **s'est indigné** qu'on mette si peu d'argent dans ce projet essentiel. – **7.** Nous **refusons** toute alliance avec l'extrême droite. – **8.** Ils **ont calmé le jeu** en ajoutant / disant que des compromis étaient possibles. – **9.** La mairie **a manifesté** son soutien à l'association. – **10.** Nous **nous réjouissons** que le chômage régresse. – **11.** Le préfet **a décidé** sans hésiter de faire fermer la circulation sur l'autoroute. – **12.**

Je **rappelle** que le problème s'est déjà posé. – **13.** Le Premier ministre **a rassuré** les manifestants sur d'éventuels dangers de la centrale / **a affirmé** l'absence de danger dans la centrale. – **14.** Devant l'insistance générale, elle **a accepté** de prendre cette responsabilité. – **15.** Ils **ont évoqué** les rythmes de vie moins rapides à cette époque. – **16.** Je **regrette** que les négociations n'aient pas beaucoup avancé. – **17.** Un employé **a dénoncé** les mauvaises pratiques à l'intérieur de l'entreprise.

402. Exercice de créativité

403.

1. Un professeur de science politiques **croit** / **estime** que c'est toute notre civilisation qui change à toute vitesse, comme à la Renaissance. – **2.** Un député de l'opposition **questionne** / **se demande** s'il faut changer la Constitution. (souhaiter et suggérer sont des interprétations possibles sur l'implicite de la phrase) – **3.** Un député **dit** que / **critique** qu'il n'y a jamais aucune excuse pour la discrimination / **s'élève** contre la discrimination. – **4.** Le directeur de l'agence pour l'emploi **attire l'attention** sur l'angoisse des demandeurs d'emploi / **conseille** / **est d'avis** de ne pas sous-estimer l'angoisse des demandeurs d'emploi. – **5.** Le président de l'APCE **explique** qu'il faut / **recommande** de conserver son emploi pendant la durée de la préparation du dossier. – **6.** Le PDG de GO voyages **raconte** (anecdote) / **révèle** (exagération) qu'il a fait tous les jobs dans cette entreprise. – **7.** Un généticien **se demande** si la recherche médicale peut rester compétitive sans aide publique / **exprime** son inquiétude à propos de (sur) la recherche médicale. – **8.** Un PDG de télévision **déclare** (neutre) / **garantit** (engagement) / **prétend** (promesse éventuellement non tenue) qu'ils ne parleront pas de crash et de manifs. – **9.** Un membre de l'association Max Havelaar **rappelle** (tout le monde devrait le savoir, c'est la loi) **expliquer** (faible dans le contexte légal mais c'est vrai que le slogan explique pourquoi) **suggérer** (plus poétique que catégorique mais ne donne pas l'idée d'obligation, défaut fréquent des campagnes de prévention) – **10.** Un responsable associatif **avertit** que / **juge** que ce n'est pas en mettant des caméras partout... (s'opposer et déconseiller seraient des interprétations possibles).

404.

1. Le Dalaï Lama **croit** / **pense** / **estime que** la chaleur humaine permet l'ouverture. Il est **convaincu que** nous découvrirons que tous les êtres humains sont comme nous, tout simplement. – **2.** Hubert Reeves **lance un cri d'alarme** pour protéger l'environnement avant qu'il ne soit trop tard. / Hubert Reeves nous **avertit que** demain, il sera trop tard si nous n'agissons pas de toute urgence pour protéger l'environnement. – **3.** Le député se **pose des questions** concernant / **s'interroge** sur le faible taux / à propos du faible taux / de participation des électeurs à certains scrutins (qui le laisse perplexe), et il **se demande s'il** faut (s'il ne faut pas) rendre le vote obligatoire. – **4.** Michel X **s'élève contre** les violences conjugales. Il **déclare qu'un** homme qui frappe sa femme n'a jamais d'excuses et il **pense qu'il** doit se faire soigner pour maladie mentale. – **5.** Ludovic Barois **estime que** de nombreuses personnes s'inquiètent à juste titre des conséquences de la mondialisation, mais il **souligne qu'ils** / **attire l'attention sur le fait qu'**ils ne sont pas toujours conscients de ses nombreux aspects positifs. – **6.** Claude Daumon **s'élève contre** les extrémistes de tous bords / **refuse de laisser les mains libres aux extrémistes.** Il **déclare qu'il** défendra toujours la démocratie / il **s'engage** à toujours défendre la démocratie contre les fanatiques. – **7.** Le député écologiste **manifeste son opposition** à la poursuite du conflit armé ; il **juge** indispensable d'envoyer des casques bleus pour calmer le jeu. – **8.** Le porte-parole de l'Union européenne **annonce qu'un** certain nombre de mesures de l'Union européenne vont être simplifiées et il **garantit qu'il** y aura bientôt des améliorations importantes. – **9.** Valérie Suchard **récuse** l'idée que le niveau du bac baisse. Elle **révèle que** les élèves d'aujourd'hui ont obtenu de meilleurs résultats au bac de 1920 en mathématiques et en rédaction que les élèves de l'époque, mais qu'ils sont moins bons en orthographe. – **10.** Nicolas Bouvier **juge** / **conclut**

/ **avertit** / **qu'un** voyage se suffit à lui-même. Il **confie qu'on** croit qu'on va faire un voyage mais que, bientôt, c'est le voyage qui vous fait ou vous défait. Il **juge qu'un** voyage ne nous apprendra rien si nous ne lui laissons pas aussi le droit de nous détruire. – **11.** Un candidat à la primaire **s'élève** contre / **met en garde** contre le dopage / **lance un cri d'alarme** contre le dopage des jeunes sportifs qui, d'après lui, est en train de massacrer toute une génération. Il **reconnaît** / **admet que** le dopage a toujours existé / existera toujours sous une forme ou sous un autre, mais il **réclame de** protéger efficacement au moins les jeunes. – **12.** Maëva sur le forum du magazine *Psychologies* **estime que** / **est convaincue que** tout le monde aura bientôt sa puce sous la peau. Elle **prédit qu'**elle aura un grand succès, car elle sera présentée comme l'image de la modernité. – **13.** Ce patron de PME **supplie** les députés d'arrêter de voter de nouvelles lois car, d'après lui, trop de changements nuit aux entreprises. – **14.** Le ministre de l'Intérieur **s'est félicité** des bons résultats / **a souligné** les bons résultats de la lutte antiterroriste. – **15.** Le syndicat agricole **proteste** énergiquement contre les conditions difficiles et les salaires de misère des agriculteurs. – **16.** Un groupe de citoyens **accuse** les politiques d'être à l'origine des problèmes et l'**invite** à renouveler complètement et sans attendre les équipes en place.

405.

b Heure : 5 h 35
Lieu : rue des Pyramides Paris 1er
Conducteur : un homme dont on ne connaît pas l'identité
Passagers : Jean-Marie Hugo, Roland Lelaidier
Type de la voiture : C3 (marque Citroën)
Cause de l'accident : un virage mal négocié / une trop grande vitesse
Déroulement de l'accident : la voiture a heurté le socle d'une statue, puis s'est écrasée contre un pilier
État de la voiture : disloquée
État du conducteur : pratiquement indemne
État des passagers : tués sur le coup
Témoin : le concierge de l'hôtel Regina
Informations apportées par le témoin : a entendu des bruits de pneus, a vu un éclair de phares, a entendu comme une explosion.

c Dans la version en discours rapporté, l'ordre chronologique des événements (tous cités) est rétabli.

d *Exercice de créativité.*

e Le conducteur, très choqué, n'a pu dire exactement ce qui s'était passé. Après avoir passé la soirée à boire et à faire la fête, il est parti en voiture avec deux passagers. Il a abordé un virage à une vitesse vraisemblablement excessive, car il n'a pas été capable de redresser la voiture qui a dérapé. Il a ressenti deux chocs violents. Ce n'est qu'en sortant qu'il a découvert le drame. Il s'est promis de ne plus jamais avoir de voiture aussi puissante.

406. Exercice de créativité

On peut rajouter : les noms du conducteur et de sa passagère, la marque et le modèle du véhicule, les circonstances de l'accident, les conséquences matérielles et corporelles précises (sur l'arbre, la voiture, les passagers, la circulation), les déclarations du chauffeur, de sa passagère et des sapeurs-pompiers.

407.

Décidément, l'agitation ne faiblit pas au centre-ville avec les nouveaux projets de la mairie. Cette fois-ci, il s'agit du nouveau texte qui interdit l'ouverture des terrasses après 22 heures pour les nouveaux établissements.

La mairie a beau répéter sur tous les tons que cette mesure concerne exclusivement les nouvelles terrasses et que les autres continueront à fonctionner comme d'habitude, le message ne passe pas, et les esprits s'échauffent.

Du côté des riverains, l'exaspération augmente. De nombreuses personnes se plaignent de problèmes de sommeil et déplorent de voir des jeunes ivres dans la rue. Certains vont plus loin en déclarant que les commerçants font n'importe quoi.

Les clients, bien sûr, ne comprennent pas cette mesure qui d'après eux va les priver de la possibilité de s'amuser. Certains accusent la mairie de vouloir créer une nouvelle prohibition et annoncent qu'ils ne se laisseront pas faire.

Les commerçants sont partagés. Les plus remontés assurent que la mairie veut la mort du centre-ville. D'autres, amers, constatent que les efforts d'isolation phonique qu'ils ont faits sont bien mal récompensés. Les plus calmes font remarquer qu'ils régulent les jeunes et que ce serait pire sinon.

La mairie rappelle que la plupart des commerçants jouent correctement le jeu, mais qu'elle veut éviter de nouvelles nuisances pour protéger les riverains. Elle répète toutefois que toutes les terrasses ne ferment pas à 22 heures !

408.

b Lucille (discours rapporté au présent)

Lucille n'aime pas Noël, vraiment pas du tout ! Elle dit qu'aujourd'hui ça n'a plus de sens, qu'on ne fait que dépenser et elle énumère ce qu'elle déteste : les promotions et les arnaques sur Internet, les marchés de Noël qui se ressemblent tous... Elle affirme que ça vide les comptes bancaires pour des bêtises. Elle ajoute que, de plus, personne n'est jamais content de son cadeau. Elle se scandalise qu'ils revendent tout sur Internet le soir-même. Elle s'écrie qu'elle en a vraiment assez et pour finir elle s'exclame qu'elle va partir au Caraïbes ou tout donner au Secours populaire.

Fabien (discours rapporté au présent)

Fabien explique que ce qui motive son engagement aux Restos du cœur, c'est les personnes qu'ils aident... et aussi les équipes de travail. Il assure que la plupart des bénévoles sont des gens formidables. Il précise que les besoins augmentent terriblement et déplore que les actions publiques n'augmentent pas assez (en proportion). Il se désole car, sans eux, beaucoup de gens ne mangeraient pas correctement. Mais il se réjouit car il y a 71 000 volontaires.

Mamadou (discours rapporté au passé)

Mamadou a exprimé sa grande joie d'avoir pu dialoguer avec l'astronaute Thomas Pesquet en direct depuis la terre : « c'est juste incroyable ! », a-t-il dit. Le jeune homme s'est émerveillé et a déclaré que cela le faisait réfléchir. IL a confié qu'il s'ennuyait habituellement dans les cours de science qu'il trouvait trop abstraits, mais que cette expérience lui avait fait comprendre les choses merveilleuses que la science pouvait réaliser. Il a déclaré que ça lui donnait envie de faire comme l'astronaute, d'avoir des rêves.

Irène (discours rapporté au passé)

Irène a révélé que c'est / c'était une révolte « tripale » qui l'avait transformée en guerrière, quand elle avait compris que ce médicament tuait depuis 30 ans. Elle s'est exclamée que c'était un crime presque parfait, dans l'indifférence générale. Elle a rappelé qu'il lui avait fallu des années de combat pour que le scandale éclate au grand jour. Elle a garanti qu'elle ne lâcherait pas l'affaire, car le laboratoire refusait encore d'indemniser les victimes. Elle a fini en exprimant avec force son indignation : « c'est monstrueux, quand même ! »

c Lucille a déclaré qu'elle détestait le côté consommation de Noël à tel point qu'elle envisageait sérieusement de partir à l'étranger à cette date ou de tout donner au Secours populaire.

Fabien a expliqué que sa motivation pour travailler aux Restos du cœur venait des personnes aidées et des équipes. Il s'est inquiété que les besoins augmentaient et a souligné que les 71000 volontaires étaient formidables.

Mamadou a été enchanté de son contact avec l'astronaute Thomas Pesquet, depuis la dette. Encore émerveillé, le garçon a déclaré que ça lui donnait envie d'avoir des rêves et de les réaliser.

Irène a rappelé la dureté et la longueur de son combat contre les méfaits du Médiator, qui n'est toujours pas fini. Elle a manifesté son indignation et son engagement à ne jamais lâcher l'affaire.

d *Exercice de créativité*

409.

a *Lecture*

b *Exercice de créativité*

c *Exercice de créativité – proposition*

Finalement, c'est un gros lapin rouge ! Les enfants ont accueilli la statue avec enthousiasme. Les adultes n'ont pas manifesté de vraie opposition, même si certains se sont déclarés surpris ou perplexes. L'opposition a exprimé son scepticisme sur le processus participatif, mais la mairie s'est déclarée très satisfaite de cette expérience. À quand une grande girafe verte devant chez vous ?

Le gros lapin rouge, qui occupe maintenant le square Saint-Bruno, a été dévoilé samedi en présence de la mairie et de nombreux habitants du quartier. La plupart se sont déclarés satisfaits d'avoir été consultés, même si quelques-uns expriment des doutes sur le résultat final. Les enfants, eux, expriment leur joie sans réserves ! La mairie s'est déclarée enchantée de ce choix participatif et a exprimé sa tristesse face aux critiques incompréhensibles de l'opposition municipale.

Il est vraiment difficile de plaire à tout le monde, surtout quand certains manifestent une opposition quasiment systématique à toutes les nouveautés. La structure choisie pour occuper le centre du square Saint-Bruno, retenue après la consultation de plus de 600 habitants, a enfin été dévoilée : il s'agit d'une sculpture très moderne, rouge vif, en forme de lapin souriant. Inutile de dire que les réactions sont variées. Bien sûr, les enfants manifestent bruyamment leur joie : « il est trop chou, le gros lapin sympa », nous a dit Élodie 8 ans, ou même leur enthousiasme : « ouais, trop cool, un lapin ROUGE! trop bonne idée ! », d'après Éric, 11 ans. Inutile de dire que tous les adultes ne se déclarent pas aussi enchantés que les petits, mais aucun ne manifeste de forte opposition. Tous apprécient le côté moderne, même si certains restent perplexes sur le choix de la couleur rouge, surtout les plus âgés. Mais même ceux-ci se déclarent contents de la joie des enfants.

Sans surprise, l'opposition municipale a critiqué le « choix trop voyant et bling-bling », selon l'ancienne adjointe à la culture. Elle a aussi manifesté son scepticisme concernant la consultation des habitants qui, d'après elle, est faussement démocratique. La mairie a déclaré qu'elle avait été d'abord surprise par le choix des habitants et a exprimé sa satisfaction à propos de cette technique de consultation. Le maire se déclare favorable à d'autres expériences de ce type. Et vous, quelle sera votre réaction devant le gros lapin rouge souriant ? Courez vite le voir et tenez-nous au courant.

410. Exercice de créativité

La comparaison 20

⊕ **Activité de repérage 27**

Citation n°	Moyen de comparaison utilisé	Sur quel mot porte la comparaison : adjectif, adverbe, nom, verbe
1.	comme	«comme» + verbe = égalité
2.	la même	nom + «la même» = égalité
3.	aussi... que	«aussi» + adverbe + «que» = égalité Mais la phrase dit en fait que l'homme est au maximum dans l'adversité.
4.	moins drôle plus long	«moins», «plus» + adjectif = infériorité, puis supériorité
5.	plus que l'air plus que l'eau plus que le soleil plus que la nature	«plus» + verbe = supériorité
6.	plus... plus	«plus» + phrase = exprime un processus d'augmentation en parallèle de deux éléments
7.	moins que rien	«moins que» + adverbe + infériorité = ici expression d'intensité
8.	moins cher que autant de lumière	«moins» + adjctif = infériorité «autant de» + nom = égalité → situation paradoxale
9.	autant d'hommes autant d'avis	«autant de» + nom = égalité La répétition de «autant de» crée un effet stylistique plus fort que «il y a autant d'hommes que d'avis»
10.	plus ça change moins ça change	«plus» + verbe «moins» + verbe L'utilisation de «plus», puis «moins» devant le même verbe crée le sens suivant : ça semble changer mais, en réalité, rien ne change vraiment.
11.	de plus égaux que...	«plus que» + adjectif = égalité. En, autres = des citoyens. Allusion à la devise française : «liberté, égalité, fraternité» pas toujours bien appliquée.
12.	le mieux... le bien	«le mieux» = superlatif de «le bien» Ce proverbe parle du perfectionnisme. Quelquefois vouloir faire encore mieux, c'est faire trop, donc moins bien.
13.	plus intelligents que plus de moyens de meilleures armes	«plus» + adjectifs «plus de» + nom meilleurs (superlatif de bon) → supériorité
14.	la plus importante... de	«la plus» + adjectif + «de» + nom = superlatif absolu

15.	le plus mauvais film	« le plus » + adjectif + nom + subjonctif = superlatif mais subjectif (exprimé par le subjonctif) et non absolu
16.	de mal en pis le pire	« de mal en pis » = plus mal / pire → superlatif. « le pire n'est jamais sûr » : cliché = on craint le pire, mais il ne se produira peut-être pas.
17.	la mieux partagée	« la mieux » + adjectif = superlatif ironique
18.	la moindre des choses	« la moindre » + nom = superlatif. Cliché : le minimum qu'on puisse faire.
19.	les produits les plus chers les meilleurs	« les plus chers » / « les meilleurs » = superlatifs
20.	trop de sucres trop de graisses	« trop de » + nom = expression d'intensité

411.

1. Une Ferrari roule **plus vite qu'**une Peugeot 208. Une Peugeot 208 roule **moins vite qu'**une Ferrari. – **2.** Il y a **plus d'**habitants en France **qu'**en Espagne. L'Espagne est **moins peuplée que** la France. – **3.** À sa mort, Stendhal était **moins âgé que** Victor Hugo. Quand il est mort, Victo Hugo était **plus vieux que** Stendhal. – **4.** Grenoble est **plus éloignée** de Paris **que** Lyon. Lyon est **moins loin** de Paris **que** Grenoble. – **5.** Un sportif de haut niveau s'entraîne **plus qu'**un sportif moyen. Un sportif moyen s'entraîne **moins qu'**un sportif de haut niveau. – **6.** Charles de Gaulle a été président **plus longtemps que** Georges Pompidou. Georges Pompidou a été président **moins longtemps que** Charles de Gaulle.

412.

1. J'aime **autant** les films policiers **que** les films poétiques. – **2.** Ils ont acheté **autant de** boissons **qu'**il est nécessaire. – **3.** Valérie court **aussi** vite **que** les autres. – **4.** Nous allons **autant** au cinéma **qu'**au théâtre. – **5.** Ils se sont montrés **aussi** désagréables **que** leurs voisins. – **6.** Elle mange **autant que** moi. – **7.** La Renault Clio coûte **aussi** cher **que** la Peugeot 107. – **8.** Elle fait la cuisine **aussi** bien **que** sa mère. – **9.** En été, il y a **autant** de vacanciers à Nice **qu'**à Cannes. – **10.** Jacques travaille **moins**, mais il gagne **autant.**

413.

1. Ma nouvelle voiture consomme **plus que** la précédente. – **2.** Les Français mangent **plus de** viande **que de** pain. – **3.** Il y a **plus / davantage** d'alcool dans le cognac **que** dans le vin. – **4.** Mes enfants aiment **plus / davantage** les frites **que** les épinards. – **5.** Les prix sont **plus** avantageux dans les grands magasins **que** dans les petites boutiques. – **6.** il a **plus de** chances de réussir **que** Paul... – **7.** Le TGV est **plus** rapide **qu'un** train ordinaire. – **8.** En France, il pleut **plus / davantage** en Bretagne **qu'**en Provence. – **9.** nous aurons **plus vite** fini **que** les autres. – **10.** Les stations de ski accueillent aujourd'hui **plus / davantage de** vacanciers **qu'**autrefois.

414.

1. J'achète **moins de** fruits en conserve **que de** fruits frais. – **2.** Les roses se conservent **moins** longtemps **que** les tulipes. – **3.** Les places de cinéma coûtent **moins** cher **que** les places de théâtre. – **4.** Les légumes surgelés sont **moins** bons **que** les légumes frais. – **5.** il y a **moins de** circulation entre... **qu'**entre 17 heures et 19 heures. – **6.** Elle a **moins de** difficultés à parler anglais **qu'à** parler allemand. – **7.** Nous mangeons beaucoup **moins de** pain **que** vous. – **8.** Mon fils dépense **bien moins que** ma fille. – **9.** Pierre Corneille est **moins** connu **que** Victor Hugo. – **10.** Elle vient me voir **moins** souvent **que** sa sœur.

415.

Le père :
– Je gagne **beaucoup plus d'argent que** M. Supin.
– Ma maison est située sur un terrain **tout aussi beau que** celui de mon voisin.
– La voiture de mon voisin est **bien moins puissante que** la mienne.
– Leur jardin est **bien moins arboré que** le nôtre.

La mère :
– Les vêtements qu'elle porte sont **beaucoup moins élégants que** les miens.
– Ma voisine cuisine **encore moins bien que moi.**
– Les fêtes qu'ils organisent sont **beaucoup moins agréables que** les nôtres.
– Ils partent en vacances **bien moins souvent que** nous.

La fille :
– Mes résultats aux examens sont **bien meilleurs que** ceux de leur fille.
– Mes amis sont **beaucoup moins stupides que** les leurs.
– Leur chien aboie **beaucoup plus que** le nôtre.
– Ma bicyclette est de **bien meilleure qualité que** celle de leur fille.

Le fils :
– Ses petites amies sont **tout aussi belles que** les miennes.
– Son père lui donne **tout autant d'argent que** le mien m'en donne.
– Ses résultats sportifs sont **tout aussi bons que** les miens.

416.

a – il est **meilleur que** le précédent.
– le premier morceau était **plus mauvais que** celui-ci.
– mais il était **meilleur que** celui…
– la façon de jouer du groupe qui était venu à Noël était encore **pire.**
– n'importe quel amateur joue **mieux** qu'eux.
– on pourrait leur donner le prix du **plus mauvais** groupe…
– c'est difficile de **bien** jouer.
– quand on ne joue pas **bien**, on ne fait pas de concert.

b – Cette année nous avons **un plus mauvais** bilan / **moins bon** bilan que l'année dernière, nous n'avons pas bien géré notre budget.
– C'est vrai, les ventes d'appareils photos ont été **moins bonnes / plus mauvaises** que celles de l'année dernière.
– Et c'est encore **pire** pour les téléviseurs ! Les ventes se sont effondrées. Seules les tablettes ont **bien** marché.
– À votre avis, quelle serait la **meilleure** solution pour améliorer notre chiffre d'affaires ?
– Il faut absolument **mieux** anticiper l'évolution du marché. Nous sommes **moins bons** que nos concurrents sur Internet. Il faut faire **mieux**, et **vite**. Sinon les choses iront de **pire** en **pire**.
– Il serait **bon** aussi d'engager de **meilleurs** vendeurs et de **mieux** les former ?
– Et un **meilleur** site, surtout, pour ne pas nous retrouver dans une situation **pire** encore l'année prochaine.

417. Propositions

1. Plus je fais de sport / moins je me fais du souci / mieux je me nourris / plus on m'aime / moins on exige de moi / et mieux je me porte.

2. Moins on mange **et moins on grossit / plus on maigrit / mieux on se porte / moins on est en forme / plus on est bien vu**.

3. Plus on a d'activités, d'amis, d'intérêts / plus on a un métier créatif, de l'autonomie dans son job / plus on est ouvert, créatif et moins on a de chance de s'ennuyer.

4. Plus souvent on parle en public **et moins on a peur / et plus on est à l'aise / mieux on se débrouille**.

5. Moins on a d'amis / moins on se confie / moins on sort / plus on se méfie des autres et plus on se sent seul.

418.

a – Des maisons plus économes et mieux isolées. – Moins de voitures et plus de vélos. – Plus de bio et moins de gaspillage. – Moins de viande ! Ou plus de porc et moins de bœuf. – Plus d'énergies renouvelables et moins d'énergies fossiles. – Des appareils de meilleure qualité. – Des vacances dans l'Hexagone plutôt qu'à l'autre bout du monde. – Des vêtements en lin .... en polyester.

b *Exercice de créativité – Propositions*

1. Il est plus agréable de vivre dans un petit village que dans une grande ville. – Le prix des loyers est moins élevé dans un village que dans une grande ville. – Une grande ville est bien plus polluée qu'un petit village où la vie est plus proche de la nature. – Les distractions sont plus nombreuses dans une grande ville. – Il y a beaucoup moins de circulation dans un petit village, les gens sont beaucoup moins stressés. Les spectacles sont bien plus nombreux en ville, mais on y dépense bien plus d'argent. – Etc.

2. La star a une vie bien plus mouvementée que celle de la sportive. – La star sort plus le soir que la sportive. – Elles font un régime alimentaire aussi strict l'une que l'autre. – La star gagne beaucoup plus que la sportive. – Elles font autant attention à leur corps l'une que l'autre. – La star se maquille plus que la sportive. – Etc.

419.

La durée de trajet est aussi longue dans les deux cas. Le trajet en car n'est pas plus long qu'en voiture. Le car est beaucoup plus économique à l'usage. La voiture coûte beaucoup plus cher que le car. Le car coûte quatre fois moins cher par mois que la voiture. Il y a moins de risques d'accident en car. Un chauffeur professionnel est plus compétent et moins fatigué qu'un travailleur en fin de journée. Les véhicules publics sont parfois plus confortables et mieux entretenus, respectent mieux les limitations de vitesse. Ils ont moins la tentation de prendre des risques, car ils circulent plus facilement sur des voies réservées. La voiture est plus disponible. Le car est moins satisfaisant la nuit et permet moins de souplesse pour transporter des objets encombrants et lourds. Le covoiturage coûte moins cher, mais il faut mieux s'organiser...

420.

a Être fait comme un rat – Chanter comme un rossignol – Sauter comme un cabri – Siffler comme un merle – Souffler comme un phoque – Courir comme une gazelle – Bavard comme une pie – Gai comme un pinson – Paresseux comme un lézard – Sale comme un cochon – Rusé comme un renard – Frisé comme un mouton

b

1.	2.	3.	4.	5.	6.	7.	8.	9.	10.	11.	12.	13.	14.	15.	16.
f.	m.	a.	k.	c.	h.	e.	i.	j.	b.	g.	o.	n.	d.	l.	p.

c 1. il est comme un coq en pâte. – **2.** je serai muet comme une carpe. – **3.** il crie comme un putois. – **4.** il parle comme une vache espagnole. – **5.** elle a poussé comme un champignon. – **6.** il est bête comme chou. – **7.** elle mange comme un oiseau. – **8.** elle est accueillante comme une porte de prison. – **9.** ça se voit comme le nez au milieu de la figure. – **10.** elle est arrivée comme un cheveu sur la soupe.

d *Exercice de créativité*

421. Exercice de créativité

422. Exercice de créativité

423. Propositions

1. Leïla court **comme si elle avait entendu** un bruit bizarre. – **2.** Il a avalé son repas **comme s'il n'avait pas mangé** depuis trois jours. – **3.** Il s'occupe du bébé **comme s'il avait fait** ça toute sa vie. – **4.** Murielle agit **comme si elle avait perdu** la tête. – **5.** Elle nous a insultés **comme si on l'avait forcée** à sauter. – **6.** Les enfants transpirent énormément **comme s'ils avaient couru** pendant plusieurs kilomètres.

424.

a 1. J'ai été émue **comme lorsque** j'ai vu ce tableau pour la première fois. – **2.** Il a étudié **comme quand il allait** à l'université. – **3.** Il a été satisfait **comme le jour où** il a obtenu son diplôme.

b *Propositions*

1. comme après sa réussite au concours. – **2.** – comme avant sa maladie. – **3.** comme après avoir réussi son bac. – **4.** comme avant tous ses examens.

425. Propositions

1. comme pour recevoir quelqu'un d'important. – **2.** comme pour participer à un marathon. – **3.** comme pour oublier ses problèmes. – **4.** comme pour ne rien oublier de la soirée. – **5.** comme pour faire un long discours. – **6.** comme pour lui faire croire qu'il la quittait.

⊕ Activité de repérage 28

1. la majeure (partie) ; **2.** une des expériences les plus dures ; **3.** rien de plus grave ; **4.** le pire (des critères)

426. Exercice de créativité

427.

a *Propositions*

– Quel est l'hôtel le plus central et le mieux desservi par les transports en commun ? Où se trouve l'hôtel le plus récent et le mieux équipé ? Connaissez-vous l'hôtel le plus tranquille ?

– Indiquez-moi le bistrot le plus sympa pour boire un verre après minuit ? Je voudrais aller dans le meilleur bar à musique, lequel est-ce ? Pour danser, quelle est la discothèque la plus fréquentée ? Où se trouve l'endroit le plus agréable pour lire au soleil ? Quel est le lieu le plus paisible pour se promener ? Quelle rue est la meilleure pour faire les boutiques ? Où est située la rue la plus commerçante ?

– Quel est le musée le plus intéressant ? Quel est le monument le plus ancien ? Quelle est la construction la plus intéressante ? Quel est le bâtiment le plus original ?

– Parlez-moi des personnages les plus célèbres et les plus remarquables de la ville, des moments les plus forts de la vie de la ville, des personnalités les plus en vue, les moins aimées. Décrivez-moi la coutume locale la plus typique.

b *De très nombreuses réponses sont possibles. Reprenez les structures du dialogue.*

428. Exercice de créativité

429.

a Le téléphone portable est mis en valeur par la répétition du superlatif devant chacun de ses qualités. Le portable
– le plus performant
– le plus petit
– le plus léger
– le plus compétitif
– le moins cher

b *Exercice de créativité*

430.

1. Elle voulait voir le directeur, mais elle est arrivée **trop** tard, il était déjà parti. – **2.** Du champagne ? Mais oui j'en veux, je l'aime **beaucoup**. – **3.** Vous êtes **très** jolie, mais votre robe est un peu **trop** longue. – **4.** Mon mari a **très** mal à la gorge parce qu'il a fait son exposé en parlant **beaucoup trop** fort. – **5.** Pendant trois heures tout le monde s'est ennuyé ; je pense que son discours était **beaucoup trop** long. – **6.** Qu'est-ce qu'il y a pour le déjeuner ? J'ai **très** faim. – **7.** Je vais vite prendre quelque chose à manger, je ne peux plus attendre. J'ai **trop / beaucoup trop** faim. – **8.** Cette voiture est **très** chère, mais il peut l'acheter, il a **beaucoup** d'argent. – **9.** Vous travaillez tous les soirs jusqu'à 20 heures, le samedi et le dimanche, et vous êtes fatigué ? Ça ne m'étonne pas, vous travaillez **beaucoup trop** ! – **10.** Le lait est **très** bon pour la santé, il faut en boire **beaucoup.**

431.

Phrases vraies : **1., 4., 5., 6., 7., 10., 12., 13., 14., 16., 17., 20., 23., 24.**
Phrases fausses : **2., 3., 8., 9., 11., 15., 18., 19., 21., 22.**

432.

1. La grande majorité se sont déclarés plus que satisfaits ; la palme ; arrive en tête ; le moins bon résultat – **2.** deux fois plus de livres ; deux fois moins lus ; bat des records ; multiplié par deux ; à peine 1 % ; cette profusion (reprise lexicale de l'idée principale) ; lisent de moins en moins ; divisés par deux ; en moyenne ; de plus ; le roi des prix littéraires ; tout le monde ou presque. – **3.** pic de pollution ; plus d'un véhicule sur deux ne respecte pas ; températures record ; semaine la plus chaude depuis 10 dix ans ; aggravé la situation ; dépasse nettement ; le pire ; une hausse de deux degrés ; le plus sage – **4.** palme du nombre ; arrivent en tête ; palmarès des noms les plus portés ; 8 sur 10 ; par moins de ; un sur deux ; maximum ; mieux, plus de ; les seules à ; illimités (lexique) ; sans bornes. – **5.** c'est plus malin ; les Français sont de plus en plus nombreux à accepter ; identiques aux autres ; rigoureusement les mêmes principes ; les mêmes contraintes ; remboursés comme les autres ; point positif ; leur prix est inférieur d'environ 25 % ; dernier avantage, mais non le moindre ; effets identiques ; effets égaux et moindre coût.

433. **Quelques suggestions**

Comparé à sa population, l'Europe investit **quatre fois moins** que la Russie pour sa défense. Ses investissements dans la recherche sont **aussi insuffisants** : à titre de comparaison, la Corée du Sud y consacre 4,15 % de son budget et l'Europe **seulement** 2 %… La Corée du Sud **remporte** d'ailleurs **la palme** mondiale des investissements pour la recherche devant le Japon, Les États-Unis et la Chine, l'Union européenne se plaçant **bonne dernière**.

On dit toujours que les Français travaillent **peu** mais ils se situent dans la **moyenne européenne**. En réalité, c'est au Danemark qu'on travaille **le moins**.

Toutes les capitales sont **plus chères les unes que** les autres, mais on peut constater quelques différences. Tokyo a la réputation d'être **la ville la plus chère du** monde mais l'hôtel est **un peu moins cher qu'à** Paris. En effet, c'est la capitale française qui facture **le plus cher** la nuit dans un trois-étoiles. Pour loger à bon marché, **moitié moins**, **mieux vaut** aller à Moscou.

Par contre, en ce qui concerne le café, le petit noir est **plus abordable à Paris que** dans les autres capitales. Évitez d'en boire à Hong Kong, il y coûte **quasiment le double !**

C'est à Londres que vous paierez **le plus cher** votre repas d'affaires, **plus qu'**à Paris, et pourtant, la cuisine anglaise n'a pas la réputation d'être **la meilleure d'Europe.**

434.

a La plus grande place dans nos préoccupations ; plus ou moins important pour nous que d'autres activités ; il semblerait que ce soit de plus en plus vrai ; qu'il vient à égalité avec d'autres choses ; il est assez important mais moins que d'autres choses ; le deuxième enseignement est peut-être plus réconfortant ; s'ils sont moins attirés par la réussite au travail ; l'attachement au travail est le plus fort ; les hommes et les femmes sont ici à égalité ; une plus grande prospérité.

b **1.** Le travail n'est plus une valeur sociale et personnelle.

2. Le travail n'est plus une priorité pour les jeunes qui n'ont pas le même rapport à l'argent que leurs parents.

3. Les réponses diffèrent en fonction de la nature du métier et de la rémunération qu'il offre.

c *Exercice de créativité*

435.

a **1.** Peut-être que ce n'est pas ça, mais ça y ressemble vraiment beaucoup – **2.** Évidemment, il fallait s'y attendre – **3.** On ne peut rien y changer / il n'y a rien à discuter – **4.** Secoue-toi ! – **5.** Ça t'aura appris quelque chose – **6.** La partie la plus intéressante, choquante, surprenante de l'histoire – **7.** Eh bien, je le croyais mais c'était faux, je me suis trompé – **8.** Ce n'est pas tout, il y a encore plus grave.

b **1.** Agir avant d'y être forcé par les circonstances – **2.** pas de perfectionnisme inutile – **3.** n'attends rien des autres, fais les choses toi-même ; l'égoïsme… – **4.** La situation peut sembler désespérée mais restons positif. – **5.** ça ne sert absolument à rien – **6.** contrôle tes pensées ; pèse le positif et le négatif de la situation – **7.** Je vous fais confiance pour régler le problème au mieux – **8.** selon les informations que j'ai, mais elles sont peut-être incomplètes.

La condition – L'hypothèse

⊕ Activité de repérage 29

1. si + plus que parfait → conditionnel passé / conditionnel présent – **2.** si + passé composé → passé composé / futur – **3.** si + imparfait → conditionnel présent – **4.** si + présent → impératif / si + présent → présent – **5.** si + présent → futur proche / futur – **6.** si + imparfait → conditionnel présent.

436.

1. Si tu es trop gros, si tu veux perdre du poids, si tu veux avoir la ligne... mange moins de gâteaux, fais du sport, vois un nutritionniste, oublie les glaces...

2. Si tu as peur de perdre ton emploi, si le chômage t'effraie, si tu crains de devoir trouver un autre boulot... secoue-toi, explore de nouvelles voies, demande conseil, fais des formations, écoute ton cœur et surtout ne te cramponne pas à ton ancien métier.

3. Si tes voisins sont odieux, s'ils t'agressent, s'ils font du bruit, s'ils salissent l'entrée... parle-leur, trouve des alliés dans l'immeuble, fais une pétition et, dans certains cas, appelle la police.

4. Si ton fils se drogue, cherche un spécialiste, renseigne-toi sur les causes et les traitements, change-le d'établissement, changez de ville. Et surtout, parle-lui.

437.

1. Si je ne **téléphone** pas à dix heures, **quittez** la ville immédiatement. – **2. Si** vous ne **recevez** pas la lettre dont je vous ai parlé, **déménagez.** – **3. Si** je ne **reviens** pas dans trois jours, **contactez** la police. – **4. Si** vous n'**avez** pas de télégramme dimanche, **changez** d'hôtel. – **5. Si** je ne vous **apporte** pas d'argent demain, **réfugiez-vous** chez maman. – **6. Si je ne frappe pas** trois coups puis deux coups, **fuyez** par la fenêtre.

438. Propositions

1. Si tu **me réveilles** à minuit, je ne te **parle** plus. – **2. Si** tu **oublies** de m'écrire, **tu peux** rester où tu es. – **3. Si** tu **tombes** amoureux d'une autre, **je te quitte** immédiatement. – **4. Si** tu **ne fais** rien pour m'aider, je ne te **fais** plus la cuisine. – **5. Si** tu n'**es** pas plus gentil, je ne **t'aide** plus à faire tes exercices. – **6. Si** tu **me frappes**, je te **quitte**.

439. Exercice de créativité

440.

ⓐ **1.** Et **si tu te casses** la figure, qu'est-ce que **tu deviendras** ? – **2.** Et **si vous perdez** le bateau, où **vivrez-vous** ? – **3.** Et **s'ils ont** des problèmes, comment **reviendront-ils** ? – **4.** Et **si son fiancé la quitte, elle décidera** quoi ? – **5.** Et **si sa femme refuse** de déménager, est-ce **qu'il divorcera** ? – **6.** Et **si je refuse**, est-ce que **vous me licencierez** ?

ⓑ *Exercice de créativité*

441.

1. S'ils sont inquiets, nous les **rassurerons. S'ils ont** des propositions constructives, nous les **appliquerons. S'ils manifestent**, **nous essaierons** de les calmer. **S'ils cassent** tout, nous **ferons** appel aux forces de l'ordre.

2. S'ils augmentent la pression, nous utiliserons le téléphone rouge. **S'ils refusent** la négocia-tion, **nous nous mettrons** en état d'alerte rouge. **S'ils deviennent menaçants, nous enverrons** les sous-marins. S'**ils envoient** des chasseurs, nous **déplacerons** les troupes au nord.

Suite créative

442. Exercice de créativité

443.

1. Si elle est arrivée… dépêche-toi de rentrer – elle doit commencer à s'inquiéter – elle doit être déçue de ne pas te trouver – elle te cherchera bientôt partout.

2. Si tu as acheté une Diesel… ce n'est pas bien malin – tu auras bientôt des problèmes – revends-la tout de suite – tu as fait une grosse erreur.

3. Si vous avez découvert un scandale… oubliez-le aussitôt – vous êtes en danger – vous serez bientôt poursuivi – vous avez signé votre arrêt de mort.

444. Propositions de correction. Les possibilités sont multiples : variez les temps.

1. Si votre télévision tombe en panne, nous vous enverrons un dépanneur. – **2.** Si la baby-sitter ne peut pas venir, téléphonez-nous. – **3.** Si vous êtes blessé, appelez notre service d'urgence. – **4.** Si vous avez eu un problème de santé, vous pourrez avoir une aide-ménagère à domicile. – **5.** Si vous avez été hospitalisé, nous pouvons amener un proche à votre chevet. – **6.** Si vous avez un problème avec la loi, consultez notre service juridique. – **7.** Si vous avez perdu vos clés, notre dépanneur viendra ouvrir votre porte. – **8.** Si vous avez été inondé, faites appel à nous.

445. Propositions de correction

a *Ensemble 1 → Ensemble 2*

S'il ne se mettait pas en colère toutes les cinq minutes, **nous aurions** moins envie de l'étrangler. **S'il n'était** pas de mauvaise humeur le matin, **nous serions** plus à l'aise avec lui. **S'il était** plus tolérant, **nous n'aurions** pas peur de ses réactions. **S'il acceptait** plus facilement les défauts des autres, **nous lui parlerions** avec moins de précautions. **Si vous ne criiez** pas quand on vous contrarie, **nous nous disputerions** moins souvent avec vous. **Si vous souriiez** plus souvent, **nous vous trouverions** plus agréable. **Si vous parliez** moins agressivement, **nous vous offririons** plus de cadeaux. **Si vous aviez** plus de patience avec les autres, **je vous ferais** plus de bisous. **Si vous vous fâchiez** moins souvent pour rien, **je vous dirais** plus souvent des gentillesses. **Si vous acceptiez** de temps en temps d'avoir tort, **je ne partirais** pas en claquant la porte.

b *Ensemble 2 → Ensemble 1*

Si nous étions plus à l'aise avec lui, **il sourirait** plus souvent. **Si nous lui disions** plus souvent des gentillesses, **il se fâcherait** moins souvent pour rien. **Si nous le trouvions** plus agréable, **il parlerait** moins agressivement.

446. Exercice de créativité

447. Exercice de créativité

448.

a Éléments qui montrent qu'il s'agit d'une hypothèse :

– Le titre sous forme de question : X **ou** Y ?

– La question « et si… ? » + imparfait suggère une idée en montrant que c'est une hypothèse.

– Les verbes des deuxièmes et troisièmes paragraphes sont au conditionnel présent pour décrire les événements hypothétiques futurs.

– La négation « ne serions-nous pas nous aussi des chefs-d'œuvre en péril » est une prudence de l'auteur. On pourrait aussi la formuler « et si nous étions nous aussi des chefs-d'œuvre en péril ? ».

– « Selon » et « paraît-il » renforcent le sens hypothétique des propos.

b et **c** *Exercices de créativité*

449. Exercice de créativité

450. Exercice de créativité

451.

1. Si les Gaulois **avaient été plus disciplinés**, les Romains ne **les auraient pas vaincus**. – **2. Si** la police **était arrivée** plus vite, la bagarre ne **serait pas devenue** générale. – **3. Si** ce film **avait été** vraiment nul, le public ne **se serait pas précipité** pour le voir. – **4. Si** le conducteur du bus **avait respecté** le code de la route, la police ne **l'aurait pas arrêté**. – **5. Si** les enfants **avaient fait** moins de bruit, leur mère ne les **aurait pas punis**. – **6. Si** les amis de Zoé **étaient arrivés** plus tôt, le rôti **n'aurait pas brûlé**.

452.

1. Si la manifestation **n'avait pas été** interdite, elle **aurait rassemblé** plus de monde. – **2. Si** ce spectateur **n'était pas sorti** avant la fin, **il aurait vu** la meilleure partie du spectacle. – **3. Si** ce film **n'avait pas eu** autant de publicité, **il aurait attiré** moins de spectateurs. – **4. Si** l'autoroute **n'avait pas été détournée**, elle **aurait détruit** une des plus belles zones naturelles de la région. – **5. Si** Nathan **n'avait pas eu** un grave accident en 2012, il **aurait émigré** en Australie. – **6. Si** nous **n'avions pas fermé** toutes les fenêtres, nous **aurions souffert de la chaleur**.

453.

1. Si ce spectateur **n'était pas sorti** de la salle, il **n'aurait pas manqué** la prodigieuse scène finale – **2. Si** Picasso, **n'avait pas été** un artiste exceptionnel, il **n'aurait pas peint** une œuvre aussi gigantesque. – **3. Si** Steve Jobs **n'avait pas été** aussi inventif, il **n'aurait pas révolutionné** l'informatique. – **4. Si** Napoléon **n'avait pas aimé** autant le pouvoir, il **n'aurait pas essayé** de conquérir l'Europe. – **5. Si** Brigitte Bardot **n'avait pas abandonné** le cinéma, elle **ne se serait pas consacrée** à la cause animale. – **6. Si** Marilyn Monroe **n'était pas morte** si mystérieusement, elle ne **serait pas devenue** une star aussi mythique.

454.

1. Si le système d'alarme **n'était pas tombé** en panne, **les malfaiteurs n'auraient pas volé** des toiles irremplaçables. – **2.** Si les savants **n'avaient pas inventé** la bombe atomique, **l'humanité ne se serait pas mise** à craindre la mort de la planète. – **3.** Si la médecine **n'avait pas trouvé** le remède de la lèpre, **de nombreux malades n'auraient pas guéri**. – **4.** Si les Indiens d'Amérique du Sud **n'avaient pas été divisés**, les Espagnols **ne les auraient** pas **vaincus** aussi rapidement. – **5.** Si vous ne nous **aviez pas invités, nous n'aurions pas vu** ce magnifique spectacle. – **6.** Si vous ne nous **aviez pas invités, nous ne nous serions pas beaucoup amusés** ce soir-là.

455.

1. Si Jacques **avait moins bu**, il **n'aurait pas été** malade ce matin et il **n'aurait** pas encore mal au foie ce soir. – **2.** Si Marie **avait moins dansé**, elle ne se **serait pas autant amusée** pendant la soirée et elle **n'aurait pas** de courbatures aujourd'hui. – **3.** Si les premiers arrivés **n'avaient pas mangé** tout le buffet, les derniers arrivés **auraient eu** quelque chose à manger et les premiers **n'auraient** pas mal au ventre aujourd'hui. – **4.** Si les musiciens **n'avaient pas chanté** toute la nuit, la fête **n'aurait pas été** superbement réussie et ils **n'auraient pas** une extinction de voix aujourd'hui. – **5.** Si Paul **n'était pas resté** timidement dans son coin, il ne se **serait pas ennuyé** et il **n'aurait pas** le cafard aujourd'hui. – **6.** Si Sébastien et Annette ne **s'étaient pas plu**, ils **n'auraient pas** passé la soirée ensemble et ils **n'auraient pas** l'air très heureux aujourd'hui.

456.

1. S'il **avait fini** sa thèse, il ne **serait pas** au chômage / il **aurait eu** le poste à Paris. – **2.** Si elle **avait moins voyagé** / si elle n'avait pas autant voyagé, elle ne **connaîtrait** pas bien le continent asiatique / elle **n'aurait pas rencontré** toutes sortes de gens. – **3.** S'il **n'avait pas émigré** en France, il **n'aurait pas changé** de nationalité / il **serait** encore turc. – **4.** Si elle **n'avait pas rencontré** un séduisant Espagnol, **elle n'aurait pas émigré** en Espagne / elle ne **parlerait** pas espagnol couramment. – **5.** S'il **n'avait pas raté** son bus, il **n'aurait pas rencontré** Marie dans le métro / il **serait** encore célibataire… – **6.** Si elle ne **s'était pas fâchée** avec ses parents l'hiver dernier, elle **n'aurait pas dû** déménager / ils **l'aideraient** financièrement. – **7.** Si les enfants **ne s'étaient pas gavés** de bonbons tout l'après-midi, ils **n'auraient pas eu** mal au cœur / ils **auraient** faim ce soir. – **8.** S'il **n'avait pas eu** un grave accident en janvier, **il n'aurait pas raté** un contrat important / il **ne boiterait pas** un peu aujourd'hui. – **9.** Si ma voiture **avait démarré**, je **n'aurais pas attendu** le bus pendant une heure / je **ne serais pas** en retard à mon rendez-vous.

457. Exercice de créativité

458.

1. Si j'ai oublié, excuse-moi. – **2.** Si je n'en fais jamais, c'est que je travaille, moi ! – **3.** Si tu avais invité des gens intéressants, j'aurais été aimable. – **4.** Si tu y allais, tu t'amuserais peut-être beaucoup. – **5.** S'il a pu passer par la fenêtre, c'est que c'était un enfant. – **6.** Si tu n'étais pas là pour m'aider, je ne sais pas ce que je deviendrais ! – **7.** Si je pouvais les acheter, qu'est-ce que je serais contente ! – **8.** S'il avait été moins absent, nous aurions pu nous entendre. – **9.** Si un jour je gagne le gros lot, on pourra s'arrêter de travailler tous les deux. – **10.** Si tu n'as rien d'autre à faire, est-ce que tu peux éplucher les carottes ? – **11.** Si vous me touchez, je hurle ! – **12.** Si vous n'aviez pas appelé immédiatement la police, jamais je n'aurais pu récupérer mes affaires. – **13.** Si cette situation dure trop longtemps, ça peut mal finir. – **14.** S'il n'y a rien pour le 29, prenez n'importe quel autre jour entre le 27 et le 31. – **15.** Si vous aviez évité de prendre la route en même temps que tout le monde, ça ne vous serait pas arrivé. – **16.** Si je pouvais, j'aurais un autre job.

459.

1. est – **2.** avait été – **3.** restait – **4.** tu veux – **5.** tu voulais – **6.** s'étaient montrés – **7.** n'est pas encore arrivé – **8.** vous continuez – **9.** m'avais pas poussé – **10.** on ne lui avait pas volé – **11.** adoreras – **12.** je ne l'aurais pas épousé – **13.** te respecteraient – **14.** apprends – **15.** ils n'auraient pas eu – **16.** tu auras – **17.** ils ne se seraient pas brouillés – **18.** n'a pas été perdue – **19.** vous êtes – **20.** nous n'aurions pas découvert.

460.

1. j. – **2.** h. – **3.** i. – **4.** g. – **5.** d. – **6.** a. – **7.** c. – **8.** l. – **9.** k. – **10.** e. – **11.** b. – **12.** f. – **13.** n. – **14.** m.

461.

1. Votre pommier va reverdir **à condition que / pourvu que** vous l'arrosiez beaucoup. – **2.** Votre mari pourra éviter les médicaments **pourvu qu' / à condition qu'**il suive un régime sévère. – **3.** On te répondra **à condition que / pourvu** que tu mettes bien ton adresse au dos de l'enveloppe. – **4.** Je l'emmènerai au cinéma **à condition qu' / pourvu qu'**elle ait fini son travail avant 6 heures. – **5.** J'irai faire des courses avec toi **pourvu / à condition, bien sûr, que** tu puisses te libérer. – **6.** Mon mari te donnera volontiers un coup de main **à condition que / pourvu que** tu saches quels sont les outils nécessaires. – **7.** Tout ira bien **à condition que / pourvu qu'**elle veuille faire un effort. – **8.** Nous le suivrons **pourvu que / à condition qu'**il ait compris comment se rendre au rendez-vous.

462. Propositions

1. Nous arriverons à la gare à temps **à condition que tu te dépêches un peu !** – **2.** Nous danserons jusqu'à cinq heures du matin **à condition d'être en forme**. – **3.** Il reviendra **à condition que tu fasses** quelques concessions. – **4.** Elle a accepté ce travail **à condition d'avoir** un plan de carrière. – **5.** Vous aurez des horaires plus souples **à condition d'accepter** de commencer plus tôt. – **6.** Les ouvriers cesseront la grève **à condition d'être augmentés**. – **7.** Ils vous prêtent l'appartement **à condition de ne pas y amener** de chien. – **8.** Tu auras une voiture **à condition d'avoir** ton bac avec une mention.

463.

1. Au cas où tu n'aurais pas assez d'argent, tu peux en demander à Grand-mère. – **2. Au cas où tu déciderais** de venir, tu trouveras la clé sous le paillasson. – **3. Au cas où il téléphonerait** pour moi, voici ce qu'il faut lui dire. – **4. Au cas où vous souhaiteriez** regarder la télévision, je vais vous montrer comment elle marche. – **5.** Les policiers ont bloqué les rues **au cas où la manifestation se dirigerait** sur l'Élysée. – **6. Au cas où Marie voudrait** rentrer plus tôt, nous allons prendre deux voitures. – **7. Au cas où elle n'aurait pas bien compris** les consignes, il vaudrait mieux les laisser par écrit. – **8. Au cas où vous ne recevriez** pas votre mandat assez tôt, je vous avancerai l'argent.

464.

1. Si tu n'emportes pas de chapeau, tu risques d'avoir une insolation. – **2. Si tu avais mis** un peu plus de sucre, tes fraises auraient été meilleures. – **3. Si tu y portes un peu** plus d'attention, tes résultats seront meilleurs. – **4. Si tu fais preuve de gentillesse**, tu obtiendras tout ce que tu voudras. – **5. Si vous n'ajoutiez pas** la ponctuation, ce texte serait incompréhensible. – **6. Si les jeunes du quartier n'avait pas été là**, les enfants seraient morts dans l'incendie. – **7. Si tu mets** un collier multicolore, ta robe noire sera moins triste. – **8. Si tu supprimais** quelques lignes à ton devoir, il serait parfait. – **9. S'il n'avait pas reçu** l'aide de son oncle, le député, il n'aurait jamais obtenu ce poste. – **10. Si tu fais** encore une remarque de ce genre, je quitte / quitterai la salle.

465. Propositions

1. Avalez un comprimé d'aspirine **au cas où la douleur serait trop forte / en cas de douleur trop forte** – 2. Prenez des contacts avec un autre employeur **au cas où les difficultés de votre patron s'aggraveraient / en cas de difficultés à votre job**. – 3. Soyez prudents sur la route **au cas où il y aurait du brouillard / en cas de brouillard**. – 4. Prends ta carte bleue **au cas où tu aurais des dépenses importantes imprévues**. – 5. Pars bien en avance **en cas de bouchons / au cas où il y aurait des bouchons**. – 6. Prends ton imperméable **au cas où le temps changerait / en cas de changement de la météo / en cas de pluie**.

466. Propositions

1. Le policier à l'automobiliste : je vous conseille de vous calmer, sinon **je vous demande / je vous demanderai de me suivre au commissariat**. – 2. Les parents : nous essaierons de revenir avant vendredi, sinon **nous vous téléphonerons**. – 3. La couturière : je pense pouvoir faire des manches longues, sinon **je ferai des manches trois-quarts**. – 4. Le père d'Anne : tu rentreras avant minuit, sinon **je t'interdirai de sortir la prochaine fois**. – 5. Le docteur au malade : il faut faire un régime, sinon **vous allez avoir des difficultés respiratoires**. – 6. Le voisin : en juillet mon fils va essayer de travailler à la banque, sinon **il ira faire les vendanges**. – 7. Le plombier : on peut mettre la douche dans cet angle, sinon **il faut / il faudra construire une cloison**. – 8. La mère de Nicolas : tu t'occuperas de ton chien, sinon **je le ramène à la SPA**.

467.

1. Je serai libre à cinq heures, **à moins qu'**au dernier moment mon patron **(ne) veuille** me faire taper des lettres urgentes. – 2. Attends-moi devant la poste, **à moins qu'il (ne) fasse** trop froid. – 3. Il ne sera pas à la réunion, **à moins d'être prévenu** aujourd'hui. – 4. **À moins de trouver** un raccourci, nous ne serons jamais de retour pour le dîner à l'heure. – 5. Nous nous reverrons donc le 28 octobre, **à moins qu'il (n') y ait** grève des trains. – 6. Il va être obligé d'abandonner ce projet, **à moins de recevoir** une aide de la région. – 7. Je préférerais la semaine prochaine, **à moins que cela (ne) vous dérange**. – 8. Elle ira l'année prochaine à l'université, **à moins d'avoir raté** son bac.

468.

1. En marchant trop vite, tu tomberas. – **2. En ayant réfléchi**, elle aurait trouvé la solution du problème. – **3. En mettant** un miroir sur ce mur, vous éclairciriez la pièce. – **4. En parlant** un peu plus distinctement, il se ferait mieux comprendre. – **5. En plantant un arbre** devant la terrasse, nous aurions plus d'ombre pour manger l'été. – **6. En prenant** un fortifiant, ton père retrouverait son dynamisme.

469.

1. Si tu relisais plus soigneusement, tu éviterais bien des fautes. – **2. Si nous y étions allés** en voiture, nous aurions perdu moins de temps. – **3. Si tu étais** un peu plus sociable, tu te ferais des amis. – **4. Si tu traverses** ainsi, tu risques d'être renversé par une voiture. – **5. Si tu arrives** en avance, tu auras les meilleures places. – **6. Si elle avait ajouté** de la cannelle, elle aurait donné plus de goût à sa compote.

470. Exercice de créativité

471.

1. Si c'est comme ça, je m'en vais = menace – **2.** si c'est comme ça que tu le prends = ta réaction me déplaît – **3.** Si j'avais su = expression d'un regret – **4.** Si tu ne tiens pas tranquille = annonce d'une punition – **5.** Si j'avais su, je ne serais pas venu = regret – **6.** Si on avait pu se douter = prise de conscience d'avoir mal agi vu les circonstances – **7.** Si c'était à refaire = j'agirais autrement ou je referais exactement la même chose – **8.** Si je pouvais choisir = on vous demande de choisir et vous hésitez – **9.** Si seulement tu me l'avais dit = regret de ne pas avoir été prévenu – **10.** Si par hasard vous n'aviez rien de mieux à faire = précaution oratoire avant de demander un service à quelqu'un – **11.** Si par hasard tu changeais d'avis = on laisse la possibilité à l'autre de faire autrement – **12.** Si je ne l'avais pas vu de mes propres yeux = avoir du mal à croire ce dont on a été témoin – **13.** Si on m'avait dit ça il y a 6 mois = en 6 mois comme la situation a changé – **14.** Si jeunesse savait, si jeunesse pouvait = quand on est jeune, on est fort et on ne sait pas et quand on est vieux, on est faible et on ne peut pas – **15.** Si je peux me permettre une remarque = essaie poliment de faire une remarque – **16.** Si ça ne te dérange pas = demande poliment de vous rendre un service – **17.** Si vous pouviez lui glisser un petit mot pour moi = demande à quelqu'un d'intervenir en votre faveur – **18.** Si tu y tiens = si ça te fait plaisir – **19.** Alors si ça se fait = acceptation d'une norme – **20.** Alors s'il n'y a que ça pour te faire plaisir = ce que tu demandes n'est pas bien important et peut donc être accepté.

472. Propositions

1. Les Delteil vont déménager plus au sud car / parce qu'ils aiment la chaleur ; car / parce que c'est la région d'origine de Madame. – **2.** J'adorerais vivre à Paris parce que Paris, c'est Paris ! ; car tout est possible ; parce que c'est une ville magnifique ; car je ne peux plus vivre sans musées. – **3.** L'avenir de mes enfants nous inquiète parce que / car l'avenir écologique est sombre ; car il y a moins d'emplois qu'avant ; parce que le monde actuel est très dur. – **4.** Ils ont choisi de se passer de voiture car / parce que c'est plus écologique ; il y a beaucoup de transports en commun ; ils habitent au centre-ville ; ils ont un petit budget. – **5.** Elle gagne moins que ses collègues hommes, car c'est comme ça encore aujourd'hui ; parce qu'elle est une femme ; car le monde du travail n'est pas très féministe. – **6.** Mes cousins ne partent jamais en vacances, car ils n'en ont pas mes moyens ; parce que leur budget est trop serré. – **7.** Nous ne savons pas pour qui voter cette année parce que / car aucun candidat ne nous plaît ; tous les candidats sont en retard sur l'époque ; les hommes politiques ne tiennent jamais leurs promesses. – **8.** Il fait un stage de désintoxication d'internet parce que sa femme l'a exigé ; car il ne sait plus débrancher ; parce qu'il voudrait du temps pour autre chose.

473.

1. Comme Patrick a fait un régime, il a changé ses habitudes alimentaires – **2. Comme** les Martinaud sont végétariens, ils ne consomment pas de protéines animales. – **3. Comme** les Achard sont devenus écologistes, ils ont changé leurs habitudes de consommation. – **4. Comme** Martin refusait de manger des produits industriels, il n'a pas pu manger à la cafétéria. – **5. Comme** sa femme avait acheté des produits surgelés, il a refusé de passer à table. – **6. Comme** les invités avaient expliqué leur régime, leur hôtesse leur a préparé un menu spécial.

474.

1. nous viendrons **puisque cela te ferait plaisir.** – **2.** tu feras comme tu voudras **puisque tu auras 18 ans.** – **3. Puisque tu vas réussir ton permis,** tu pourras prendre la voiture. – **4. t**rouve la solution **puisque tu es le plus intelligent.** – **5.** tu nous paies des bonbons **puisque ton papa est si riche.** – **6.** je ne t'emmènerai pas chez eux samedi soir **puisque tu ne les trouve pas intéressants.** – **7.** Répare la machine **puisque c'est si simple !** – **8. puisque les comiques ne te font pas rire.**

475.

1. M. Durand ne pourra pas présider ; **en effet,** il a dû... – **2.** La réunion est annulée ; **en effet,** le comptable n'a pas pu... – **3.** Le déménagement de la bibliothèque est reporté ; **en effet,** le conseil n'a rien décidé... – **4.** L'université pourra bientôt construire de nouveaux locaux ; **en effet,** le ministère débloquera... – **5.** Le secrétaire n'a pas transmis les informations au ministre ; **en effet, il avait oublié** le dossier. – **6.** Les sections se disputent constamment ; **en effet,** chaque discipline veut... – **7.** Les deux premières années seront bientôt réorganisées ; **en effet,** le ministère projette... – **8.** La proposition du conseil a été refusée ; **en effet,** la majorité **a voté** contre.

476.

1. Je suis très fier de mon fils **à cause de** son courage / de sa beauté / de ses bons résultats / de sa sagesse. – **2.** Le centre-ville redevient agréable **à cause des** rues piétonnes / des nouveaux parcs / de l'interdiction des voitures / de l'amélioration de la sécurité. **3.** Les animaux sauvages disparaissent très vite **à cause de** du trop grand nombre de chasseurs / de l'extension des terres agricoles / du manque de respect de notre espèce à leur égard. – **4.** Les agriculteurs ont bloqué les routes **à cause de** leurs problèmes / **à cause du** vote de la nouvelle loi agricole. – **5.** Elles se sont disputées **à cause de** lui / **à cause de** l'organisation de la fête. – **6.** Il n'avait jamais voyagé **à cause de** son manque de moyens / **à cause de** sa femme. – **7.** Le Village va s'agrandir **à cause d**'un promoteur / **à cause de la** construction d'un centre de vacances. – **8.** L'usine sera fermée en décembre **à cause des** fêtes / **à cause du** manque de commandes.

477.

1. Il est impossible d'utiliser les ordinateurs **en raison de** la contamination du réseau interne par un virus. – **2.** Le président ne peut recevoir tout le monde **en raison de** ses nombreuses occupations. – **3.** Le chanteur a dû annuler sa tournée **en raison d**'une grave maladie. – **4.** Il est recommandé de ne pas prendre l'ascenseur **en raison des** coupures d'électricité. – **5.** Le directeur annule la conférence de vendredi **en raison d**'un problème à régler dans une filiale. – **6.** Nous ne pourrons livrer l'ordinateur dans les délais prévus **en raison de** difficultés techniques.

478.

1. en raison de – **2.** à la suite de – **3.** du fait de – **4.** en raison des – **5.** à la suite du – **6.** en raison du – **7.** à la suite d' – **8.** du fait de.

479. Exercice de créativité

480.

a « faute de » exprime un manque, une absence – « à force de » exprime une insistance et la durée – « à la suite » exprime une cause technique.

b Michel est devenu milliardaire **1. à force de** ramasser des journaux et de les vendre. – **2. à force de** rendre service à des policiers et à la mafia. – **3. à force de** prêter de l'argent à un taux élevé. – **4. à force de** placer son argent. – **5. à force de** racheter des petits magasins. – **6. à force d**'exploiter ses employés.

c *Propositions*

Serge est devenu clochard **à force de** se désintéresser de ses affaires ; **à force de** perdre beaucoup au jeu ; **à force de** donner de l'argent à des escrocs ; **à force de** trop dépenser pour ses chevaux ; **à force de** faire de mauvais investissements ; **à force de** se brouiller avec les puissants ; **à force d**'être désagréable avec les politiciens ; **à force de** faire confiance à des avocats véreux.

481.

1. Faute d'avoir noté son rendez-vous, elle l'a oublié. – **2. Faute d'avoir prévu** la concurrence étrangère, le constructeur se retrouve en faillite. – **3. Faute de s'être bien habillés / Faute de beaux habits,** ils ont été refoulés… – **4. Faute de nous être présentés / Faute de présentation** à l'heure, nous n'avons pas… – **5. Faute de s'être assez entraînés / faute d'entraînement,** les joueurs ont perdu… – **6. Faute de vous être décidés** à temps, vous avez perdu une belle occasion.

482.

1. Ils ont pu s'acheter une maison grâce à un héritage. – **2.** Mes parents se sont rencontrés grâce à un concours de circonstances rocambolesques. – **3.** 18 % des côtes ont été préservées grâce à l'action du Conservatoire. – **4.** La vie de Marie est beaucoup plus agréable grâce aux visites de Julien. – **5.** Le problème de mon gendre a été résolu grâce à l'intervention… – **6.** La mosquée a pu être construite grâce aux dons généreux… et à l'autorisation… – **7.** Des projets caritatifs peuvent être lancés grâce au financement… – **8.** Véronique a pu rassembler l'argent… grâce à l'aide…

483.

1. Étant donné que la pression des groupes écologistes augmente, les industriels améliorent leurs moteurs. Etc.
On fait une seule phrase en mettant « étant donné que » au début, une virgule à la place du point, les temps ne changent pas.

484.

ⓐ 1. Ernest s'est absenté **sous prétexte que** sa femme accouchait. – **2.** Bernard a sauté le travail **sous prétexte que** son fils avait l'appendicite. – **3.** Agnès a pris un congé **sous prétexte qu'**elle faisait une dépression. – **4.** Augustin a été absent **sous prétexte qu'il** avait une extinction de voix. – **5.** Victor s'est excusé **sous prétexte que** sa femme était hospitalisée. – **6.** Timothée a manqué trois jours **sous prétexte qu'il** avait eu un accident. – **7.** Maxime est arrivé très en retard **sous prétexte que** sa voiture ne démarrait pas. – **8.** Nathalie n'est pas venue **sous prétexte qu'**un voleur avait cassé une fenêtre pour entrer chez elle.

ⓑ *Propositions*

1. Ils ont pris la voiture sous prétexte **qu'ils devaient faire des courses**. En réalité, **ils sont allés danser**. – **2.** Il a puni durement son fils sous prétexte **qu'il avait désobéi**. En réalité, **c'était pour embêter sa femme**. – **3.** Elles ne sont pas allées au rendez-vous sous prétexte **qu'elles avaient trop de travail**. En réalité, **elles sont allées faire des courses**. – **4.** L'éditeur a refusé le livre sous prétexte **qu'il était mauvais**. En réalité, **il est trop original pour eux**. – **5.** Il est venu à l'improviste sous prétexte **qu'il n'avait plus de sel**. En réalité, **il avait besoin de parler**. – **6.** Elle a acheté le pantalon en velours sous prétexte **qu'elle n'en avait pas**. En réalité, **elle voulait l'offrir à son amie**.

485.

1. Un chauffard a été condamné à une suspension de permis d'un an **pour conduite** en état d'ivresse / **pour avoir conduit** en état d'ivresse. / **parce qu'il avait conduit** en état d'ivresse. – **2.** Un « loubard » a été condamné à six mois de prison avec sursis **pour vol** de sac à main / **pour avoir volé** le sac à main d'une vieille dame / **parce qu'il avait volé** le sac d'une dame. – **3.** Un jeune a été condamné à huit mois avec sursis **pour jet de canette** pendant une manif interdite / **pour avoir jeté** une canette pendant une manif interdite. – **4.** Un meurtrier a été condamné à perpétuité **pour l'assassinat** d'un gendarme / **pour avoir tué** un gendarme / **parce qu'il avait tué** un gendarme. – **5.** Une clinique a été condamnée à indemniser un malade **pour erreur** médicale / **pour avoir fait** une erreur médicale / **parce que les responsables avaient fait** une erreur médicale. – **6.** Un homme politique a été légèrement condamné **pour fausses factures** / **pour avoir utilisé** de fausses factures / **parce qu'il avait utilisé** des fausses factures. – **7.** Une entreprise automobile a été condamnée à une amende gigantesque **pour manipulation** des tests de pollution / **pour avoir manipulé** les tests de pollution. – **8.** Un détenu a été condamné à 6 mois fermes **pour selfie** dans sa cellule / **pour s'être pris** en photo en train de fumer un joint dans sa cellule.

486. Propositions

1. Ils ont été félicités **pour avoir bien joué / pour être restés** sur scène aussi longtemps. Ils ont été hués **pour avoir été** nuls. – **2.** Ils ont été applaudis **pour avoir bien parlé / pour s'être comportés** intelligemment. Ils ont été hués **pour ne rien avoir proposé** de nouveau. – **3.** Ils ont été remerciés **pour avoir fait du bon travail / pour s'être obstinés à** rechercher la vérité. Ils ont été critiqués **pour avoir écrit** de fausses informations / **pour avoir négligé** d'informer le public / **pour s'être soumis** aux ordres des puissants. – **4.** Les élèves ont été félicités **pour avoir réussi / pour avoir eu** de bons résultats / **pour s'être bien comportés.** Ils ont été punis **pour avoir été** insolents / **pour s'être mal comportés** envers un professeur.

487. Propositions

Fabien :

Ce n'est pas parce qu'ils voulaient s'en mettre plein les poches / qu'ils désiraient favoriser leur camarade / qu'ils aimaient manipuler les gens / qu'ils adoraient mentir / qu'ils étaient intéressés / qu'ils avaient besoin d'adoration etc. qu'ils sont devenus politiciens, **c'est parce qu'ils** voulaient améliorer les conditions de vie / qu'ils désiraient faire avancer l'Europe / qu'ils s'intéressaient sincèrement à l'évolution du monde / qu'ils croyaient au progrès / qu'ils étaient dévoués aux autres / qu'ils travaillaient à la paix. Etc.

Pour Victor, inversez.

488.

1. Vous allez vous rendre malade **à vous faire du souci toute la journée comme ça.** – **2.** Vous allez devenir alcoolique **à boire comme ça.** – **3.** Vous allez devenir folle **à ne jamais sortir de chez vous comme ça.** – **4.** Vous allez vous blesser **à vous battre comme ça.** – **5.** Vous allez mourir d'ennui **à rester inactives comme ça.** – **6.** Vous allez vous faire des ennemis **à critiquer tout le temps tout le monde comme ça.**

489.

1. Le président étant souffrant,	c. c'est le Premier ministre qui l'a remplacé. 2 sujets différents Passé composé
2. La voiture s'étant retournée,	f. le passager a été éjecté. 2 sujets différents Passé composé
3. Les élections approchant,	g. les candidats deviennent nerveux. 2 sujets différents Présent
4. La neige ayant recouvert les routes,	h. la circulation est coupée jusqu'à demain. 2 sujets différents Passé composé
5. S'étant gravement blessé en course,	e. ce futur champion a dû arrêter la compétition. Même sujet Passé composé
6. Ayant eu des problèmes avec la police,	a. le jeune homme se sentait facilement menacé. même sujet Imparfait
7. N'étant pas au niveau,	b. mon fils n'a pu rentrer à Polytechnique. même sujet Passé composé
8. Ayant été éliminé en finale,	d. l'équipe de France était très déçue. même sujet Imparfait

490.

1. Adam ayant mal au dos, il... – **2.** Ayant peur de se mouiller, ils... – **3.** Étant en retard, nous... – **4.** Le bateau étant minuscule, les passagers... – **5.** La date de leur départ approchant, les enfants... – **6.** Son mari se levant à 6 heures, elle... – **7.** Les années passant..., les électeurs... – **8.** Sa femme étant hospitalisée, c'est lui...

491.

1. Ses parents lui ayant fait des reproches, elle... – **2.** Son amie n'étant pas arrivée à l'heure, le jeune homme... – **3.** L'avion ayant eu un problème technique, il a dû... – **4.** Sa sœur ne s'étant pas mariée, elle n'a pas... – **5.** La marée noire ayant sali..., les touristes... – **6.** Les mesures de protection n'ayant pas été prises, l'avalanche... – **7.** L'administration ne s'étant pas assez réformée, il est encore... – **8.** Les lois n'ayant pas été simplifiées, les citoyens...

492.

1. Les enfants **ayant couru toute la journée**, ils étaient fatigués. – **2.** Les enfants **étant fatigués,** la mère les a mis au lit et a oublié d'allumer la veilleuse. – **3.** La mère **ayant oublié d'allumer la veilleuse,** la pièce était obscure. – **4.** La pièce **étant obscure,** les enfants avaient peur du noir. – **5.** Les enfants **ayant peur du noir,** ils pleuraient. – **6.** Les enfants **pleurant,** la mère (qui dormait déjà) s'est réveillée. – **7.** La mère **s'étant réveillée,** elle a allumé la veilleuse. – **8.** La veilleuse **étant allumée,** les ombres ont disparu. – **9.** Les ombres **ayant disparu,** les enfants se sont endormis. – **10.** Les enfants **s'étant rendormis,** la mère s'est recouchée. – **11.** La mère **s'étant recouchée,** un silence paisible est revenu. – **12.** C'est alors que, le silence **étant revenu,** on a pu entendre un bizarre petit bruit...

493. **Propositions**

(a) **1. Ne trouvant** aucun travail... – **2. À cause de** ses yeux de myosotis... – **3.** ...**en effet,** c'est un philosophe. – **4.** ... **à cause de son habileté politique.** – **5. Comme il adore être servi**... – **6.** ... **à cause des** campagnes de prévention. – **7.** ... **puisqu'ils** n'avaient pas payé à temps. – **8.** ... avant **car** elle ne supporte pas l'inconfort. – **9.** ... **à force d'**insistance auprès des rédactions. – **10. Faute** d'avoir suivi régulièrement les cours... – **11.** ... **pour cause** de maladie. – **12.** ... **puisque** c'est comme ça...

(b) *Une seule phrase est quelquefois proposée dans ces corrections pour mettre en évidence les variations de structure de phrase.*

1. Mon petit-fils a sauté le cours de gym car / sous prétexte qu'il était enrhumé ; en effet, il avait un bon rhume. Ayant un bon rhume / comme il avait un bon rhume / sous prétexte d'un bon rhume mon petit-fils...

2. Son mari a très bien réussi... car / parce qu'il a beaucoup travaillé ; à cause de ses nombreuses qualités / de ses efforts ; à force de travailler ; grâce à ses qualités / ses efforts ; à l'aide qu'il a reçue.

Remarque : « à cause de », « à force de », « grâce à » peuvent être placés en début de phrase.

3. Ce jeune homme a été félicité officiellement en raison de son courage / à la suite de son acte courageux / du sauvetage d'un enfant / parce qu'il a protégé / sauvé un enfant ; pour avoir sauvé un enfant ; comme il s'était montré courageux / à la suite de son acte courageux, le jeune homme...

4. Tous ses amis ont laissé tomber Prosper à cause de sa méchanceté ; à la suite d'un malentendu / d'une rumeur ; sous prétexte qu'il n'était pas assez « cool » ; étant donné qu'il n'était pas assez gentil, ses amis...

5. Le conducteur a eu une suspension de permis à la suite de / à cause de sa conduite ; pour avoir conduit ; parce que / étant donné qu'il avait conduit… ; ayant conduit… ; étant donné sa conduite en état d'ivresse…

6. Le blessé n'a pas survécu ; en effet ses blessures étaient trop graves ; étant donné la gravité de ses blessures, le blessé… ; ses blessures étant graves / les secours étant en retard, le blessé…

7. L'association ne pourra pas bénéficier de l'aide municipale à cause de la baisse des moyens ; faute de certains documents ; en raison de l'absence de projet défini ; comme / étant donné que les moyens sont en baisse ; en raison de la baisse… ; les moyens étant en baisse…

8. L'aéroport de Roissy a été bloqué en raison du brouillard ; du fait d'une alerte attentat ; à la suite de retards imprévus ; Étant donné que le brouillard était très épais / une alerte attentat ayant été déclenchée, l'aéroport…

494.

1. Il boit **d'autant moins qu'il** conduit. – **2.** Il parlait **d'autant moins que** sa femme parlait pour deux. – **3.** Elle dépensait **d'autant moins que** son mari était au chômage. – **4.** Ils ont **d'autant moins marché que** les enfants étaient fatigués.

495.

1. Il se fâche **d'autant plus qu'**on l'énerve. – **2.** Il voyage **d'autant plus que** sa femme ne veut plus le voir. – **3.** Il sortait **d'autant plus qu'il** était triste. – **4.** Elles écrivaient **d'autant plus qu'**elles étaient à l'étranger.

496.

1. Il joue **d'autant mieux qu'**il vient de trouver une nouvelle fiancée… Etc.
Il suffit d'ajouter « il joue d'autant mieux que » devant la phrase proposée dans l'exercice.

497.

Même remarque que dans le corrigé de l'exercice 25 :
Il a **d'autant moins bien joué avant-hier que…** + *phrases de l'exercice.*

498.

ⓐ 1. Loïc a parlé **d'autant moins gentiment qu'**il venait d'apprendre une mauvaise nouvelle. – **2.** La mère de famille a conduit **d'autant moins rapidement que** la route était encombrée.

ⓑ 3. L'employé a répondu **d'autant moins poliment que le client était agressif. – 4. d'autant moins habilement que son père lui disait de faire attention. – 5.** Ils ont discuté **d'autant moins fort qu'ils savaient qu'on les écoutait. – 6.** Elle a répondu **d'autant moins clairement que l'inspecteur la terrorisait. – 7.** La star du rock a chanté **d'autant moins bien que le public sifflait.**

499.

1. La catastrophe a été **d'autant plus grande que** le bateau était exceptionnellement plein. – **2.** L'acteur est **d'autant plus nul que** le public est difficile. – **3.** Les marcheurs étaient **d'autant plus fatigués que** la chaleur était écrasante. – **4.** Il sera **d'autant plus heureux de** vous voir **que** c'est le jour de son anniversaire. – **5.** La situation devenait **d'autant plus inquiétante que** l'armée menaçait d'intervenir. – **6.** Les malades étaient **d'autant plus satisfaits de** leur séjour à l'hôpital **qu'**ils avaient rencontré des médecins particulièrement humains.

500. **Propositions**

1. Il est d'autant plus généreux qu'il est heureux / qu'il vient de gagner à la loterie. – **2.** Ils comprennent d'autant plus vite que le professeur est bon / qu'il explique patiemment. – **3.** Les ouvriers travaillent d'autant moins qu'ils sont mal payés / qu'ils ont de mauvaises conditions de travail. – **4.** Je comprends d'autant mieux qu'on m'explique longtemps / que les explications sont claires et précises. – **5.** Il faudra dépenser d'autant plus d'argent qu'on n'a pas prévu un budget suffisant au bon moment / que toutes les fournitures viennent d'augmenter. – **6.** Ils ont d'autant moins ri qu'ils connaissaient déjà l'histoire / qu'ils n'ont pas bien compris ce qui se passait. – **7.** Elles ont joué d'autant moins efficacement qu'elles étaient fatiguées / qu'il faisait froid. – **8.** Elles se sont d'autant moins fatiguées qu'elles savaient qu'elles allaient perdre / qu'elles prévoyaient le résultat. – **9.** Ils ont mangé d'autant mieux que c'était un repas exceptionnel / que toute la famille était là. – **10.** Ils se sont d'autant mieux tenus que leur père avait exigé qu'ils soient polis**.** – **11.** Nous avons d'autant plus profité de la plage / Nous avons d'autant moins fait attention que nous savions que c'était la dernière fois. – **12.** Les élèves ont d'autant mieux répondu / Les élèves ont été d'autant plus sages que l'inspecteur était dans la classe. – **13.** La terre était d'autant plus sèche / Les récoltes étaient d'autant moins bonnes qu'il n'avait pas plu depuis trois mois. – **14.** Le public était d'autant plus enthousiaste / Les musiciens étaient d'autant moins contents que le chanteur est resté sur scène une heure de plus. – **15.** Les passagers étaient d'autant moins satisfaits / Les passagers étaient d'autant plus surpris que la compagnie ne les avait pas informés du changement de destination.

501.

ⓐ 1. Grand-père a un peu trop bu, **alors** il a le foie un peu fatigué. – **2.** Le temps est vraiment épouvantable, **alors** nous emmènerons les enfants au cinéma. – **3.** Sa banque n'a pas voulu lui faire crédit, **alors** Jérôme a dû emprunter à ses amis. – **4.** La manifestation bloquait le centre-ville, **alors** le taxi a pris le périphérique.

ⓑ *Propositions*

1. il est interdit de passer en voiture. – **2.** il ne peut plus partir en vacances. – **3.** nous sommes inquiets. – **4.** nous n'avons pas pu entrer au musée.

502.

ⓐ 1. J'ai mal au dos, **donc** je ne peux pas t'aider à porter le piano. – **2.** C'est lui le chef, **donc** c'est lui qui décide. – **3.** Le feu est rouge, **donc** il ne faut pas avancer. – **4.** J'avais cassé mes lunettes**,** **donc** je n'ai pas pu aller au cinéma.

ⓑ *Propositions*

1. donc il n'en mange jamais. – **2.** donc nous ne sortons plus. – **3.** donc ils prendront le suivant. – **4.** donc prenez un rendez-vous plus tard.

503.

a **1.** résultat, il a une belle crise de foie. – **2.** résultat, on est partis à midi. – **3.** total, il est toujours malade. – **4.** conclusion, elle a recommencé au même rythme qu'avant.

b *Propositions*

1. Marianne a refusé d'aller au bal avec Marc, puis avec Alain parce qu'elle préférait y aller avec Sylvain ; mais Sylvain ne l'a pas invitée – **2.** Ils n'ont pas mis de crème solaire, pour bronzer plus vite, puis ils se sont endormis sur la plage – **3.** Elle portait son argent et ses papiers, ses chèques de voyage et sa carte bleue dans le même sac et il est tombé à l'eau dans le port – **4.** Ils étaient partis avec des chaussures légères pour une petite promenade en montagne, mais ils ont perdu leur chemin.

504.

1. Au Japon, les gens ne s'embrassent pas dans la rue, **c'est pourquoi** les Japonais sont choqués quand ils voient des amoureux s'embrasser dans la rue. – **2.** Aux États-Unis, on ne se fait pas la bise, **c'est pourquoi** les Américains sont surpris par les « bises » françaises. – **3.** Les Espagnols dînent très tard, **c'est pourquoi** ils n'aiment pas dîner à l'heure française. – **4.** Les Sud-Américains font très souvent la fête, **c'est pourquoi** ils trouvent les Français sinistres.

505.

a **1.** **du coup** nous avons entendu un concert de hurlement. – **2.** **du coup** le calme est revenu. – **3.** **du coup** les professeurs ont revendiqué. – **4.** **du coup** ils ont tous été punis.

b **1.** **du coup** le policier lui a mis une amende. – **2.** **du coup** nous avons mangé des pâtes. – **3.** **du coup** tout est à recommencer. – **4.** **du coup** elle ira dans le Midi.

506.

1. Les éboueurs n'ont pas ramassé les ordures, **de sorte que** la ville ressemble à une gigantesque poubelle. – **2.** J'aurai quelques jours de libre fin mai, **de sorte que** nous pourrons nous rencontrer à ce moment-là. – **3.** Sa jeunesse avait été formidable, **de sorte qu'il** restait nostalgique de cette période-là. – **4.** Un lanceur d'alertes a publié des documents secrets du gouvernement **de sorte qu'**il a dû quitter son pays pour ne pas être arrêté – **5.** Il a fait une grave erreur professionnelle **de sorte** qu'il a été licencié. – **6.** Cet écrivain a eu le prix Goncourt des lycéens **de sorte que** son livre se vend très bien.

507.

1. Les promeneurs avaient oublié le panier de pique-nique, **si bien qu'ils** ont dû se passer de manger. – **2.** Le voilier avait été mal ancré, **si bien qu'il** est allé heurter les rochers. – **3.** Il a fait moins dix degrés la nuit dernière, **si bien que** toutes les fleurs ont gelé. – **4.** La mer est très agitée, **si bien que** la baignade est interdite. – **5.** Un chalutier a envoyé un appel de détresse, **si bien que** les sauveteurs sont partis en pleine nuit. – **6.** Le jeune homme fait une performance sur la piste, **si bien que** toute la discothèque le regarde avec fascination.

508. Propositions

« De sorte que » et « si bien que » fonctionnent pour toutes les phrases.

1. de sorte que la terre est sèche / **de sorte** que les récoltes meurent / **de sorte** qu'il y a de nombreux incendies de forêt – **2. si bien que** les toits s'envolent / **si bien que** des arbres tombent / **si bien que** les routes sont impraticables / **si bien que** la mer est déchaînée. – **3. de sorte que**

les routes sont coupées / **de sorte que** les rivières débordent / **de sorte que** les maisons sont inondées. – **4. si bien que** l'eau gèle dans les canalisations / **si bien que** de nombreuses personnes ont des problèmes de chauffage. – **5. de sorte que** la température devient insupportable / **de sorte que** les personnes âgées et les bébés sont en danger / **de sorte qu'**il est très difficile de travailler.

509.

1. Il y a eu une fuite dans la centrale nucléaire du Tricastin, **d'où le déclenchement** du plan ORSEC. – **2.** M. Michoud a rendu de grands services à ses supérieurs, **d'où sa promotion** au rang de chef de service. – **3.** Cet enfant porte des vêtements démodés, **d'où les moqueries** de ses petits camarades. – **4.** Son travail ne l'intéresse plus beaucoup, **d'où sa décision** de se reconvertir. – **5.** Cette station est devenue brusquement à la mode, **d'où la multiplication** des constructions en bord de mer. – **6.** Les trafiquants de drogue ont des appuis politiques, **d'où l'accélération** actuelle du trafic.

510.

1. Je ne peux pas sortir en public **sans être agressée** / **sans que cela déclenche** une émeute – **2.** Je ne peux pas me promener dans la rue **sans être interpellée** par des inconnus / **sans qu'on me demande** des autographes. – **3.** Je ne peux pas sortir **sans maquillage** / **sans recevoir** des remarques désagréables **/ sans qu'on me dise** que j'ai vieilli. – **4.** Je ne peux pas accepter d'interview **sans qu'on me pose** 10000 questions idiotes / **sans devoir faire** des réponses idiotes. – **5.** Je ne peux pas aller au restaurant avec un copain **sans être prise** en photo / **sans que la presse publie** des mensonges en première page. – **6.** Je ne peux pas rencontrer une rivale plus jeune **sans craindre qu'elle prenne** ma place / **sans qu'on me fasse** remarquer sa beauté.

511.

1. Il n'y a pas assez de subventions, **par conséquent** les locaux sont dégradés. – **2.** Les étudiants sont trop nombreux, **par conséquent** les amphithéâtres sont surpeuplés. – **3.** Les créations de poste sont insuffisantes, **par conséquent** les enseignants sont surchargés. – **4.** On n'apprend pas suffisamment à apprendre, **par conséquent** les abandons sont massifs. – **5.** Les étudiants sont mal orientés, **par conséquent** le taux d'échec est élevé. – **6.** Les contenus sont démodés, **par conséquent** l'université prépare mal au monde du travail.

512.

1. Une urgence vient d'arriver au bloc opératoire, **aussi le chirurgien chef ne pourra-t-il** pas partir en week-end. – **2.** La guerre venait d'éclater, **aussi le président a-t-il écourté** son voyage officiel en Tunisie. – **3.** Le spectacle était complet depuis des mois, **aussi de nombreux spectateurs n'ont-ils pas pu** voir *Starmania*. – **4.** Aucun taxi n'était en vue, **aussi le groupe** d'hommes d'affaires japonais **est-il parti** à pied. – **5.** Le 10 mai est jour de grève nationale à la SNCF, **aussi aucun train ne devrait-il** fonctionner ce jour-là. – **6.** La plupart des habitants sont partis en week-end prolongé, **aussi la ville est-elle** presque déserte.

513.

1. d'où la nécessité d'un remaniement ministériel. – **2.** alors il va falloir en acheter d'autres. – **3.** si bien que les rivières montent dangereusement. – **4.** c'est pourquoi il n'y a aucune maison ancienne. – **5.** il en a voulu une aussi. – **6.** résultat : la salle de bains est totalement inondée. – **7.** par conséquent il vous faudra attendre. – **8.** du coup il a décidé de partir en Tunisie. – **9.** de sorte que la température était intolérable. – **10.** sans crier au secours. – **11.** les gardiens le repèrent. – **12.** les examinateurs ont-ils mis de nombreuses mentions.

514. Propositions

1. de sorte qu'il a attrapé une pneumonie. – **2. alors**, il s'est fâché. – **3. Résultat :** les chiffres de production sont faibles. – **4. de sorte que** les villes sont de plus en plus désagréables. – **5. alors,** ils n'ont pas pu aller très loin. – **6. c'est pourquoi** il ne sait rien faire tout seul. – **7. c'est pourquoi** sa vie a changé du tout au tout. – **8. par conséquent** il faut s'attendre à de vastes mouvements de protestations. – **9. si bien que** les travailleurs ont des difficultés à s'adapter. – **10. du coup** ses parents ont décidé de changer de région.

515.

a 1. Ils s'adorent **à tel point qu'ils / au point qu'ils** ne se quittent jamais / **au point de** ne jamais se quitter. – **2.** Ils ont couru comme des fous **à tel point qu'ils** ont eu des courbatures. / **au point d'avoir** des courbatures... – **3.** Nous avons dépensé des fortunes **au point que** nous n'avons plus un sou sur notre compte / **au point de** ne plus avoir un sou. – **4.** Le frère et la sœur étaient fâchés l'un contre l'autre **au point qu'ils / à tel point qu'ils** ne se parlaient plus / **au point de ne plus se parler**. – **5.** Il a neigé **à tel point que** toutes les routes étaient glissantes.

b 1. Le président était furieux contre ses ministres **au point de vouloir** changer le gouvernement. – **2.** Le discours a été réécrit **au point d'avoir perdu / de perdre** son sens initial. – **3.** Le candidat détestait ses adversaires **au point d'être prêt à tout** pour les vaincre. – **4.** Le Premier ministre s'est montré autoritaire **au point d'inquiéter** son propre parti. – **5.** Les citoyens étaient perturbés **au point de ne plus savoir** pour qui voter.

516.

1. Il avait **tellement / si faim qu'il** s'est jeté sur la nourriture. – **2.** L'enfant avait **tellement / si peur** du noir qu'il s'est mis à hurler. – **3.** Ils avaient **tellement** sommeil qu'ils ne pouvaient garder les yeux ouverts. – **4.** Nous avons **tellement envie** de visiter le désert que nous accepterons de pendre quelques risques. – **5.** Ils ont eu **tellement / si froid** que leurs orteils ont gelé à cette altitude.

517.

1. Marcel a avalé ses spaghettis **tellement / si vite qu'**il s'est étouffé. – **2.** Nous nous sommes disputés **tellement / si violemment que** nous nous sommes séparés fâchés. – **3.** Ma sœur coud **si adroitement qu'on** croit qu'elle est couturière professionnelle. – **4.** Il la regarde **tellement / si amoureusement qu'on** devine qu'il est fou d'elle. – **5.** Il a agi **si / tellement professionnellement qu'**on pourrait croire qu'il a vingt ans d'expérience.

518.

1. Christian a **tellement / tant aidé Nasser que** celui-ci fera tout pour lui rendre la pareille. – **2.** Sarah avait **tant / tellement lu qu'elle** avait mal aux yeux. – **3.** Annie **a tellement / tant attendu Mourad que** sa patience est à bout. – **4.** Les clients protestaient **tant / tellement que la cafétéria est restée** ouverte plus tard que d'habitude. – **5.** Nous avons **tellement / tant apprécié votre visite que** nous serions heureux que vous reveniez nous voir. – **6.** Charles a **tant / tellement de dettes qu'**il travaille tous les samedis pour gagner de l'argent.

519.

1. Il a eu **tellement / tant de difficultés** dans sa famille qu'il ne sait toujours pas lire. – **2.** Il avait commis **tant / tellement d'infractions** au code de la route qu'on lui a retiré son permis. – **3.** Thierry prend **tant / tellement d'initiatives que** son patron est mécontent. – **4.** Il a eu **tellement**

/ tant d'accidents que sa compagnie d'assurances ne veut plus de lui. – **5.** Il avait **tellement /
tant d'amis qu'il** n'avait pas le temps de les voir tous.

520. Propositions

1. qu'ils n'ont pas écouté le guide. – **2.** l'ennemi les a vaincus sans problème. – **3.** qu'on ne pouvait
même pas voir les tableaux. **4.** que tout le monde a été surpris – **5.** que nous sommes impatients
de le rencontrer. – **6.** qu'ils n'ont plus besoin de se parler. – **7.** Il dit tant de mensonges qu'il... – **8.**
C'était si difficile à réaliser qu'on... – **9.** Ils sont tellement énervés qu'il... – **10.** Il y avait tant de
fumée que... – **11.** J'ai été si surprise que... – **12.** Le vent soufflait tellement fort que...

⊕ Activité de repérage 30

Pour les exemples comportant les expressions « trop pour » + infinitif, « trop pour que » + subjonctif, « pas assez » + infinitif, « pas assez pour que » + subjonctif, la conséquence n'est pas possible
et donc ne se réalisera pas. Seuls les exemples comportant « assez pour » + infinitif et « assez
pour que » + subjonctif impliquent une conséquence possible et qui pourra se réaliser.

521.

1. Elle est **trop mignonne pour rester** longtemps célibataire. – **2.** Ils **sont trop âgés pour pouvoir**
faire cette excursion. – **3.** Ils ont été **assez malins pour ne pas laisser** d'indices. – **4.** Il n'est pas
assez intelligent pour deviner. – **5.** Ils n'ont pas été **assez drôles pour faire** rire le public. – **6.**
Ils sont **assez malins pour se cacher** le temps nécessaire.

522.

ⓐ 1. Ils sont **assez dynamiques pour qu'on n'ait** pas besoin de les encadrer tout le temps. –
2. Elle est **trop belle pour que les hommes osent** lui parler – **3.** La maison n'était **pas assez
grande pour que les propriétaires puissent** inviter des amis. – **4.** Ces vêtements ne sont **plus
assez élégants pour que tante Sophie veuille** les garder.

ⓑ *Propositions*

1. Elle est assez originale pour qu'on... – **2.** Cet objet n'est pas assez tentant pour que... – **3.** Paul
est trop timide pour que... – **4.** Il n'est pas assez généreux pour qu'on...

523.

ⓐ 1. Il ne s'est pas **assez entraîné pour gagner**. – **2.** Elle travaille **trop pour avoir** le temps de
s'occuper de ses enfants – **3.** Ils vendaient **trop peu pour être** à l'aise. – **4.** Elles bavardaient
trop pour dire tout le temps des choses intelligentes.

ⓑ 1. Elles se sont **trop surmenées pour que** l'idée de ce voyage leur **plaise.** – **2.** Ils n'ont pas
assez préparé la fête pour que les acheteurs se déplacent nombreux. – **3.** Ils se sont **trop peu
expliqués pour que** le peuple leur **fasse** confiance. – **4.** Ils ont **assez travaillé pour qu'on** leur
accorde une journée de repos.

524.

ⓐ 1. Ces gens ont **trop d'orgueil pour qu'il soit** possible de les aider. – **2.** Le patron dispose
de **trop peu de temps pour que vous puissiez** lui parler. – **3.** Les enfants possèdent **assez de
jouets pour que nous ne fassions** pas de gros cadeaux demain. – **4.** Cet homme ne mange pas
assez de crustacés pour que ce soit la cause de sa maladie.

ⓑ 1. Ces gens donnent **trop d'argent pour être** avares. – **2.** Pierre a **assez d'amis pour ne pas rester** seul le dimanche. – **3.** Marie a **trop de robes pour pouvoir** les porter toutes. – **4.** Ce médecin a **trop peu de malades pour gagner** correctement sa vie.

525.

ⓐ 1. Il travaille **trop lentement pour finir** à temps. – **2.** Elle ne chante **pas assez bien pour obtenir** le rôle. – **3.** Il reçoit **trop peu aimablement pour avoir** beaucoup de clients – **4.** Elles l'ont demandé **assez gentiment pour l'obtenir.**

ⓑ 1. Elle parle **trop doucement pour qu'on la comprenne.** – **2.** Il s'est comporté **trop peu gentiment pour qu'on l'apprécie.** – **3.** Il n'écrit **pas assez soigneusement pour que** la maîtresse lui **mette** une bonne note. – **4.** Elle **fait trop mal le ménage pour que** sa patronne la **garde.**

526. Propositions

Madame *À qui tout réussit :*
Elle est trop gentille pour qu'on ne l'aime pas. Elle pense assez aux autres pour qu'ils aient envie de lui rendre service. Elle parle assez diplomatiquement pour qu'on la respecte. Elle travaille trop bien pour ne pas avoir de succès. Etc.

Monsieur *Qui travaille tout le temps :*
Il travaille trop pour avoir du temps libre. Il est assez efficace pour faire le travail de deux personnes. Il passe trop peu de temps à s'amuser pour connaître les bonnes choses de la vie. Il ne consacre pas assez de temps à sa vie privée pour avoir une famille. Etc.

527. Exercice de créativité

528.
1. m. – 2. j – 3. k. – 4. l. – 5. b. – 6. c. – 7. d. – 8. h. – 9. e. – 10. g. – 11. f. – 12. i. – 13. a.

529.
1. c. – 2. d. – 3. b. – 4. a. – 5. f. – 6. e. – 7. g. – 8. k. – 9. j. – 10. h. – 11. i.

530.
1. j. – 2. h. – 3. d. – 4. c. – 5. i. – 6. g. – 7. b. – 8. a. – 9. f. – 10. k. – 11. e.

531. Propositions

1. Les Françaises font plus d'enfants que beaucoup d'autres Européennes **alors / si bien que / c'est pourquoi** / le taux de natalité se maintient / **aussi** le taux de natalité **se maintient-il.** / Les Françaises **faisant** plus d'enfants que les Européennes, le taux de natalité se maintient.

2. Paul Alonso avait volé la voiture d'un juge **de sorte qu' / c'est pourquoi / alors /** il a été condamné à / **aussi a-t-il été condamné** à être le chauffeur de… La condamnation de Paul Alonso à être le chauffeur… **est la conséquence / le résultat /** de son vol de la voiture. / Paul Alonso a été condamné à… **pour avoir volé** la voiture d'un…

3. Raoul Ducasse veut créer une entreprise de… **par conséquent / c'est pourquoi / alors / de sorte que / donc / c'est pour cela que /** tout le monde est décidé à le soutenir. / **C'est parce que** Raoul Ducasse veut créer une entreprise de… **que** tout le monde est décidé à…

4. À cause d'une avalanche déclenchée par des skieurs, deux d'entre eux sont morts et la route... est coupée. / Des skieurs ont déclenché une avalanche **ce qui a provoqué / provoquant /** la mort de deux d'entre eux et la coupure de la route ...

5. Les TGV Paris-Marseille ont été multipliés, **c'est pourquoi** les prix de l'immobilier... ont explosé / **faisant** exploser les prix de... / **C'est à cause de** la multiplication des TGV... **que** les prix de... ont explosé... / L'explosion des prix... **est due à** la multiplication des TGV...

6. En raison d' / à cause d' / une alerte à la bombe... le trafic a été suspendu... / Une alerte à la bombe... **est à l'origine de** la suspension du trafic... / Si le trafic... a été suspendu... **c'est parce qu'il** y a eu une alerte à...

7. Comme elle s'ennuyait... elle a préféré retourner au bureau / Elle s'ennuyait **tellement** pendant les vacances... **qu'**elle a préféré...

8. Comme / étant donné / vu que / il a grêlé... les cultures sont ravagées. / Il a énormément grêlé... **c'est pourquoi / par conséquent / résultat /** les cultures sont ravagées.

532. Exercice de reformulation

Propositions pour la première phrase :

1. mettant en évidence la cause : c'est parce que des randonneurs passaient ; c'est à cause / en raison / du fait du passage de randonneurs que l'avalanche s'est déclenchée ; comme / étant donné que / puisque (si le ski hors-piste était défendu) vu que des randonneurs passaient / des randonneurs passant, l'avalanche s'est déclenchée ; le passage de randonneurs est à l'origine du / a entraîné le déclenchement de l'avalanche...

2. mettant en évidence la conséquence : des randonneurs passaient de (telle) sorte que / si bien que l'avalanche s'est déclenchée ; des randonneurs passaient, alors / par conséquent / donc l'avalanche s'est déclenchée ; des randonneurs passaient aussi l'avalanche s'est-elle déclenchée...

533. Propositions

1. La rivière **ayant monté**, nous avons dû déplanter la tente. / **Comme** la rivière avait monté, nous avons dû... / **À cause de** la montée de la rivière, nous avons dû... – **2. Ne s'étant pas rasé**, il ressemblait à un évadé de prison. / Il ressemblait à un évadé de prison, **en effet / car** il ne s'était pas rasé. – **3.** Les informaticiens **améliorant** les ordinateurs, ceux-ci deviennent de plus en plus faciles à utiliser. / **Grâce aux** améliorations apportées aux ordinateurs par les informaticiens, ils deviennent de plus en plus faciles à utiliser. – **4. S'étant dépêchés** pour attraper le train, ils sont essoufflés. – **5. N'ayant pas répondu** correctement à l'examinateur, elle a eu une mauvaise note. / Elle a eu une mauvaise note **pour ne pas avoir répondu** correctement... – **6.** L'orage **s'éloignant,** les piétons sortent de leurs abris. / **Comme** l'orage s'éloigne, les piétons sortent... / Les piétons sortent de leurs abris, **puisque** l'orage s'éloigne. – **7. Ayant reçu** de mauvaises nouvelles, Paul est effondré. / Paul est effondré, **en effet**, il a reçu de mauvaises nouvelles. – **8. Ne s'étant pas levé** à temps, Marc va probablement rater l'avion... / **Comme** Marc ne s'est pas levé à temps, il va probablement rater l'avion...

534.

a Sous le soleil exactement...

– On aime **tant** le soleil **qu'**on se précipite en terrasse dès qu'il est là Et **pour cause** : il a de nombreux **effets** sur notre santé et notre humeur.

– **En effet** il nous rend plus heureux et stimule nos sens ; **c'est pourquoi** nous développons facilement une addiction à la sieste au soleil car de plus il **provoque** dans le cerveau les mêmes réactions que l'héroïne.

– Mais, mauvaise nouvelle : la chaleur **fait** chuter les taux d'hormones et de spermatozoïdes, ce qui **entraîne** une baisse de fertilité en été.

ⓑ Encore une petite coupe !

– Attention une baisse de libido peut aussi **être due** à une intoxication aux informations qui **pousse** plus à l'anxiété qu'à la détente sous la couette.

– D'autre part les **résultats** d'une étude australienne montrent clairement qu'une baisse d'activité sexuelle **cause** une baisse de productivité au travail. Aie !

– Les **conséquences** de tout ça : plus assez de bébés pour payer nos retraites ? !? Mais, ouf ! Rassurons-nous : les fêtes de fin d'année **sont à l'origine d'**un surplus de bébés à l'automne. Ceci **s'explique** bien sûr par la fraîcheur de la température, mais la détente **créée** par la fête **y est** aussi **pour quelque chose**. Un bon **prétexte** de plus pour abuser du champagne ?

535.

– Un chercheur est **d'autant plus** créatif **qu'**il peut créer des liens entre des domaines différents.

– Les chercheurs français sont particulièrement créatifs **à tel point que** les entreprises de pointe les convoitent **et qu'**on étudie leur cerveau.

– Cette réussite **est** probablement **due** à une particularité des grandes écoles, celles-ci **étant** à la fois pointues sur le plan scientifique et plus généralistes qu'ailleurs.

– Il semble **en effet** que l'enseignement des sciences sociales et des pratiques artistiques **a pour résultat** des cerveaux aux connexions plus variées et des personnalités plus curieuses. Et **donc, de ce fait** plus créatives.

– Cerise sur le gâteau, plus inattendue : même notre côté insatisfait et râleur est apprécié **étant donné** qu'il **permet** de repérer les améliorations à faire.

536. Exercice de créativité

537. Exercice de créativité

538. Propositions

Deux chiens se sont disputés au milieu de la rue, **ce qui a provoqué** un attroupement. – Le passage d'un cortège officiel **est la cause d'**un embouteillage au centre-ville. – Il y a eu un hold-up, **ce qui a provoqué** la panique des passants. – L'explosion d'une bouteille de gaz **a causé** la destruction d'un immeuble. – Un défilé de majorettes **a provoqué** les applaudissements des badauds. – Un chauffard qui remontait une rue en sens unique **est la cause d'**accidents en série. – Le début des travaux du périphérique **provoque** l'exaspération des automobilistes. – Un motard traversant la ville à **minuit a causé** le réveil de milliers de personnes. – Un début d'incendie dans un grand magasin **a entraîné** l'intervention des pompiers. – Un orage monstrueux s'est abattu sur la ville, **ce qui a causé** une inondation.

Remarque : pour chaque phrase, on peut commencer par la conséquence suivie par la cause.

Exemple : L'attroupement des passants est dû à une dispute de deux chiens au milieu de la rue.

539.

ⓐ Le texte exprime la relation de cause-conséquence au début : « grâce à la compagnie d'un chien ». Ensuite, il énumère des verbes qui détaillent des effets bénéfiques sur leur santé physique et mentale.

Liste des moyens d'exprimer les causes et les conséquences :

Ça **fait** du bien. – 30 % des consultations médicales en moins **grâce à la compagnie** d'un chien. – Leur compagnon **a des effets bénéfiques** sur leur santé physique et mentale. La compagnie des chiens **réduit, encourage…, promeut…, réduit les maladies, accroît la longévité.**

b Parler aux inconnus peut **nous rendre** plus heureux, c'est désormais prouvé. Ces conversations spontanées et éphémères, qui se passent bien en général, **ont des effets positifs** sur notre bien-être et celui de la société car elles **impactent** notre vision du monde.

Elles nous **amènent** à penser que le monde n'est pas si hostile, ce qui **a pour résultat** d'améliorer notre confiance en nous et notre sentiment de sécurité intérieure.

Elles nous **poussent** à nous aventurer plus souvent dans la relation avec l'autre au lieu d'en avoir peur et **permettent** ainsi **de** créer facilement du lien social.

Elles **influenceraient** même positivement notre productivité en **faisant disparaître** notre peur d'être jugés.

Les conflits **proviennent** souvent de la peur, alors adressons joyeusement la parole à de nombreux inconnus : cela **aboutira** à plus de compréhension mutuelle un jour.

c *Exercice de créativité*

540.

1. la situation délicate dans laquelle nous nous trouvons n'**est pas due** uniquement au manque de perspicacité de nos dirigeants mais **provient** aussi de l'aveuglement volontaire de nos sociétés. – **2.** La lutte incessante de l'humanité pour sortir de la crise **a abouti** à des améliorations considérables. Ces extraordinaires progrès devraient nous **rendre** optimistes : en 1990, 21 % des humains savaient lire, aujourd'hui 86 % ! – **3.** Le pessimisme actuel **a pour origine** la rapidité des changements ; ceux-ci **ont un impact** brutal sur les populations et **poussent** certains au désespoir. – **4.** L'injustice sociale répétée **amène** de l'insécurité. Et comme chacun sait, frustration plus insécurité, ça **donne** de la violence. Qui sait sur quoi tout cela peut **déboucher** ?

541. Exercice de créativité

Propositions premier paragraphe : ordre **4. / 3. / 2. / 1.**

Le mécontentement des salariés est dû à la difficulté de leurs conditions de vie, à la stagnation [pour ne pas répéter augmentation] de leurs salaires depuis trois ans et à l'augmentation des prix de 10 %

Deuxième paragraphe : ordre **1. / 2. / 3. / 4.**

Grâce à un médecin intelligent, Robert ne prend plus de somnifères, fait du sport et a retrouvé du coup une excellente santé.

542.

Il existe de nombreuses possibilités à développer et encore de plus nombreuses formulations pour le faire. L'essentiel est de choisir un lien de cause-conséquence entre les deux éléments (a minima) et de l'exprimer clairement. Peu importe qu'il apporte une vision d'ensemble ou un regard sur un point de vue de détail.

Quelques propositions :

La Vendée a décidé de ne pas rester éternellement traumatisée à cause des violences de l'histoire, c'est pourquoi elle est devenue un modèle de développement réussi.

Tout destinait le bocage à rester une zone défavorisée car il cumulait les désavantages dans de nombreux domaines. Or, ceux-ci n'ont pas eu les résultats que l'on pouvait craindre.

La réussite actuelle de la Vendée est-elle le fruit d'une coopération régionale exceptionnelle, ou s'agit-il des retombes positives d'un désastre historique ?

Les épreuves de la guerre et la nécessité de reconstruire un territoire dévasté ont poussé les Vendéens à mettre leur combativité au service du développement de leur région.

Une productivité très élevée, un turn-over très faible... Qu'est-ce qui rend les entreprises vendéennes plus performantes que les autres ? Le fait que tout le monde se connaît, les bonnes conditions de travail, une gestion familiale sont certainement les raisons principales qui expliquent ces résultats.

En l'absence de ressources naturelles et à la suite de la résistance à la Révolution, le sous-développement de la région était impressionnant, mais grâce à leur courage et à leur ténacité forgés pendant la guerre, les Vendéens ont réussi à remonter la pente.

543.

a *Ce schéma résume l'enchaînement des causes-conséquences de l'entrefilet.*

Effondrement de l'Empire romain		
Mini-âge glaciaire = 3 éruptions volcaniques → les cendres obscurcissent le ciel → les températures baissent		
Conséquences en Europe Chute de la production agricole puis Effondrement de l'Empire romain	**Conséquences en Arabie** Plus de pluie sur la péninsule Plus de pâturages pour les chameaux Invasions arabes facilitées	**Conséquences en Asie centrale** Sécheresse Migration des groupes nomades Invasion des steppes chinoises

b *Il y a trop de façons de voir et présenter les choses pour proposer un texte en corrigé. Voici donc simplement une liste de points négatifs et positifs utilisables pour le rédiger.*

C'est foutu : Il y a déjà de nombreuses atteintes écologiques : biodiversité, déforestation, océans acides, terres affectées, réchauffement. La surpopulation augmente, les pressions sur l'environnement, la concurrence économique, les tensions pour les territoires ou pour les matières premières aussi. Des castes dominantes confisquent une bonne partie des ressources à leur profit. Frustrations, colère, rébellions, terrorisme se diffusent dans les populations. L'inconscience ou le déni ralentissent les prises de conscience. Les illusions technologiques, les mensonges politiques, les engagements insuffisants abondent...

Tout n'est pas perdu : Il y a déjà de nombreuses réalisations écologiques : espèces protégées, forêts replantées, rivières nettoyées, villes vertes, culture biologique, énergies alternatives... De multiples groupes citoyens liés par Internet mettent en place des milliers d'améliorations locales dédiées au bien commun. La créativité des peuples est étonnante. Un monde parallèle se développe déjà avec des solutions valables. Les jeunes en sont le moteur : les temps changent... un autre monde est possible.

⊕ Activité de repérage 31

1. Des maisons de retraite utilisent des robots de compagnie **afin de calmer** l'anxiété de leurs pensionnaires. – **2.** Il est conseillé d'installer un logiciel spécialisé **en vue d'échapper** aux messages indésirables de la publicité. – **3.** Le paiement par reconnaissance vocale ou faciale se généralise **dans le but d'éviter** les escroqueries. – **4.** Accepteriez-vous de fournir vos identifiants Internet **de façon que** les autorités **puissent** lutter plus efficacement contre la fraude? – **5.** Les terroristes changent constamment de téléphone portable **de crainte que** la police **ne les repère**. – **6.** Cette ONG, qui allie altruisme et technologie Internet de pointe, a élaboré un **nouveau site de recherche d'emploi en vue de la réduction** du chômage. – **7.** Notre association, qui agit **pour la conservation** des graines traditionnelles menacées par la culture moderne, lance une souscription Internet. – **8. De façon à ne pas marginaliser** les plus pauvres, la loi oblige les fournisseurs à ne pas couper leur connexion Internet, même si les factures ne sont pas payées, comme l'eau et l'électricité. – **9.** L'association Discosoup organise des banquets géants gratuits avec DJ **pour que** son message anti-gaspillage **passe** mieux : tout est cuisiné à partir de produits récupérés dans plus de soixante villes et l'information passe par Internet. – **10.** Les entreprises se sont lancées dans une course à l'innovation frénétique **de peur que** leurs concurrents les **dépassent.** – **11.** Le conseil municipal a créé une page sur son site **afin que** les habitants qui le souhaitent, **puissent** s'organiser plus facilement pour l'accueil des réfugiés.

544.

ⓐ 1. Il a acheté toutes ces roses **pour / afin de** lui faire plaisir. – **2. pour / afin d'**apprendre la peinture. – **3. pour / afin d'**acheter sa maison.

ⓑ 1. pour / afin de ne pas faire de bruit. – **2. pour / afin de ne plus** nous fâcher. – **3. pour / afin de ne rien** toucher.

ⓒ 1. pour / afin de ne pas le vexer / le ménager. – **2. pour / afin de** leur plaire / ne pas leur déplaire. – **3. pour / afin de** les présenter. – **4. pour / afin de ne jamais** revenir / partir définitivement. – **5. pour / afin de ne pas** y retourner / rester ici. – **6. pour / afin de ne jamais** en manger / m'en passer.

545.

1. pour que nous mangions dehors. **2. afin qu'ils n'y aillent** pas. – **3 pour qu'ils ne se perdent** pas. – **4. afin que je le rencontre.** – **5. pour qu'ils n'en fassent** pas. – **6. pour qu'il rentre !** (*avec prier, on utilise de préférence pour que*).

546.

1. histoire de faire comme tout le monde, de voir les copains – **2.** histoire de prendre l'air, de boire un verre, de me changer les idées... – **3.** histoire de nous amuser, de lui faire un peu peur. – **4.** histoire d'aller dans une discothèque, de promener leurs copines. – **5.** histoire de se relaxer, de se reposer. – **6.** histoire d'oublier un peu, de se changer les idées. – **7.** histoire de nous détendre, de rire un bon coup, de passer un bon moment.

547.

1. de peur (de crainte) qu'il dépense trop / de crainte (de peur) de dépenser trop. – **2.** de peur (de crainte) qu'ils aient des problèmes / de crainte (de peur) d'avoir des problèmes. – **3.** de peur (de crainte) qu'ils s'ennuient / de crainte (de peur) de m'ennuyer. – **4.** de crainte qu'il se noie / de peur de nous noyer.

548. Propositions

1. en vue d'espionner les conversations. – **2.** en vue de leur plaire / d'obtenir une promotion. – **3.** en vue de s'évader. – **4.** en vue de passer un an en mission dans l'espace.

549.

1. En vue du réaménagement du centre-ville, les travaux commenceront en avril. – **2.** Le gouvernement a commencé à prendre des mesures **en vue de la protection** du littoral. – **3.** Il a commencé sa campagne électorale **en vue de sa réélection**. – **4.** Elle réduisait ses autres dépenses **en vue de l'achat d'**un ordinateur.

550.

1. Nous commençons à examiner les catalogues **en vue de voyager** en Asie cet été / **en vue d'un voyage** en Asie cet été. – **2.** Il a eu du mal à préparer ses bagages **en vue de séjourner** six mois au pôle Nord / **en vue de son séjour** de six mois au Pôle Nord. – **3.** Cet employé accumule les heures supplémentaires **en vue d'acheter** une voiture à sa fille / **en vue de l'achat** d'une voiture pour sa fille. – **4.** Les services municipaux annonçaient des coupures de gaz **en vue de tester** les canalisations. – **5.** Les Dupont déménageront cet été **en vue de se rapprocher** de la mer. – **6.** Vous avez commencé à discuter avec vos concurrents **en vue de revendre** votre petit commerce / **en vue de la revente** de votre petit commerce.

551.

1. Tu as peut-être raison… Peut-être qu'il les voit **dans le but de créer** sa propre entreprise. – **2.** Première nouvelle ! Je ne pense vraiment pas qu'elle économise **dans le but de se paye**r une résidence secondaire. – **3.** Mais, voyons, pas du tout ! Je ne l'ai pas fait **dans le but de vous rendre** ridicule. – **4.** Mais enfin, tu délires ! Il ne l'a sûrement pas fait **dans le but de te tuer**. – **5.** Non, je ne crois pas qu'elle s'habille bizarrement **dans le but de se rendre** intéressante.

552.

1. de manière (de façon) qu'ils soient constamment occupés / de façon (de manière) à être constamment occupé. – **2. de façon (de manière) qu'elle puisse** voir le paysage / de manière (de façon) à pouvoir voir le feu d'artifice. – **3. de manière (de façon) qu'on ne s'assoie** pas dessus / de façon (de manière) à s'asseoir sans se salir – **4. de manière (de façon) qu'il s'en aille** le plus vite possible / **de façon (de manière) à partir** discrètement tout à l'heure.

553.

1. de façon qu'elle soit parfaite / **de manière à** modifier un détail. – **2. de manière que** celui-ci **la suive** / **de façon à** le stimuler. – **3. de façon qu'ils n'entendent** rien / **de manière à** rester discret. – **4. de manière que** celle-ci **puisse** faire la piqûre / **de façon à** recevoir la piqûre. – **5. de manière qu'ils aient** tout le temps de discuter / **de manière à** être disponible à son retour.

554.

1. Revenez demain, **que je vous fasse** votre carte. – **2.** Viens dans mes bras, **que je t'embrasse**. – **3.** Viens plus près, **que je te voie** un peu mieux. – **4.** Répète encore une fois, **que je comprenne**. – **5.** Restons un peu plus, **qu'on en termine**. Terminons ce soir, **que ce soit** fait. – **6.** Poussez-vous un peu, **que je m'abrite**.

555. Propositions

1 – **pour qu'il** vérifie l'état de mes dents / **de manière à** savoir si tout va bien / **de peur d'avoir** des caries. – **2. de manière à obtenir** des précisions / **pour qu'il fournisse** des détails supplémentaires / **de peur d'avoir** mal compris. – **3 de crainte de** ne rien trouver sur place / **afin qu'on la trouve** très élégante / **de peur que** personne ne la remarque sans vêtements chics. – **4. de manière qu'ils aient** tout ce qu'il leur faut / **afin de les envoyer** en vacances / **de crainte de ne pouvoir** les élever correctement. – **5. dans le but de** ne pas être punis / **afin qu'on ne s'aperçoive** de rien / **de peur d'être** privés de dessert. – **6. de crainte de la répression** / **afin que nous terminions** nos devoirs / **pour faire** plaisir à papa. – **7. en vue de l'achat** d'un voilier / **dans le but de** payer les études de ses enfants / **pour ne pas risquer** un découvert à la banque. – **8. en vue d**'avoir un grand nombre de bonnes notes / **de façon à être** compris de tous / **de manière que** tous les candidats aient leur chance. – **9. de crainte qu'ils ne la mettent** à la porte / **afin de** ne pas les décevoir.

556. Exercice de créativité

557. Propositions

1. de manière que celui-ci a acheté 100 sucettes ! (*conséquence*). – **2. de manière qu'il reprenne** de l'énergie (*but*) / **de façon que dix minutes après il allait** mieux (*conséquence*). – **3. de sorte qu'ils ont dû** passer la nuit dans un refuge (*conséquence*). – **4. de manière que les gangsters n'attaquent** pas (*but*) / **de sorte que les gangsters n'ont pas attaqué** (*conséquence*). – **5. de façon que celle-ci est** complètement déprimée (*conséquence*) / **de manière qu'elle devienne** jalouse (*but*). – **6. de manière qu'il l'a renvoyé** (*conséquence*). – **7. de façon que l'eau a commencé** à entrer dans la cale (*conséquence*). – **8. de manière qu'ils prennent** peur (*but*) / **de sorte qu'ils se sont enfuis** (*conséquence*). – **9. de façon que je puisse** en acheter avant tout le monde (*but*) / **de manière que j'ai pu** en acheter avant tout le monde (*conséquence*).

558. Propositions

1. de façon à le calmer (*but*) / de façon qu'il se calme (*but*) / de façon qu'il s'est calmé (*conséquence*). – **2.** de manière à le placer à la Caisse d'épargne / de sorte qu'il ne me reste plus rien aujourd'hui (*conséquence*) / de façon que je n'aie plus un sou (*but*). – **3.** de façon à rester à la maison / de manière que sa mère lui dise de rester à la maison (*but*) / de sorte qu'il est resté à la maison (*conséquence*). – **4.** de manière que mon mari ne boive plus (*but*) / de manière à en garder pour ce week-end / de façon qu'il en restera ce week-end (*conséquence*). – **5.** de manière à l'immobiliser (*but*) / de manière qu'il s'enfuie (*but*) / de façon qu'il l'a empêché d'agir (*conséquence*). – **6.** de sorte qu'elle ne se sente pas trop seule (*but*) / de manière à lui soutenir le moral (*but*) / de façon qu'elle se sentira entourée (*conséquence*). – **7.** de manière que tout étincelle (*conséquence*) / de façon à éliminer (*but*) toute la poussière / de manière que son mari ne souffre pas trop de son allergie à la poussière (*but*).

Activité de repérage 32

Deux structures :

il faut + infinitif... pour + infinitif / nom

il faut + que + subjonctif pour que + subjonctif (deux sujets différents)

559. Propositions

Il faut de l'argent **pour voyager.** – Il faut des crayons de couleurs **pour dessiner.** – Il faut des vêtements chauds, des skis et des bâtons **pour skier.** – Il faut de la farine, des œufs, du lait, un peu de sucre et une pincée de sel **pour faire** des crêpes. – Il faut du charme, de l'élégance, de la gentillesse, etc. **pour trouver** un mari. – Il faut beaucoup de soins **pour avoir** de beaux légumes.

560.

1. Il te faudra du temps **pour finir** ce dossier. – **2. Il lui faut** ton accord **pour prendre** la décision. – **3. Il nous faut** l'autorisation **pour commencer** le chantier. – **4. Il vous faut des amis** bien placés **pour réussir.** – **5. Il me faut** de l'aide **pour construire** ma maison. **6. Il leur faut** un bateau **pour naviguer.** – **7. Il te faut** des associés pour monter cette entreprise. – **8. Il leur faut le feu vert** de la présidence **pour agir.** – **9. Il vous faut** l'avis d'un professionnel **pour lancer votre projet.** – **10. Il te faut des vêtements** adaptés **pour aller** à la réception de la princesse.

561.

1. Il faudra un produit spécial **pour effacer** cette tache. – **2. Il faudrait** des crédits et du soutien **pour ouvrir** notre propre boutique. – **3.** Autrefois**, il fallait** beaucoup de temps **pour faire** la lessive. – **4. Il faut** un bateau à fond plat **pour aller** sur cet îlot. – **5. Il a fallu** l'intervention du maire **pour obtenir** un rendez-vous avec le ministre. – **6. Il a fallu** les conseils d'une agence **pour trouver** à louer une villa pas trop chère.

562.

1. Il faudrait le soutien de l'État **pour que** ce projet se réalise – **2. Il fallait beaucoup de soins pour que** les malades guérissent. – **3. Il a fallu cette maladie pour qu'**elle se décide à changer de travail. – **4. Il faudra beaucoup de patience pour que** ce lion soit dressé. – **5. Il a fallu un prêt** de sa banque **pour qu'**il réussisse à monter son entreprise. – **6. Il avait fallu l'aide** de ses copains **pour qu'**elle déménage aussi vite.

563.

1. Il faut que nous rassemblions de nombreuses signatures pour que notre action **soit** efficace. – **2. Il faudra que vous apportiez** plus de nourriture pour que chacun **ait** une part correcte. – **3. Il faudrait qu'on aille** voir le responsable pour qu'il **s'explique.** – **4. Il aurait fallu que son père soit** plus patient pour **qu'elle comprenne.** – **5. Il a fallu que les ouvriers fassent** grève pendant deux semaines pour **que le patron accepte** leurs revendications. – **6. Il aurait fallu que tu l'écoutes** pour **qu'elle ne se soit pas fâchée.** – **7. Il fallait que vous fassiez** des heures supplémentaires pour que le travail **soit** accompli.

564.

1. Il fallait qu'on leur raconte une histoire pour **qu'ils s'endorment.** – **2. Il a fallu que nous fassions** un scandale pour **qu'il nous reçoive.** – **3. Il a fallu qu'elle se drogue** pour **qu'il comprenne** la gravité de son problème. – **4. Il a fallu que je tombe** enceinte pour **qu'il m'épouse.** – **5. Il a fallu qu'un voyageur tire** le signal d'alarme pour **que le train s'arrête.** – **6. Il faudra que le médecin lui prescrive** du repos pour **qu'elle puisse** reprendre son travail.

565.

(a) structure répétitive : pour que + subjonctif... il faut que + subjonctif

(b) *Exercice créatif*

(c) *Exercice créatif*

566.

1. Il **a suffi d'un petit pois** dans son lit **pour que la princesse ne puisse pas dormir.** *(histoire issue d'un conte)* – **2.** Il **suffisait d'un petit effort pour que le trésor soit** à toi. – **3.** Il **suffisait d'un geste** de votre part **pour qu'elle revienne**. – **4.** Il **suffira d'une bonne nuit** de sommeil **pour que vous soyez reposé**. – **5.** Il **suffirait de quelques séances** de gymnastique **pour être** en meilleure forme. – **6.** Il **suffisait de quelques illustrations** supplémentaires **pour que son devoir soit** parfait. – **7.** Il **aurait suffi d'un pas** de plus **pour qu'il soit écrasé**. – **8.** Il **suffit d'un verre** de trop **pour ne plus pouvoir** conduire. – **9.** Il **suffit qu'un homme sourie** à Mathilde **pour que son mari lui fasse** une scène. – **10.** Il **suffit d'une bonne réponse** pour gagner.

567.

1. Il **lui suffit d'apparaître pour que** tous les photographes se précipitent. – **2.** Il **leur a suffi d'ouvrir** la petite fenêtre **pour que les pigeons s'envolent**. – **3.** Il **vous suffira de prendre** un peu d'aspirine **pour que votre fièvre disparaisse**. – **4.** Il **lui suffirait d'apporter** un petit cadeau **pour que les enfants soient ravis**. – **5.** Il **t'a suffi de devenir** plus aimable **pour qu'on te trouve** charmant. – **6.** Il **lui a suffi d'arroser** un peu les plantes **pour qu'elles reverdissent**. – **7.** Il **te suffisait de lui présenter** des excuses **pour que l'atmosphère se détende**. – **8.** Il **nous aurait suffi de partir** cinq minutes plus tôt **pour que nous attrapions** le bus.

568. Exercice de créativité

569.

ⓐ *Propositions parmi d'autres*

1. Pour se faire plein de bons amis, il ne suffit pas d'être drôle, il faut aussi savoir aider les autres. – **2.** Pour ne pas s'ennuyer dans la vie, il ne suffit pas de rêver, il faut prendre des risques. – **3.** Pour bien connaître la planète, il ne suffit pas de surfer sur Internet, il faut aussi rencontrer des étrangers. – **4.** Pour plaire aux femmes, il ne suffit pas de savoir séduire, il faut aussi s'intéresser vraiment à elles.

ⓑ 1. Pour être un grand professeur de médecine, il faut que tu découvres un vaccin contre Ebola.

2. Pour être une super mère de famille, il ne suffit pas que tu sois bien organisée, il faut aussi que tu aimes tous tes enfants également.

3. Pour être un bon auteur de polars, il ne suffit pas que tu aies de bonnes histoires, il faut aussi que tu saches organiser le suspense.

4. Pour être le meilleur vendeur de la ville, il ne suffit pas que tu sois un bon commercial, il faut aussi que tu vendes un produit irrésistible.

570.

1. Il n'a pas suffi à ce groupe d'avoir du talent, il a fallu qu'il fasse les bonnes rencontres au bon moment. – **2.** Il n'a pas suffi à cette femme d'être belle, il a aussi fallu qu'elle soit aimable et cultivée. – **3.** Il n'a pas suffi qu'il perde son emploi, il a aussi fallu que sa femme parte avec les gosses en le plongeant dans la dépression. – **4.** Il n'a pas suffi qu'il sache tirer mieux que les autres, il a aussi fallu qu'il soit intelligent et manipulateur.

571.

1. Il **suffira qu'on achète** un gâteau de plus **pour que tout le monde ait** sa part. – **2.** Il **suffirait qu'elle voyage** un mois **pour que ce garçon lui sorte** de la tête. – **3.** Il **suffisait qu'ils gardent** le secret **pour que l'émeute n'éclate pas**. – **4.** Il **suffit que nous sortions** un peu **pour que les**

enfants **préparent** leur surprise. – **5.** Il **a suffi qu'on crie** plus fort que lui **pour qu'il change** d'avis. – **6.** Il **aurait suffi qu'ils révisent** mieux ce chapitre **pour que le jury leur mette** une mention. – **7.** Il suffira de 20 minutes de plus de cuisson **pour que ton gigot soit** parfait. – **8.** Il **suffirait que** quelques élèves **partent** de l'école **pour qu'elle soit fermée.**

572.

a Vous **voulez devenir** aussi musclé et célèbre que ce magnifique athlète olympique? Et pourquoi pas, si vous en avez **l'aspiration**? Sachez toutefois que celle-ci (votre aspiration), même forte, ne suffira pas **pour y parvenir**. **Il vous faudra** y mettre le prix, focaliser toute votre volonté et tous vos efforts **dans cette direction**. Mais cela ne sera peut-être **pas suffisant** non plus **pour que vos rêves deviennent** réalité. De nombreux obstacles se dresseront sur votre route, **pour vous endurcir**. Et puis sur **ce chemin rien n'est garanti**; beaucoup le prennent et **peu arrivent au but**, c'est ainsi. **Il vous faudra peut-être abandonne**r **votre objectif** initial. Et pourquoi pas? Vous aurez beaucoup appris et vous trouverez peut-être **un but** plus enivrant en route! L'essentiel est d'être sincère avec vous-même à chaque étape.

b *Exercice de créativité*

 ## Activité de repérage 33

a *La notion de but s'accompagne souvent de notions associées: souhait, désir, volonté, orientation, pari sur l'avenir, choix, conséquences espérées ou redoutées.*

1. Objectif bac

Si vous voulez que votre enfant chéri soit à son maximum le jour de l'épreuve et qu'il arrive à ses **fins – réussir son bac –** aidez-le **à se fixer des objectifs** réalistes pour réviser. Veillez à son alimentation de façon que son cerveau soit correctement alimenté mais n'oubliez pas que, **pour ne pas saturer, il a besoin de** petites pauses plaisir.

2. Tourisme

Le conseil départemental d'Aquitaine vient de **définir ses priorités** en matière de développement touristique. **Il prévoit de miser** sur l'écotourisme **de façon à préserver** la nature sans sacrifier l'économie.

3. Simulation

Cette formation de chômeurs **pour le retour à l'emploi atteint ses objectifs** avec 73% de réussite. Les simulations de situations réelles, dans une entreprise virtuelle, **visent à réapprendr**e aux chômeurs les réflexes de la vie professionnelle. Et ça marche!

4. Brigade des mères

18 jeunes de cette petite ville sinistrée économiquement se sont radicalisés ensemble et ont rejoint un groupe terroriste **avec le désir de** construire un monde meilleur. Hélas, ils n'ont pas **atteint leur but** et plusieurs sont morts. Leurs mères **se sont donné pour mission d'éviter** d'autres départs. Elles ont entrepris un travail **à long terme** de soutien scolaire: l'échec étant souvent la première étape de la dérive, le soutien est une **priorité absolue.**

5. Monnaies locales

Ces monnaies, nées du système d'échanges locaux, **ne cherchent pas à** remplacer la monnaie nationale, mais **veulent être** un outil de relocalisation de l'économie. Villes, communes et maintenant régions les mettent en place. Elles **souhaitent** renforcer ainsi le lien entre économie et territoire. Les acteurs locaux **ayant l'ambition** d'améliorer les performances de leur région, les premiers résultats sont prometteurs.

6. Prévention routière

Des photos des membres du conseil municipal en petite tenue aux deux entrées du village? **Pour quoi faire**? Le moyen est surprenant mais **l'intention est bonne** : ils tiennent tous un panneau de limitation à trente kilomètres à l'heure comme cache-sexe. Les conseillers **misent sur** l'effet de surprise **pour que** les automobilistes ralentissent et ils **espèrent une diminution** du nombre d'accidents. Pour la petite histoire, **ils ont évité** de prévenir leurs femmes avant de lancer la campagne : elles auraient peut-être **tout fait pour** les dissuader...

7. Écologie

L'objectif central, **incontournable**, c'est la réduction des gaz à effet de serre. **Pour l'atteindre,** il faut absolument **tendre vers** une économie verte.

Des mesures d'économie d'énergie ont été prises avec **le souci de protéger** l'environnement **à long terme** ; mais elles n'ont **aucune chance d'aboutir** si les citoyens ne comprennent pas **leur finalité**. Il faut expliquer, expliquer, **expliquer pour que** toutes les bonnes volontés **se mobilisent**. Et pour que les **engagements et promesses** des politiques **soient tenus**, **il faut que** les peuples **se fassent entendre** énergiquement.

8. Épicène, vous avez dit Épicène ?

Vous avez **l'intention de** faire progresser l'égalité entre les sexes dans tous les domaines, y compris dans les usages linguistiques ? Avec la **noble ambition de** nous faire parler moins macho, le Haut Conseil à l'Égalité **nous propose d'utiliser** plus souvent les épicènes – ces mots dont la forme ne varie pas entre le masculin et le féminin. Cependant, **pour réaliser ce bel objectif,** devons-nous les utiliser sans leurs déterminants ? Est-ce que dire « un (une) enfant habile » au lieu de « un garçonnet » ou « une fillette » va vraiment **faire avancer** le « schmilblick » (= les mentalités) ?

L'opposition, la concession

573.

a Il y a deux modèles de réponses :

– Faire une seule phrase en introduisant « alors que » ou « tandis que » en faisant de petites modifications.

Stéphane est naturellement brun, **alors que / tandis que** Jonathan / son frère, est blond décoloré.

Stéphane a un physique banal **tandis que** Jonathan mesure 1 m 90 et possède une musculation spectaculaire.

Alors que Stéphane est marié avec deux enfants, Jonathan est un célibataire très demandé.

Jonathan est un basketteur célèbre **tandis que** son frère est professeur de maths.

Jonathan a de gros revenus **tandis que** son frère a un salaire de professeur.

Jonathan porte une Rolex **alors que** son frère n'a qu'une montre banale.

Stéphane économise beaucoup **alors que** son frère vit en dépensant tout.

– Faire deux phrases en plaçant « à l'inverse » au début de la deuxième.

Stéphane est naturellement brun. **À l'inverse** / **au contraire, à l'opposé**, Jonathan est blond, décoloré.

b *Exercice de créativité*

574.

a **1. Autant** mon frère parle bien allemand, **autant** il est mauvais en chinois. – **2. Autant** je suis bon joueur de tennis, **autant** je suis un danseur médiocre. – **3. Autant** il est mauvais bricoleur, **autant** il est bon cuisinier. – **4. Autant** cette plage est tranquille, **autant** l'autre est bondée. – **5. Autant** l'un est compétent, **autant** l'autre est arriviste. – **6. Autant** celui-ci est passionnant, **autant** celui-là est ennuyeux. – **7. Autant** celle-ci est trop classique, **autant** celle-là est trop voyante. – **9. Autant** le héros joue mal, **autant** le second rôle joue bien. – **10. Autant** ce frigo fait du bruit, **autant** l'autre et parfaitement silencieux.

Remarquez le vocabulaire qui renforce l'idée d'opposition :

1. bien / mauvais ; bon / médiocre ; tranquille / bondé ; compétent / arriviste ; fait du bruit / silencieux... 2. l'un / l'autre ; celui-ci / celui-là

b *Exercice de créativité*

575.

a 1. *Phrases indicatives*

À la place du melon, je préfère du concombre. J'aimerais avoir du poisson **à la place du** steak. **Au lieu de** haricots, j'aimerais mieux du riz. Je n'aime pas le fromage blanc, puis-je avoir un fruit **à la place** ? Le vin est compris, mais **au lieu de** cela, je préférerais boire une eau gazeuse. Et **à la place de** café, un thé serait le bienvenu...

2. *Exercice de créativité*

b **1. Au lieu de manger** au restaurant, il mange un sandwich. – **2.** Il va jouer sur son ordinateur **au lieu de faire** du sport. – **3.** Il jette ses chaussettes **au lieu de les laver**. – **4.** Il donne les cadeaux qu'on lui fait **au lieu de les garder**. – **5. Au lieu de traverser** les rues dans les passages pour piétons, il traverse n'importe où. – **6.** Il se gare sur les trottoirs **au lieu de se garer** dans les parkings.

ⓒ Va faire du vélo au lieu de rester couché toute la sainte journée ! Arrête de regarder des films en boucle au lieu d'aller danser avec tes amis. Passe un peu de temps au bistrot au lieu de tchater sur le net. Mange des fruits au lieu de tes éternels biscuits ou tu vas devenir obèse ! Fumer au lieu de prendre l'air, c'est pas franchement bon pour la santé ! Drague un peu les filles au lieu de faire des jeux en ligne …

576. Exercice de créativité

577. Exercice de créativité

578. Quelques propositions

Dans les pays méridionaux ; on vit dehors **à l'opposé** des pays nordiques où le climat est froid. Les méridionaux utilisent beaucoup l'huile d'olive ; **inversement** les nordiques consomment plus de laitages.

579.

1. Sacha est paresseux **alors que** Timéo est travailleur. **Si** Sacha est paresseux, Timéo est travailleur. Sacha est paresseux, **en revanche** Stéphane est travailleur. Sacha est paresseux, **quant à** Timéo, il est travailleur. – **2.** J'aime la natation **tandis que / alors que** mon mari fait du tennis. J'aime la natation, **par contre** mon mari fait du tennis. J'aime la natation, mon mari, **de son côté**, fait du tennis. – **3.** Alain est un bon attaquant, **en revanche** Philippe est meilleur défenseur. Alain est un bon attaquant, **quant à** Philippe, il est meilleur défenseur. **Si** Alain est un bon attaquant, Philippe est meilleur défenseur. Alain est un bon attaquant ; Philippe, **lui**, est meilleur défenseur. – **4.** Théo et Lina aiment prendre leurs vacances au mois d'août, **inversement** Adam et Madeleine préfèrent partir en février… Théo et Lina aiment prendre leurs vacances au mois d'août, Adam et Madeleine, **en ce qui les concerne**, préfèrent partir en février… **Autant** Théo et Lina aiment prendre leurs vacances au mois d'août, **autant** Adam et Madeleine préfèrent partir en février. Théo et Lina aiment prendre leurs vacances au mois d'août, Adam et Madeleine, **pour leur part**, préfèrent partir en février… – **5. Autant** avec Florence tout est facile, **autant** avec Anna tout est compliqué. Avec Florence tout est facile, **alors qu'**avec Anna tout est compliqué. Avec Florence tout est facile, avec Anna **au contraire**, tout est compliqué. **Si** tout est facile avec Florence, tout est compliqué avec Anna. – **6.** Nicolas est hyperactif, **par contre / à l'opposé /** Jacob aime prendre son temps. Nicolas est hyperactif, Jacob **quant à lui / pour sa part** / aime prendre son temps. …

580. Exercice de créativité

Correction indicative, car il y a de nombreuses possibilités pour chaque idée.

1. Les optimistes relativisent. **En revanche**, les pessimistes désespèrent (ou l'inverse). – **2.** Les pessimistes dépriment ; les optimistes, **quant à eux**, voient les choses du bon côté. – **3. Au lieu de** voir seulement des problèmes, les optimistes recherchent des solutions. – **4.** Les optimistes se lancent dans la coopération ; **à l'inverse**, les pessimistes craignent la concurrence. – **5. Plutôt que de** paniquer, les optimistes se mettent au boulot. – **6.** Les pessimistes se méfient des autres, **mais** les optimistes se montrent confiants, ouverts et généreux. – **7.** Les optimistes développent l'innovation, **par contre** les pessimistes résistent aux évolutions. – **8.** Les optimistes construisent pour demain **au lieu d'**avoir peur de l'avenir.

Activité de repérage 34

a Moyens grammaticaux et lexicaux utilisés pour exprimer l'opposition entre les deux personnes :

« Nous avons quand même trouvé une divergence de taille »	
Alain Finkielkraut « [Il] est profondément pessimiste sur l'avenir » « Il semble avoir désespéré de l'homme » « Il vit dans la nostalgie du passé » « Où il voit des catastrophes » « Il déteste la technologie, s'afflige d'Internet » **« plutôt** que sombrer dans la déploration »	Bernard-Henri Lévy « je crois **à l'inverse** au pouvoir [...] de surmonter les problèmes » **« alors que** je ne cesse de m'en émerveiller » **« quand** je suis tout entier l'appétit du présent » « je perçois des transformations » **« quand** j'en tire bénéfice » « si le bateau coule, autant trinquer au naufrage »
Points communs « Au moins avons-nous gardé en commun la passion des controverses… » « Au-delà des brouilles, il restera pour toujours… »	

b *Exercice de créativité*

581.

a Le chien : anti puces

Agnès : un antidouleur, un produit antimoustiques, une crème antiâge.

Son mari : un antiseptique (désinfectant), un antigrippe, un antibiotique, un antidépresseur, un antiinflammatoire (un antidouleur)

b La montre antichoc résiste aux chocs ; l'immeuble antisismique résiste aux tremblements de terre, l'antivol résiste aux voleurs ; un mur antibruit protège du bruit de l'autoroute, un abri antiatomique protège des radiations atomiques en cas d'accident nucléaire ou de conflits, un antivirus (sens médical) est un organisme réduisant le développement des virus ; le produit anticalcaire nettoie les traces de calcaire.

c La brigade antigang, antidrogue, antiterrorisme, antidopage, anticorruption.

d Ce sont des antiracistes, des antiesclavagistes, des antiavortement, des anticommunistes, des antifascistes, des anti mondialisation.

e La loi est antisociale, antidémocratique, anticonstitutionnelle.

f Un antihéros est un personnage de fiction qui a un rôle important, mais qui n'a aucune caractéristique traditionnelle des héros (petit, pas beau, timide, peureux, maladroit, compliqué…). Un anti tout est contre tout systématiquement. Rien n'échappe à sa critique.

582.

1. Il n'avait pas la moindre envie de partir, mais il a fini par le faire **à contrecœur**. – **2.** Les passagers ont bien réagi tout de suite après l'accident, mais certains ont eu un gros **contrecoup**. – **3.** Votre note est mauvaise, car vous avez fait de nombreux **contresens**. – **4.** Ce sportif a fait une **contre-performance** à l'opposé de ses excellents résultats habituels. – **5.** Nous nous excusons pour notre absence, mais nous avons eu de nombreux **contretemps**. – **6.** L'avocat de la défense a demandé l'ouverture d'une **contre-enquête** avec des **contre-expertises** scientifiques. – **7.** L'opposition a jugé **contre-productive** la proposition de nouvelle loi sécuritaire. La **contre-**

attaque du gouvernement a été foudroyante, qualifiant ses adversaires d'irresponsables. – **8.** Cet artiste, resté fidèle à lui-même et à **contre-courant** de son époque, a fini par obtenir le respect de tous. – **9.** Quand la culture dominante n'écrase pas totalement les marges, il naît quelquefois une **contre-culture** passionnante. – **10.** Vous affirmez qu'il s'agit d'une règle vraiment générale. Vraiment? Alors que ferez-vous du **contre-exemple** que je vais vous exposer ?

583.

a Toutes les expressions fonctionnent pour toutes les phrases.

1. Antoine surveille sévèrement ses dépenses		**c.** … il prête volontiers à ses amis.
2. Samir gagne royalement sa vie	cependant	**d.** … il craint constamment de manquer d'argent.
3. Mettre de l'argent de côté pour un projet, c'est bien	pourtant	**a.** … économiser pour économiser montre une peur de l'avenir.
4. La loi oblige à garder une part d'héritage pour ses enfants	toutefois	**e.** … vous pouvez donner le reste à qui vous chante.
5. Johan est bac +7	néanmoins	**b.** … il ne trouve que des petits boulots.
6. Romain a un petit salaire	malgré cela	**g.** … il est toujours dans le rouge à la banque.
7. Vivre au jour le jour est agréable.	en dépit de cela	**f.** … c'est mieux d'anticiper ses dépenses.

b *Exercice de créativité*

584.

Toutes les phrases peuvent utiliser « bien que » ou « quoique », en début ou au milieu de la phrase.

1. Bien que nous soyons des créatures intelligentes, notre compréhension est limitée par notre perception. – **2.** Il y a plus de ressemblances que de différences dans les gênes des êtres humains, **bien qu'ils soient** d'apparences très variées. – **3. Quoiqu'ils semblent** quelquefois peu développés, les peuples autochtones ont su survivre en accord avec leur environnement, ce que nous ne ferons peut-être pas. – **4.** Les animaux savent communiquer entre eux **bien qu'ils n'aient pas** de langage aussi élaboré que nous. – **5. Quoique les plantes semblent** sans cerveau ni sensibilité, elles ont une vingtaine de capacités sensorielles. – **6. Bien que les chercheurs soient** rigoureux dans leurs recherches, certaines solutions leur parviennent en rêve. – **7. Bien qu'il soit** un scientifique de très haut niveau, Einstein a écrit que la force principale de l'univers est l'amour. **– 8. Quoique la matière semble** dense au toucher, elle est constituée d'atomes en mouvement. – **9. Quoique les performances de la médecine moderne soient** formidables, il ne faut pas négliger les savoirs traditionnels.

585.

1. Internet est très utile, **encore qu'il risque** d'être un danger pour les enfants. – **2.** Le crédit est très avantageux, **encore qu'il puisse être** dangereux s'il est mal utilisé. – **3.** Les femmes sont, en général, plus tolérantes que les hommes, **encore que** certaines **soient** pires. – **4.** Son travail lui plaît beaucoup, **encore qu'il s'en plaigne** quelquefois. – **5.** Mon père trouve cette actrice très mauvaise, **encore que son visage lui plaise**. – **6.** Toute la famille a bien accueilli son ami, **encore que son père ait fait** quelques remarques désobligeantes.

586.

a **1. Il a eu beau s'appliquer** énormément pour faire ses exposés, il n'a pas de bons résultats. – **2. Il a beau être** un bon skieur et s'entraîner beaucoup, il ne gagne jamais de courses. – **3. Il a eu beau prendre** grand soin de sa voiture, elle est souvent en panne. – **4. Il a beau bien gagner** sa vie, il a toujours des problèmes pour payer ses impôts. – **5. Il a beau être gentil** avec les femmes, elles n'acceptent jamais ses rendez-vous. – **6. Il a beau avoir 25 ans**, il paraît plus âgé. – **7. Il a beau s'être défendu**, le voleur lui a pris son portefeuille. – **8. Il a beau être** très instruit, il n'a pas pu résoudre le problème.

b **1. Gilles avait beau être resté** longtemps au soleil, il n'était pas bronzé comme ses amis. – **2. Il avait beau avoir fait** souvent des cadeaux à sa mère, elle n'était jamais contente. – **3. Il avait beau être sorti** tôt de la réunion, il est arrivé en retard à son rendez-vous. – **4. Il avait beau avoir mis** son plus beau costume, personne ne l'a remarqué. – **5. Il avait beau avoir acheté** les meilleurs produits, sa cuisine n'était pas bonne. – **6. Il avait beau avoir pris** toutes les précautions pour lui expliquer le problème, elle a mal réagi. – **7. Il avait beau avoir lu** la notice explicative, il n'arrivait pas à faire fonctionner son nouvel ampli. – **8. Il avait beau avoir été** très gentil, sa femme était partie avec un autre.

587.

Toutes les phrases peuvent utiliser « bien que » ou « quoique », en début ou au milieu de la phrase.

1. Bien qu'il ait fait chaque jour un entraînement intensif, il n'a pas amélioré sa vitesse. – **2. Quoique l'accusé ait crié** son innocence, il a été condamné. – **3. Bien qu'il ait affirmé** qu'il rembourserait… on ne l'a pas cru. – **4. Bien qu'elle sache** bien nager, elle avait de la difficulté à se sortir des tourbillons. – **5. Bien que nous soyons** courageux, nous ne pouvions pas prendre tout en charge. – **6. Bien qu'il demande** régulièrement une augmentation à son patron, il ne l'obtenait jamais. – **7. Quoique cet enfant lise** beaucoup, il fait encore beaucoup de fautes d'orthographe. – **8. Bien qu'il boive** beaucoup, il a toujours des problèmes de reins.

588.

1. Même si la boxe est un sport brutal, ça me plaît. / La boxe me plaît **même si** c'est un sport brutal. – **2. Même si les Rolex sont** des montres très chères, j'en ai une. / J'ai une Rolex **même si** c'est une montre très chère. – **3. Même si je ne sais** pas bien danser, je vais au bal du 14 juillet. / Je vais au bal du 14 juillet **même si** je n'aime pas beaucoup danser. – **4. Même si je prends** mes médicaments, j'ai encore mal. / J'ai encore mal **même si** je prends mes médicaments. – **5. Même si je n'aime pas** beaucoup le conférencier, j'irai l'écouter. / J'irai écouter ce conférencier **même si** je ne l'aime pas beaucoup. – **6. Même si je ne regarde pas** beaucoup la télévision, j'en ai une. / J'ai la télévision **même si** je ne la regarde pas beaucoup. – **7. Même si je n'ai pas** beaucoup de temps, je viendrai vous voir. / Je viendrai vous voir **même si** je n'ai pas beaucoup de temps. – **8. Même si je n'avais pas** beaucoup d'argent quand j'étais étudiant, j'achetais des livres. / Quand j'étais étudiant, j'achetais des livres **même si** je n'avais pas beaucoup d'argent.

589.

1. Quand bien même notre voiture serait au garage, nous **irions** vous voir. – **2. Quand bien même les ouvriers seraient** en grève, nous vous **verserions** votre salaire. – **3. Quand bien même il réussirait** son examen, il ne **trouverait** pas de travail. – **4. Quand bien même il gagnerait** la course, il ne **serait** pas satisfait. – **5. Quand bien même, un jour, il aurait** beaucoup d'argent, **il ne quitterait** pas son travail. – **6. Quand bien même tu me demanderais** mille fois de faire ce travail, je ne le **ferais** pas… – **7. Quand bien même il la couvrirait** de cadeaux, elle **n'accepterait** pas sa demande en mariage. – **8. Quand bien même**, un jour, nous **serions séparés** pendant longtemps, je ne **t'oublierais pas**.

590.

1. La décision a été prise **sans que les délégués soient là**. – **2.** Il a été incarcéré **sans que** les preuves suffisantes **aient été réunies**. – **3.** Elle a travaillé 24 heures **sans dormi**r. – **4.** Les voleurs sont entrés dans la maison **sans que** vous ne vous en aperceviez. – **5.** Il a fait 1000 km **sans s'arrête**r. – **6.** Les jeunes mariés sont partis **sans que les invités s'en aperçoivent**. – **7.** Les cours ont changé d'horaires **sans que les étudiants en soient avertis**. – **8.** Il s'est endormi **sans avoir pris** son médicament. – **9.** Il a atteint la ligne d'arrivée **sans que les autres coureurs l'aient rejoint**. – **10.** Il a travaillé un mois **sans être payé**.

591.

Les deux structures fonctionnent pour toutes les phrases. « Aussi » est plus courant. « Si » et « tout » sont plus littéraires.

Aussi

Si timide qu'il ait été, il est devenu journaliste (ou député).

Tout

Si (aussi, tout) mauvais élève qu'il ait été, il est devenu ingénieur. **Tout (aussi, si) peureux qu'il ait été,** il est devenu sauveteur en montagne. **Aussi (si, tout) dépensier qu'il ait été,** il est devenu banquier. **Si (aussi, tout) maladroit de ses doigts qu'il ait été,** il est devenu prestidigitateur. **Aussi, si peu communicatif qu'il ait été**, il est devenu député (ou journaliste). **Aussi (si, tout) idéaliste qu'il ait été,** il est devenu homme d'affaires.

592.

ⓐ 1. Qui que tu décides de devenir, tu peux y arriver. – **2. Qui que nous fréquentions,** nous restons fidèles à nous-mêmes. – **3. Qui que soit cette fille**, elle ne te mérite pas. – **4. Qui qu'elle soit,** elle va se conformer aux mêmes règles que les autres. – **5.** ... mais **qui qu'ils soient**, ils vous donneront tous la même réponse. – **6.** ... mais **qui qu'il soit / qui qu'il prétende** être, il est... – **7.** ... mais **qui qu'ils soient**, ils sont trop grossiers pour... – **8.** ... Ah bon ? **Qui que vous soyez**, ça ne vous donne pas le droit de... – **9.** ... : **qui qu'ils soient**, prévenez-moi aussitôt.

ⓑ 1. Quoi que dise le capitaine, il doit être obéi. / Le capitaine doit être obéi **quoi qu'**il dise. – **2. Quoi que je fasse,** je n'y arriverai pas. / Je n'y arriverai pas **quoi que** je fasse. – **3. Quoi que tu penses,** je ne changerai pas d'avis. / Je ne changerai pas d'avis **quoi que** tu penses. – **4. Quoi qu'il m'offre** pour s'excuser, je ne lui pardonnerai pas. / Je ne lui pardonnerai pas **quoi qu'**il m'offre. – **5. Quoi qu'elle porte**, elle est toujours très séduisante. – **6. Quoi que tu offres** à Grand-Père, fais un joli paquet cadeau.

ⓒ 1. Où que les Jeux olympiques aient lieu, j'irai les voir. / J'irai voir les Jeux **olympiques où qu'**ils aient lieu. – **2. Où que j'aille**, il y a de la pollution. / Il y a de la pollution **où que** j'aille. – **3. Où que nous fassions** du ski, il y a toujours beaucoup de monde sur les pistes. / Il y a toujours beaucoup de monde sur les pistes **où que** nous fassions du ski. – **4. Où que tu travailles** tu auras toujours les mêmes problèmes. / Tu auras toujours les mêmes problèmes **où que** tu travailles. – **5. Où qu'ils voyagent**, partout, ils mangent la même nourriture internationale.

ⓓ 1. Quel que soit le temps, la course aura lieu. / La course aura lieu **quel que soit** le temps. – **2. Quelle que soit son envie** de partir, il est obligé de rester. / Il est obligé de rester **quelle que soit** son envie de partir. – **3. Quelles que soient ses craintes**, elle doit accepter le changement. / Elle doit accepter le changement **quelles que soient** ses craintes – **4. Quels que soient ses efforts**, il ne gagnera pas. / Il ne gagnera pas **quels que soient** ses efforts. – **5. Quelles que soient tes préférences**, tu devras t'adapter. – **6. Quelles que soient ses compétences** pour ce poste, il n'a aucune chance de l'obtenir. – **7. Quelle que soit sa souffrance**, il ne se plaint jamais. – **8. Quelle que soit la tenue qu'elle achète**, elle est toujours très chic.

593.

1. Où qu'il aille, quelqu'un le reconnaît. / On reconnaît Tony **où qu'il aille**. – **2. Quoi qu'il** fasse, un journaliste est là. / Un journaliste est là **quoi qu'il fasse**. – **3. Quoi qu'il porte**, on le critique. / On critique Tony **quoi qu'il porte**. – **4. Quelle que soit** l'opinion que Tony exprime, on la transforme. / On transforme l'opinion que Tony exprime, **quelle qu'elle soit**. – **5. Quelle que soit** la femme avec qui il sort, on dit qu'il va l'épouser. / On dit qu'il va épouser la femme avec qui il sort, **quelle qu'elle soit**. – **6. Quel que soit** le match qu'il joue, la préparation est pénible. / La préparation est pénible **quel que soit** le match qu'il joue. – **7. Où qu'il aille**, il est obligé d'emporter de nombreuses valises. / Il est obligé d'emporter de nombreuses valises **où qu'il aille**. – **8. Quelle que soit la personne** qu'il rencontre, on ne lui parle que de football. / On ne lui parle que de football, **quelle que soit la personne qu'il rencontre**. – **9. Où qu'il habite**, Tony n'est jamais tranquille. / Tony n'est jamais tranquille **où qu'il habite**. – **10. Quels que soient les voyages qu'il fasse**, Tony a toujours des difficultés à les supporter. / Tony a toujours des difficultés à supporter les voyages, **quels qu'ils soient**.

594.

Quelques propositions :
– Bien que le vieillissement soit un drame pour certaines personnes, c'est une période d'épanouissement pour de nombreuses autres.
– Le vieillissement a beau être un drame pour certaines personnes, c'est une période d'épanouissement pour de nombreuses autres.
– Le vieillissement est un drame pour certaines personnes, c'est pourtant une période d'épanouissement pour de nombreuses autres.

ⓐ 1. La première pestait tout le temps **quoi que** je lui dise de faire, **bien qu'/ quoiqu'elle** ait signé un contrat décrivant exactement ses tâches. Pour finir, elle a posé sa démission **sans même** m'en informer. – **2.** Le deuxième, à l'opposé dormait debout le matin devant la photocopieuse. Le soir, **en revanche**, il était en pleine forme sur une scène de théâtre ! Je n'ai rien contre les passions de mes employés, **bien au contraire, mais** ils doivent rester efficaces au travail au **moins** un minimum. – **3.** Le suivant, un garçon surexcité, se prenait pour un génie. Il allait sauver la boîte à **lui** tout seul, **alors que** nous, les vieux croûtons, nous étions juste bons à couler la boîte. – **4.** Pour finir, j'ai eu Mathilde dont je suis **en revanche** très **contente, même si elle** me surprend parfois par son fort caractère. Elle est très constructive **malgré** son style rentre-dedans. Hélas, **alors que** je lui ai demandé de rester, elle préfère finir sa formation ailleurs.

ⓑ Vocabulaire renforçant l'idée d'opposition :
un génie // de vieux croutons
lui allait sauver la boîte // bons à couler la boîte

596.

ⓐ et **ⓑ** Ces deux jeunes femmes ont des identités plurielles, composées d'élément quelquefois contradictoires. Mélissa ressent des tensions, presque une division entre ses différents aspects. Farah, elle, passe en souplesse d'un aspect à l'autre et est un modèle d'intégration des paradoxes. Les réponses sont dans les questions du c).

ⓒ 1. Mélissa est une fille d'ouvriers qui a grandi dans une ferme. Malgré cela / en dépit de cela... – **2.** Alors que / tandis que / bien que / Quoique son frère... – **3.** ... alors que / tandis que ses ancêtres... À l'opposé, ses ancêtres... – **4.** ... même si / bien qu'elle regrette... Pourtant / néanmoins elle regrette... – **5.** Bien qu'elle adore... – **6.** ... pourtant / toutefois / en revanche / par contre... – **7.** ... mais / cependant / en revanche / par contre... **8.** Farah pourrait se sentir divisée mais / toutefois / néanmoins / pourtant... – **9.** ... bien qu'elle / alors qu'elle... – **10.** ... cependant / toutefois / néanmoins... – **11.** Bien que / alors que / en dépit du fait que... – **12.** ... même si... – **13.** ... quelles que soient... – **14.** Malgré / en dépit de... – **15.** ... au contraire / à l'opposé

597.

1. Il **avait beau** faire froid, la vieille dame faisait une petite promenade. – **2. Malgré / en dépit de** l'interdiction du médecin, il est sorti. – **3.** Elle se présente au concours d'infirmière **même si / alors qu' / pourtant / cependant /** elle s'évanouit à l'odeur de l'éther. – **4. Malgré** les tensions, l'unité du pays reste la priorité de tous. – **5. Si / tout / quelque** costauds **qu'ils paraissent**, ils ne pratiquent aucun sport. – **6. Où qu'**elle aille, on la reconnaîtra. – **7.** Je n'admettrai aucune critique de **qui** que ce soit. – **8. Quel que** soit le médecin que vous voyez / verrez, n'oubliez pas de lui parler de vos douleurs au bras. – **9.** Promène-toi un peu **au lieu de** rester enfermé dans ta chambre – **10.** Il était furieux que ses amis soient partis **sans** lui. – **11.** Elle a travaillé toute la journée **bien qu' / quoiqu'elle** soit malade. – **12.** Les bateaux sont sortis en mer **bien qu' / quoiqu'on** ait annoncé une grosse tempête. – **13.** Il refuse toujours de payer sa part au café **alors qu'**il a beaucoup d'argent. – **14.** Je ne devrais pas savoir tout ça, **pourtant** je t'assure que je n'ai pas écouté aux portes. – **15.** C'est une famille très pauvre, mais elle survit **quand même**. – **16.** Je garderai toujours l'espoir **même si** la situation s'aggrave. – **17. Quand bien même** il serait élu député, il ne démissionnerait pas. – **18.** J'aime bien manger dans les pizzerias, mes parents **eux / quant à eux / pour leur part / de leur côté** préfèrent aller dans les grands restaurants. – **19.** Les chiens suivent toujours leur maître, **alors que / tandis que / en revanche / par contre / inversement / à l'opposé** les chats sont plus indépendants. – **20.** Cet étudiant, **par ailleurs** très intelligent, a complètement raté son examen oral.

598. Propositions

1. Elle est très heureuse **malgré les difficultés** dans lesquelles elle se débat. – **2.** Il n'est pas encore guéri **bien que son opération ait été un succès**. – **3.** Il a été condamné à cinq ans de prison **pourtant sa faute n'était pas bien grave**. – **4. Quoiqu'il ait passé** un an en France, il parle très mal français. – **5.** Vous devriez scanner cette lettre **au lieu de lire** ce rapport. – **6.** Les stations de sport d'hiver affichent complet **malgré le mauvais temps**. – **7.** Nous n'avons pas l'intention d'exploiter votre appareil **même si nous le trouvons** très intéressant. – **8.** Je suis ravie de vous annoncer que votre projet a été retenu par la commission **en dépit des imperfections** qu'il présente. – **9.** Il pleut beaucoup dans cette région **alors que dans mon pays il fait toujours beau** et chaud. – **10.** Cette jeune femme ne correspond pas vraiment au profil souhaité pour ce poste, **néanmoins** il faut la prendre à l'essai. – **11.** Ces meubles luxueux se vendent bien, **par contre ces petites tables** banales et pas chères ne se vendent pas. – **12. Si chère que soit cette voiture**, de nombreuses personnes peuvent l'acheter. – **13.** Cet enfant est très maladroit **en revanche**, il est très intelligent. – **14.** Des milliers d'euros partent chaque jour dans les jeux télévisés **alors que des millions d'enfants meurent de faim**. – **15.** Je ne sais pas ce que vous en pensez, **quant à moi**, je n'y crois pas du tout. – **16.** Il a un bon diplôme, il trouvera du travail **où qu'il se présente**. – **17.** Il est parti faire de l'escalade **sans se couvrir** au risque de **prendre une insolation**. – **18. Il a beau se contrôler**, il ne peut pas s'empêcher de crier. – **19. Quand bien même elle réussirait** son concours, elle aurait encore plusieurs années d'études. – **20. Quelles que soient les critiques,** il présentera son projet. – **21.** Le statut de la femme dans la société a beaucoup évolué, **il n'en reste pas moins qu'**il y a encore bien des problèmes. – **22.** Il a réussi son perm**is de conduire sans faire de faute.** – **23. Autant ce devoir de maths est difficile,** autant ces exercices de français sont faciles. – **24.** Il dit avoir un mode de vie très simple, **néanmoins il possède plusieurs résidences secondaires**.

599. Exercice de créativité

600. Exercice de créativité

Notes

Table des matières

1. La phrase...5

2. La construction des verbes...................................7

3. L'article...10

4. Les possessifs et les démonstratifs.................15

5. Les pronoms personnels...................................18

6. Les pronoms relatifs...28

7. Les indéfinis..36

8. Les prépositions..39

9. L'interrogation...44

10. La négation..48

11. Le passif...52

12. Nominalisations...56

13. Le présent de l'indicatif...................................63

14. Le futur...65

15. Le passé...72

16. Le conditionnel...90

17. Le subjonctif...93

18. L'expression du temps....................................104

19. Le discours rapporté......................................116

20. La comparaison...127

21. La condition – L'hypothèse.............................134

22. La cause – La conséquence............................141

23. Le but..157

24. L'opposition, la concession............................164